Peter Jones

Das andere Weltbild

Über die größte Bedrohung für das Christentum

Dieses Buch ist ein Schlüssel für das Verständnis des tiefgreifenden Wandels der Weltanschauung im gesamten Westen, nicht nur in Nordamerika, sondern auch in Lateinamerika. Sorgfältig analysiert Peter Jones die religiösen Unterfütterungen dieses Wandels und zeigt im Lichte der Heiligen Schrift auf, dass es nur *zwei* Möglichkeiten gibt. Ich empfehle dieses Werk – die reifen Überlegungen eines Gelehrten, der die letzten 20 Jahre diesem Thema gewidmet hat.

Rev. Bill Green
Geschäftsführer der *Confraternidad Latinoamericana de Iglesias Reformadas* (CLIR),
Costa Rica

Ich habe zwei Jahrzehnte lang als juristischer Aktivist in Großbritannien gearbeitet und wurde Zeuge der Verwüstung eines politisch-juristischen Systems, das *Einsheit* annimmt und *Zweiheit* leugnet. **Das Christentum wird im öffentlichen Raum unterdrückt und unsere Nation dessen beraubt, was für alle gut ist.** Peter Jones erklärt auf brillante Weise, warum wir uns in einem solchen Chaos befinden und wie es dazu kam, und befähigt uns, in einer vom alten Heidentum durchdrungenen Kultur in angemessener Weise zu sprechen und zu handeln.

Andrea Williams
Geschäftsführerin des *Christian Concern and Christian Legal Centre*,
London, England

Das neue Buch von Dr. Peter Jones ist ein Volltreffer! Seine historische, theologische und kulturelle Analyse steht auf höchstem Niveau und gibt Anlass zu **großer Sorge und Hoffnung für die Kirche des 21. Jahrhunderts.** *Das andere Weltbild* ist ein Muss für alle christlichen Führungskräfte, die erkennen und verkündigen, dass Gott der Schöpfer ist und wir seine Schöpfung sind!

The Rt. Rev. Dr. Eric Vawter Menees
Bischof der anglikanischen Diözese von San Joaquin,
Fresno, Kalifornien

Mein guter Freund Peter Jones vertritt die Ansicht, dass die Übel der modernen Kultur auf die Leugnung der biblischen Unterscheidung zwischen Schöpfer und Geschöpf zurückzuführen sind. Peter hat diese These schon früher vertreten, aber hier legt er **eine höchst gewichtige, detaillierte und erhellende Darstellung dieses „modernen" Bewusstseins** vom antiken Heidentum über den Gnostizismus bis zu modernen Denkern wie C. G. Jung vor. Am Ende zeigt Peter, wie das biblische Evangelium der Erlösung von der Sünde in Christus die einzige adäquate Entgegnung auf die neuheidnische *Einsheit* und den einzigen Weg für uns darstellt, Gott so zu erkennen, wie er wirklich ist.

Dr. John M. Frame
J.-D.-Trimble-Professor für Systematische Theologie und Philosophie am
Reformed Theological Seminary,
Orlando, Florida

Seit mehr als zwei Jahrzehnten ist Peter Jones' Arbeit unverzichtbar für jeden Christen, der verstehen will, wie man den heidnischen Westen mit dem Evangelium von Jesus Christus erreichen kann. In *Das andere Weltbild* hilft er den Lesern zu erkennen, dass es wirklich nur zwei Möglichkeiten gibt, die Wirklichkeit zu sehen, nämlich das Christentum und alle anderen Weltanschauungen. Mit der seltenen und beneidenswerten Gabe, komplexe Gedanken zugänglich zu machen, **zeigt Dr. Jones, dass das andere Weltbild in seinen verschiedenen Ausprägungen einer intellektuellen Prüfung nicht standhält.**

Rev. Dr. Gabriel N. E. Fluhrer
Leitender Geistlicher der *Shiloh Orthodox Presbyterian Church,*
Raleigh, North Carolina

Die Geschwindigkeit und Intensität der kulturellen Todesspirale ist überwältigend, doch ihr unausweichlicher Verlauf wird von der Heiligen Schrift bestätigt. In *Das andere Weltbild* entfaltet Peter Jones mit einer sorgfältigen biblischen Analyse die unausweichliche Akzeptanz des Heidentums und dessen sichere Auflösung – es sei denn, **sie wird durch**

eine Verkündigung des Evangeliums aufgehalten, die Gott verherrlicht und sowohl die allgemeine Gnade als auch die erlösende Gnade in Wort und Tat aufzeigt.

Harry L. Reeder
Leitender Pastor der *Briarwood Presbyterian Church,*
Birmingham, Alabama

Weil das 21. Jahrhundert der gnostischen Welt der ersten beiden Jahrhunderte immer ähnlicher wird, sollten wir dankbar sein, dass Gott uns auch einen neuen Irenäus zur Seite gestellt hat. Seit Jahrzehnten ist Peter Jones eine prophetische Stimme, und hier fasst er seinen Reichtum an Weisheit und Einsicht sozusagen in einem *Magnum Opus* zusammen, ein *Contra Haereses* für unsere Zeit – auch wenn er zu Recht auf dem Singular „Häresie" anstelle des Plurals bestehen würde. *Das andere Weltbild* ist eine Pflichtlektüre, die genau dies auf brillante Weise erklärt.

Dr. Brian Mattson
Senior Scholar für Public Theology am *Center for Cultural Leadership,*
Coulterville, Kalifornien

Was Francis Schaeffer in der zweiten Hälfte des 20. Jahrhunderts für so viele getan hat – nämlich die Augen für die Probleme hinter den Problemen zu öffnen, für die tiefen weltanschaulichen Unterströmungen, welche die Kultur entmenschlichen und verwüsten –, das hat Peter Jones in der ersten Hälfte des 21. Jahrhunderts für uns getan. *Das andere Weltbild* analysiert tiefschürfend, wie Römer 1 – die Anbetung der Schöpfung statt des Schöpfers – in der westlichen Kultur tragische Formen angenommen hat. **Während sich viele Bücher auf die Behandlung von Symptomen konzentrieren, führt Jones uns an die Krankheit und weist uns auf das einzig mögliche Heilmittel hin, das Evangelium der *Zweiheit*.**

Dr. Thaddeus Williams
Assistenzprofessor für Theologie an der *Talbot School of Theology* der *Biola University,*
La Mirada, Kalifornien

Die Kämpfe des christlichen Glaubens werden manchmal als „Kulturkriege“ bezeichnet, aber das neue Buch von Peter Jones zeigt, dass sie nichts weniger als ein Krieg der Weltanschauungen sind. Peter trifft den Nagel auf den Kopf, wenn er feststellt, dass eine „ewige Philosophie“ dem verführerischen Heidentum zugrunde liegt, dem alten wie dem modernen, dem östlichen wie dem westlichen. Monismus und Pantheismus sind in diesen Ansichten verwurzelt und unterscheiden nicht zwischen dem Schöpfer und dem Geschöpf, dem Einen und den Vielen.

Die biblische Weltanschauung unterscheidet sich deutlich vom Rest des Alten Orients, und die gegenwärtige Verstrickung des Westens mit „östlicher Spiritualität“ entspringt der Ablehnung des biblischen Paradigmas. Der atheistische Säkularismus steht unter dem Drang des Bedürfnisses nach dem Spirituellen. Dieses ermöglicht unzählige spirituelle Varianten, die unter dem Deckmantel der „Unvoreingenommenheit“ jeden Wirrwarr rechtfertigen. Peter hat absolut recht mit seiner scharfen Kritik an dem Wunsch, Gegensätze zu versöhnen und damit den Unterschied zwischen Gut und Böse, Richtig und Falsch zu verwischen, auch – oder vielleicht gerade – wenn dies im Namen der Wissenschaft geschieht.

Heute brauchen wir sowohl eine Kritik der ungeprüften Annahmen der westlichen Kultur als auch eine kompetente Apologetik für die christliche Analyse des menschlichen Daseins in einem Universum, das ständig von seinem Schöpfer abhängig ist, der nicht einfach mit ihm gleichzusetzen ist. Wir stehen tief in Peters Schuld, weil er in diesem Buch eine solche Kritik und Apologetik liefert.

Bischof Michael Nazir-Ali

Präsident des *Oxford Centre for Training, Research, Advocacy and Dialogue (OXTRAD)* und ehemaliger Bischof von Rochester, England

DAS ANDERE WELTBILD

ÜBER DIE GRÖSSTE BEDROHUNG FÜR DAS CHRISTENTUM

PETER JONES

Peter Jones
Das andere Weltbild
Über die größte Bedrohung für das Christentum

Best.-Nr. 271917
ISBN 978-3-86353-917-7
Christliche Verlagsgesellschaft Dillenburg

Best.-Nr. 180244
ISBN 978-3-85810-641-4
Verlag Mitternachtsruf, www.mnr.ch

Titel des amerikanischen Originals:
The Other Worldview:
Exposing Christianity's Greatest Threat

Published by Kirkdale Press, 1313 Commercial St., Bellingham, WA 98225
KirkdalePress.com

Sofern nicht anders vermerkt, wurden Zitate frei aus dem Englischen übersetzt.
Wenn bekannt, wurde die deutsche Ausgabe zusätzlich in der Fußnote angegeben (ohne Seitenangaben).

1. Auflage

www.cv-dillenburg.de

Übersetzung: Michael Dennstedt
Satz und Umschlaggestaltung: Christliche Verlagsgesellschaft Dillenburg

Druck: GGP Media GmbH, Pößneck
Printed in Germany

Wenn Sie Rechtschreib- oder Zeichensetzungsfehler entdeckt haben,
können Sie uns gern kontaktieren: info@cv-dillenburg.de

INHALT

TEIL 2 – DAHINGEGEBEN

TEIL 3 – NICHT AUFGEBEN

ZUR DEUTSCHEN AUSGABE

Liebe Leser,

hiermit legen wir *The Other Worldview* von Peter Jones in deutscher Sprache vor: Das bereits 2015 in den USA erschienene Werk fasst die jahrzehntelange Forschungsarbeit des Autors zusammen. Dieser stellt nach dem Fall des säkularen Humanismus eine Rückkehr des Heidentums fest. Anhand von Römer 1,25 („Sie vertauschten die Wahrheit Gottes mit Lügen. Sie beteten die Geschöpfe an und verehrten sie anstelle des Schöpfers") macht er deutlich, dass es letztlich nur zwei Weltanschauungen gibt: Entweder man betet das Geschaffene an (er benennt dies mit dem Kunstwort *Oneism – Einsheitsglaube,* weil man nur an *eine* letzte Wirklichkeit glaubt: die Natur), oder man betet den Schöpfer an (er nennt dies *Twoism – Zweiheitsglaube,* weil man an *zwei* Größen glaubt: den Schöpfer *und* die von ihm geschaffene und getrennte Natur).

Peter Jones weist nach, wie sehr uns im Westen das Denken C. G. Jungs, des Begründers der analytischen Psychologie, geprägt hat, nachdem zunächst das Christentum als allgemein prägende Weltanschauung verschwunden und auch der Säkularismus auf dem Rückzug war. Im Gegensatz zu Freud, mit dem sich Jung zerstritten hatte, war er offen für parapsychologische Phänomene und öffnete die Psychologie für das Religiöse, Irrationale und sogar Okkulte. Vieles davon wird in der *Philosophia perennis,* der immerwährenden oder ewigen Philosophie, zusammengefasst, die die Weisheit aller Kulturen und Religionen vereinen will. Der neue *Einsheitsglaube* will Gegensätze versöhnen und Polaritäten – wie z. B. die Geschlechterpolarität – beseitigen. Dabei geht es nicht nur um moralische Fragen, sondern vielmehr um eine Weltanschauung: *Das andere Weltbild* – eine Kosmologie, die im Gegensatz zur christlichen Weltsicht steht.

Der Autor zeichnet diese Entwicklung, die sich in relativ kurzer Zeit seit der „1968er Revolution" in der westlichen Kultur vollzogen hat, nach und zitiert dabei überwiegend englischsprachige Literatur, von der aber ein großer Teil auch auf Deutsch erschienen ist. Auch wenn nicht alles direkt auf die europäische Situation übertragbar ist, gibt es viele Ähnlichkeiten und Vergleichspunkte. Da Dr. Jones ursprünglich aus Großbritannien stammt und viele Jahre in Südfrankreich gelehrt hat, ist er auch ein guter Kenner der europäischen Situation.

Ausführlich geht der Autor auf den Einfluss und die Folgen der „New-Age-Bewegung" ein, die vor Jahrzehnten in Deutschland noch gut bekannt war. Wenn der Begriff heute aus dem öffentlichen Diskurs verschwunden ist, hat das seine Gründe: „Die Invasion der östlichen Spiritualität bedeutet, dass die New-Age-Bewegung bei Weitem nicht verschwunden ist, wie manche dachten, sondern dass sie zum Mainstream geworden ist und sich in die verschiedenen sich ergänzenden spirituellen Ausdrucksformen gewandelt hat, deren Kern eine Göttlichkeit im Innern ist."

Dass aber diese „innere Göttlichkeit" dem christlichen Evangelium völlig widerspricht, macht der Autor sehr deutlich: „Der christliche Glaube behauptet jedoch, dass wahre Macht von außen kommt – von außerhalb des eigenen Ichs und außerhalb der geschaffenen Welt – und aus dem vom Heiligen Geist inspirierten Wort Gottes, das der Welt die gute Nachricht vom triumphalen Sieg Jesu über Sünde und Tod verkündet, der ein für alle Mal am Kreuz von Golgatha errungen wurde."

Auch wenn Peter Jones z. T. erschreckende Entwicklungen aufzeigt, die kaum noch zu ändern sind, führt er nicht in den Fatalismus: „Wir geben nicht auf, weil wir wissen, dass Gott das letzte – gute – Wort haben wird."

Wir wünschen diesem Buch, das manche mit den Werken von Francis Schaeffer verglichen haben, eine gute Aufnahme und weite Verbreitung im deutschsprachigen Raum.

Der Verlag im April 2024

NUR ZWEI WELTBILDER

Eine Kurzdefinition vorab

Einsheit (Oneism) – Anbetung des Geschaffenen

Zweiheit (Twoism) – Anbetung des Schöpfers

„Sie vertauschten die *Wahrheit* Gottes mit *Lügen*. Sie beteten die *Geschöpfe* an und verehrten sie anstelle des *Schöpfers*." (Röm 1,25; NeÜ)

„Entweder ist der transzendente Schöpfer – ein Gott der interpersonalen Liebe der Dreieinigkeit – der Ursprung von allem, was geschaffen wurde, und erhält es, oder das Universum selbst ist in all seiner Vielfalt alles, was es gibt. ... Wir müssen hier eine Glaubensentscheidung zwischen diesen Alternativen treffen – und es gibt nur diese zwei. Wenn Gott und die Natur die Wirklichkeit bilden, dann bedeutet dies *Zweiheit (Twoism)*, und alles ist *entweder* Schöpfer *oder* Geschöpf. Wenn hingegen das Universum alles ist, was es gibt, dann bedeutet dies *Einsheit (Oneism)*." (S. 10)

„Ich behaupte mit der Bibel, dass es nur zwei Weltanschauungen gibt: die eine, in der die Schöpfung die letzte Instanz ist, und die andere, die auf der letztgültigen, vorgeordneten und alles bestimmenden Existenz des Schöpfers beruht. Die Schöpfung oder der Schöpfer sind die einzigen Alternativen als Ziele göttlicher Verehrung, die einzig möglichen Erklärungen der Welt, die wir kennen. Der Widerstreit besteht zwischen zwei sich gegenseitig ausschließenden, gegensätzlichen Glaubenssystemen." (S. 15)

„Der Einfachheit halber nenne ich diese beiden Alternativen *Einsheit* (*Oneism*) und *Zweiheit* (*twoism*).* Es handelt sich dabei nicht um bloße Variationen eines allgemeinen spirituellen Themas, sondern um die beiden einzigen zeitlosen, einander widersprechenden Möglichkeiten, über die Welt nachzudenken. Zwischen diesen beiden Begriffen *Einsheit* und *Zweiheit* besteht ein himmelweiter Unterschied. Sie markieren die einzigen beiden Ziele, die wir ansteuern können." (S. 15)

* Mit diesen Worten habe ich lediglich vereinfachte Begriffe erfunden. Andere Ausdrücke für diese beiden Möglichkeiten sind Heidentum und biblische Lehre, Monismus und Theismus. Es geht darum, ob Schöpfer und Schöpfung voneinander abgegrenzt werden oder nicht. (Endnote 29)

VORWORT

Moment mal! Wie um alles in der Welt sind wir nur dahin gekommen, wo wir jetzt sind? Die Sonne ist über dem British Empire untergegangen, und das große Experiment Amerika ist uns im Labor um die Ohren geflogen.

Wir können nach den grausamen Auswirkungen von zwei Weltkriegen auf die westliche Zivilisation fragen. Wir können uns mit den Auswirkungen des Holocaust befassen. Der kampferprobte Befehlshaber der Alliierten, General Dwight D. Eisenhower, weinte, als er die geisterhaften, ausgemergelten Überlebenden von Hitlers Todeslagern und der „Endlösung der Judenfrage" sah. Wir können unsere daraus resultierende Kultur durch die Linse von Nietzsches Nihilismus oder Jean Paul Sartres Einschätzung der Menschheit als „Geschlossene Gesellschaft" voller „Ekel" lesen.

Amerika hat eine Revolution hinter sich – nein, zwei Revolutionen. Die erste war die Revolution des 18. Jahrhunderts, in der die Vereinigten Staaten ihre Unabhängigkeit von England erlangten. Wir vergessen oft, dass mehr als anderthalb Jahrhunderte kolonialer Kultur verstrichen waren, bevor man sich die *Boston Tea Party* überhaupt vorstellen konnte. Der Unabhängigkeitskrieg wurde geführt, um die koloniale Kultur zu bewahren – ihre Bräuche, ihre Sitten und ihre Regierungsform. Es gab bereits eine etablierte amerikanische Lebensweise („American way of life"), die durch willkürliche Änderungen des britischen Parlaments, durch das die Kolonien regiert wurden, ernsthaft bedroht war.

Gewiss, Amerika war bereits dabei, sich ohne große Unterstützung aus England zu verändern. Jonathan Edwards hatte bereits den Verfall der Werte, der Religion und der Sitten beklagt, welche die Pilger und Puritaner, die das Land zuvor besiedelt hatten, als ein „Licht … auf einem Berg" (vgl. Mt 5,14) etablieren wollten.

Die Französische Revolution war ganz anders. Bei ihr handelte es sich um eine selbstbewusste Anstrengung, die traditionelle, etablierte nationale Kultur auf den Kopf zu stellen. Sie war ein Feldzug gegen die vorherrschende französische Lebensweise.

Amerikas zweite Revolution, die Kulturrevolution der 1960er-Jahre, ähnelte der Französischen Revolution insofern, als ihr Ziel darin bestand, die Formen, Strukturen, Werte und Ethik des Status quo radikal zu verändern. Sie wollte ein neues Zeitalter einläuten: das New Age, das Wassermannzeitalter.

Die Morgendämmerung dieses neuen Zeitalters ist schon lange vorbei. Der Wassermann steht jetzt im Zenit. Zu Beginn verlief diese Revolution relativ unblutig, Ihre Folgen jedoch sind ausgesprochen blutig. Um nur ein Beispiel zu nennen: Amerika hat den Auftragsmord an über 60 Millionen ungeborenen Kindern miterlebt und gebilligt. Lebende Personen werden im Namen der Gesundheit und Freiheit von Frauen routinemäßig in Stücke gerissen und zerschnitten.

In der Mittagssonne ist offenbar geworden, wie die Heiligkeit des Lebens, die Heiligkeit der Ehe, die Heiligkeit der Geschlechter und die Heiligkeit des Heiligen selbst vernichtet wurden. Wir haben das miterlebt. Diese Kultur ist nicht nur postchristlich und postmodern, sie ist nicht nur neoheidnisch, sondern sie ist sogar neobarbarisch geworden.

Gedanken haben Folgen. Die Ideen des New Age, *unseres* Zeitalters, haben ihre Wurzeln in der antiken Gnosis. Diese besondere Philosophie vertrat eine Form des Pantheismus oder Monismus: Gott ist „das All-Eine", die Summe aller Dinge. Alles ist Gott, und Gott ist alles.

Wenn alles Gott ist, ist letztlich nichts Gott. Das Wort „Gott" kann so auf nichts verweisen, das sich von anderem unterscheidet. Es wird zu einem sinnlosen, unverständlichen Wort.

Peter Jones hat sich bemüht, den Unterschied und die Auswirkungen eines Zeitgeistes der *Einsheit* (Monismus) gegenüber der *Zweiheit* (Dualität) aufzuzeigen. Die *Zweiheit*, von der Dr. Jones spricht, ist nicht jene alte Form des Dualismus, der gleichwertige entgegengesetzte Kräfte von Gut und Böse umschließt. Nein, sie ist eine kosmische Dualität, die klar und deutlich den Unterschied zwischen Schöpfung und Schöpfer und die Beziehung zwischen beiden sieht.

Es handelt sich nicht um eine einfache Rechenaufgabe, bei der wir lernen, von eins bis zwei zu zählen. Diese Zahlen haben Endungen. Das Suffix *-heit* wird an die Eins und die Zwei angehängt und ergänzt damit diese einfachen Zahlen jeweils um die gesamte von ihnen umspannte Weltanschauung oder philosophische Standortbestimmung.

Dr. Jones hat uns eine klar lesbare Karte erstellt. Sie zeichnet die historischen Pfade, die philosophischen Routen und die kulturellen Wege nach, die uns in das Wassermannzeitalter geführt haben. Dieses Werk ist Pflichtlektüre für jeden besorgten Amerikaner (und Europäer) und besonders für alle Christen, die am Grab ihrer Kultur weinen.

R. C. Sproul
Orlando, Florida, 2015

EINFÜHRUNG

Vor Kurzem habe ich mit meiner Frau und einer unserer Töchter in einem vollbesetzten Kino den dritten Teil von *Der Hobbit* gesehen. Es war sicherlich ein monumentales Filmerlebnis, aber was mir am meisten auffiel, war eine gewisse *Sehnsucht* hinter alldem. Ich habe mich gefragt, ob die anhaltende Popularität von C. S. Lewis und J. R. R. Tolkien ein Heimwehgefühl nach einer längst vergangenen Kultur anzeigt. Dabei sieht ein aufmerksamer Beobachter einen wichtigen Unterschied zwischen diesen beiden großartigen Schriftstellern:

> *Während C. S. Lewis versucht, uns dessen zu vergewissern, was wir bereits glauben, indem er die Geschichte als Kindermärchen verpackt, verunsichert Tolkien uns zutiefst. Unser Volk, unsere Kultur, unsere Sprache, unser Platz auf dieser sich wandelnden und unbeständigen Erde sind nicht sicherer als die von tausend ausgestorbenen Völkern vergangener Zeiten; und wir brauchen eine weitaus größere Hoffnung als die der Arbeit unserer Hände und des Schliffs unserer Schwerter.*[1]

Die große mythische Vision dieser Autoren von der Konfrontation zwischen den Mächten des Guten und des Bösen verrät ein Gespür dafür, dass das christliche Abendland von einem Übel bedroht war, das jede Erinnerung an eine auf christlichen Grundsätzen beruhende Kultur vernichten würde. In den 1940er-Jahren konnte man dieses Böse leicht im Nationalsozialismus und im Marxismus erkennen. Die beiden Schriftsteller waren zweifellos besorgt, als sie sahen, wie das christliche Gerüst der westlichen Kultur dem selbstbewussten Triumph eines säkularen Humanismus wich.

Das vorliegende Buch ist besonders für Leser geschrieben, die gerade ein Drittel meines Alters erreicht haben. Ich schreibe es als unbequemer Augenzeuge eines massiven Wandels in der westlichen Kultur, in der die dunklen Kräfte Saurons die Macht der westlichen Kultur im einst christlichen Abendland übernommen haben. Diese Kräfte, die zunächst als säkularer Humanismus in Erscheinung traten, haben sich inzwischen zu einem weitaus gewaltigeren Gegner des Christentums entwickelt, nämlich zu einer umfassenden Weltanschauung heidnischer Überlieferungen, die sich vielleicht am deutlichsten in den vielen anderen religiös inspirierten Blockbustern Hollywoods zeigt, z. B. in *Krieg der Sterne*, *Matrix* oder den Filmen des Marvel-Universums, die nicht die Weltsicht von Tolkien oder Lewis teilen.[2]

Mein Plädoyer ist keine nostalgische Aufforderung, zu den guten alten Zeiten zurückzukehren, sondern ein Versuch, die Fronten zwischen *den beiden letztlich einzigen Weltanschauungen* zu klären – den beiden einzigen grundlegenden Modellen, die dem zugrunde liegen, wie wir uns die Welt vorstellen und erklären. Ich nenne sie *Einsheit (Oneism)* und *Zweiheit (Twoism).*[3] Diese Begriffe sind meine Kurzformel für das, was der Apostel Paulus nach meinem Verständnis meint, wenn er als Kern des Götzendienstes und der Unwahrheit das Vertauschen der Wahrheit Gottes mit Lügen und die Verehrung der Geschöpfe anstelle des Schöpfers beschreibt (Röm 1,25).

In den letzten zwei Generationen habe ich beobachtet, wie die *Einsheit* des antiken Heidentums die jahrhundertealten kulturellen Strukturen des Westens ersetzt hat – Strukturen, die auf den grundlegenden Vorstellungen biblischer Wahrheit *(Zweiheit)* beruhen. Die Lüge der *Einsheit* ist zum großen Teil deshalb auf dem Vormarsch, weil sie jetzt wortgewandt als Weltbild präsentiert wird, das in der Lage sei, die gesamte menschliche Existenz zu erklären, und für sich in Anspruch nimmt, kulturell normativ zu sein und von der Geschichte bekräftigt zu werden. Dieser Versuch, die christliche Weltanschauung mit ihrer Überzeugung eines göttlich geschaffenen, strukturierten und geordneten Universums zu demontieren, untergräbt nicht nur die richtige Erkenntnis und Verehrung des Schöpfers, sondern beeinträchtigt auch ernsthaft die Möglichkeit, dass Menschen das christliche *(zweiheitliche)* Evangelium überhaupt noch hören und verstehen können.

In den Vereinigten Staaten ist die Generation der Jahrtausendwende die erste, die von Geburt an in ein solch konsequent antibiblisches System eingetaucht ist. In vielen Gegenden der Vereinigten Staaten und in ihren Bildungseinrichtungen wurde dieser Generation eine Weltanschauung vermittelt, die auf den Voraussetzungen des Heidentums und einer völligen Ablehnung Gottes, des persönlichen Schöpfers, beruht. Diese Stimmen haben für viele junge Menschen eine ernsthafte Auseinandersetzung mit der christlichen Weltanschauung verdrängt, die nun – wie früher das Geld – als Quelle aller möglichen Übel verunglimpft wird. Die traditionelle westliche Kultur befindet sich also im Belagerungszustand, und die unmittelbaren Opfer sind die in den 1980er- und 90er-Jahren geborenen sogenannten Millennials, die unwissentlich von alternden Fortschrittsgläubigen (meinen Altersgenossen, wohlgemerkt!) verführt wurden.

Wie kann man zu einer Generation sprechen, die neu von altem Heidentum durchdrungen ist? Meine Antwort auf diese drängende Frage ist auf den folgenden Seiten zu lesen: nur mit einem gut begründeten *zweiheitlichen* Weltbild, das Gott ehrt. Die Beschreibung des Wesens dieser „Lüge“ und das Aufzeigen der vollumfänglichen Wahrheit ist der einzige Weg nach vorn. Wir Christen brauchen ein tiefes Verständnis *sowohl* des Evangeliums *als auch* des heidnischen Systems, das uns umgibt. Das Evangelium spricht in dieses System hinein und verurteilt es unmissverständlich, um vollständig davon zu erlösen.

Ich kann mir gut vorstellen, was Gott mit einer heranwachsenden Generation christlicher Millennials tun könnte, die darin geübt wäre, „antithetisch" oder *zweiheitlich* zu denken – so wie es der Apostel Paulus und die frühen Christen taten, die, obwohl sie nur eine kleine Minderheit in einem feindseligen, heidnischen Reich waren, dieses zur Ehre von Jesus Christus auf den Kopf stellten.

KAPITEL 1

EINE FAHRKARTE – ABER WOHIN?

Ein Plan von London und ein Plan des Lebens

Drei meiner Kinder leben in London. Jedes Mal, wenn ich sie besuche, staune ich über die Londoner U-Bahn. Die *Tube* (Röhre), wie sie auch genannt wird, wurde 1863 eröffnet und befördert heute jedes Jahr mehr als eine Milliarde Fahrgäste in einer der größten Städte der Welt überallhin. Um einen bestimmten Ort schnell zu erreichen, muss man allerdings wissen, wohin der Zug fährt. Sonst kann man tagelang ein- und aussteigen, ohne ans Ziel zu kommen.

Manche Menschen leben so. Bildhaft gesprochen steigen sie in den ersten Zug ein, der kommt, oder in den, den die meisten Menschen nehmen. Nur wenige denken über das Ziel nach, bis sie am Ende der Fahrt an einer Station des Lebens landen, die ihnen gar nicht gefällt, und die Reise schließlich bereuen.

Eine Weltanschauung enthält eine Reihe von Überzeugungen und Schlussfolgerungen über das Wesen der Welt, die unserem Leben eine grundlegende Bedeutung und Orientierung geben, so wie uns ein U-Bahn-Plan durch London leitet. Auch wenn unsere Überzeugungen oft nur aus unbestimmten Ahnungen oder ungeprüften Vermutungen bestehen, haben wir alle eine

Weltanschauung. Der einfache Umstand, dass wir den Mund öffnen, um zu sprechen, zeigt, dass wir glauben, dass das Leben eine Bedeutung hat und alles irgendwie zusammenpasst. Eine Übersichtskarte des Lebens zu deuten ist komplizierter als bei der Karte der Londoner U-Bahn. Deshalb geben wir manchmal auf und steigen einfach in den nächsten Zug, der vorbeikommt.

Auch unsere Kultur scheint auf einen Zug aufgesprungen zu sein, der in eine ganz andere Richtung fährt als der, mit dem sie ursprünglich unterwegs war. Vielleicht geschah dies aus der Überzeugung heraus, dass es die falsche Richtung war. Möglicherweise haben wir es auch aufgegeben, darüber nachzudenken, wo wir schließlich landen werden. Doch wie viele Richtungen gibt es letztendlich überhaupt?

Die Ursprünge eines Buches – eine kleine Autobiografie

Beginnen wir unsere Reise mit einer Momentaufnahme aus meinem eigenen Leben. Der einflussreiche Schweizer Psychologe Carl Gustav Jung aus dem 20. Jahrhundert, dem wir auf diesen Seiten noch oft begegnen werden, beschrieb einmal einen Traum, in dem er sich in einer regnerischen Nacht in meiner englischen Heimatstadt Liverpool wiederfand, „einer rußigen, dunklen, schmutzigen Stadt“[4]. Danke, Carl, für diese wenig schmeichelhafte, aber zutreffende Beschreibung! Etwa 30 Jahre nach Jungs Traum fand ich mich an einem untypisch sonnigen Tag mit jemandem wieder, der noch berühmter war als Jung. Es war Mittagszeit an der *Quarry Bank High School for Boys,* und der Gedanke an *Fish and Chips* war für meinen Freund und mich unwiderstehlich. Entgegen der Schulregeln kletterten wir über die Mauer und machten einen 20-minütigen Ausflug zu unserer Lieblingsbude in der *Penny Lane.*

Der Name *Penny Lane* verrät es wahrscheinlich: Mein alter Schulkamerad war John Lennon, der später als einer der Beatles bekannt werden sollte. Einmal schrieb er (mit einiger Übertreibung) über den „blauen Vorstadthimmel“ über der *Penny Lane.* Damals konnte natürlich niemand seine glanzvolle Zukunft vorhersehen –

schon gar nicht der Schulleiter, der uns später an diesem Tag völlig unbeeindruckt von uns beiden den Hintern versohlte.

Ich erwähne meine Schulzeit mit John nicht, um etwas von seinem Ruhm abzubekommen, sondern weil ich eine gewisse historische Ironie sehe: Derselbe Schulleiter, der John und mich mit dem Rohrstock schlug, begann jeden Schultag mit Bibellesen und Gebet. *Quarry Bank* war zwar eine staatliche Schule, aber in dieser Hinsicht typisch: Damals war das Christentum die allgemein anerkannte Religion meiner Kultur, und England war ziemlich repräsentativ für den Rest des Westens. Lange nach meiner Zeit in der *Quarry Bank* wurde ich ein christlicher Theologe, der sich besonders der Unterscheidung der biblischen Spiritualität von ihren vielen Fälschungen widmet, insbesondere von denen, die in den heutigen Versionen der östlichen oder New-Age-Spiritualität zum Ausdruck kommen. Ich schreibe Bücher als Beobachter des spirituellen Zustands der heutigen westlichen Welt, der sich seit meiner Zeit an der Highschool dramatisch verändert hat. John hingegen verließ 1956 die *Quarry Bank*, und unsere Wege trennten sich für immer. Er wurde später ein hingebungsvoller Anhänger des Maharishi Mahesh Yogi und ein leidenschaftlicher Verfechter der östlichen Spiritualität.

Obwohl er derselben christlichen Kultur angehörte wie ich, bemühte er sich, das Christentum an den Rand zu drängen. In seinem Hit „Imagine" fordert er uns beispielsweise auf, uns eine Welt ohne Religionen oder Vorstellungen von einem Leben nach dem Tod vorzustellen, eine Welt, in der wir unser angeborenes persönliches und soziales Potenzial für endgültigen Frieden und Harmonie verwirklichen könnten. Der Einfluss eines solchen Denkens zeigt sich deutlich in der verbreiteten Äußerung: „Ich bin spirituell, aber nicht religiös." Bill und Hillary Clinton baten darum, in der Silvesternacht 2000 auf der *National Mall* „Imagine" zu spielen, um das dritte Jahrtausend einzuläuten.

1964 ging ich in die Vereinigten Staaten, um zu studieren. Ich kam auf dem *Logan Airport* in Boston an, kurz nachdem die Beatles nach Amerika gereist waren. Ich kam, um mich weiterzubilden, und entdeckte eine Kultur, die noch offensichtlicher christlich war als die, die ich verlassen hatte. Die „Festung Amerika“ war das Epizentrum des Christentums in der Welt des 20. Jahrhunderts, das Land, das zahllose Missionare bis ans Ende der Welt sandte. Das Christentum war allgegenwärtig; das bewiesen sowohl die unzähligen Radio- und Fernsehsender, Tausende von christlichen Schulen und Hochschulen und unzählige christliche Verlage als auch die Kirchengebäude, so weit das Auge reichte. Ich dachte schon, ich sei gestorben und bereits im Himmel angekommen. So konnten z. B. die Pastoren montags kostenlos Golf spielen, und ich bin sicher, das wird im Himmel auch so sein!

Was den Zauber schließlich brach, war die westliche Kulturrevolution der späten 1960er-Jahre, für die mein Schulkamerad ein so einflussreicher Wortführer war. Damals schien die Revolution gar nicht so besonders revolutionär zu sein. Sie umfasste eine Handvoll Hippies, deren Einfluss vernachlässigbar schien. Ironischerweise sind die meisten der gewaltigen Veränderungen, die wir heute erleben, auf die Überzeugungen und Annahmen dieser Handvoll Außenseiter zurückzuführen – auf ihre Weltanschauung.

„Dramatischer“ Kulturwandel

Ich habe diese turbulente Zeit von den 1960er-Jahren bis heute sowohl miterlebt als auch aufmerksam beobachtet. Zu meiner Lebzeit hat das Christentum aufgehört, für viele Menschen im Westen die Religion ihrer Wahl zu sein. Wie konnte ein so großer Wandel in so kurzer Zeit stattfinden? Einige Soziologen sprachen in den Sechzigerjahren davon, in einer „überraschungsfreien Welt“[5] zu leben, aber direkt vor ihrer Nase explodierte eine ideologische Revolution.

Elizabeth Fox-Genovese, eine angesehene amerikanische Wissenschaftlerin mit einem Doktortitel der *Harvard University*, war in den Sechzigerjahren eine bedeutende marxistische und feministische Stimme. Nachdem sie dann jedoch zum Christentum konvertiert war, sagte sie über die Kulturrevolution, an der sie selbst so enthusiastisch teilgenommen hatte: „Innerhalb eines bemerkenswert kurzen Zeitraums ... vollzog sich eine dramatische Veränderung des Wesens unserer Gesellschaft.“[6] Fox-Genovese ist nicht allein.[7] Ein großer Teil meiner Motivation, dieses Buch zu schreiben, besteht darin, den Ursprung und das Wesen dieses Wandels und seine anhaltenden Auswirkungen in der zeitgenössischen westlichen Kultur zu erklären.

Die Regeln haben sich geändert. Die Züge sind entgleist. In unserer Zeit ist der alte Baldachin einer mehr oder weniger christlichen Zivilisation zerstört und durch eine neue, übergreifende Struktur spiritueller Überzeugungen und Praktiken ersetzt worden. Viele der althergebrachten Plausibilitätsstrukturen, die dem Leben unter christlichem Einfluss im Westen Sinn und Bedeutung verliehen haben, sind nicht mehr erkennbar:

1. Moral wird durch unterschiedliche (und oft widersprüchliche) persönliche oder gesellschaftliche Überzeugungen relativiert.
2. Aufrichtigkeit bedeutet, den eigenen inneren Überzeugungen und Sehnsüchten mehr zu vertrauen als den äußeren Bedingungen oder objektiven Fakten.
3. Akzeptable Modelle von Sexualität und Familie lassen verschiedene Kombinationen von Personen und Geschlechtern zu.
4. Die Ehe ist oft praktisch kaum vom Zusammenleben im gegenseitigen Einvernehmen zu unterscheiden.
5. Mutterschaft wird in einem Atemzug mit gewollter Abtreibung auf Wunsch hochgehalten.

Die Bedeutung und der Rahmen von Spiritualität und Religion haben einen nicht minder grundlegenden Paradigmenwechsel erfahren. Der Gottesbegriff schließt heute Polytheismus (viele Götter) oder Pantheismus (ein mit dem Universum identischer Gott) ein. Durchschnittliche Millennials[8] in den USA z. B. beschreiben ein lebendiges geistliches Leben nicht mehr als Erkenntnis und Gemeinschaft mit dem unendlich persönlichen Schöpfer und Herrn des Himmels und der Erde, so wie er in der Bibel offenbart wird. Spiritualität ist zu einem *Do-it-yourself*-Lebenshobby geworden, wo uralte östliche Praktiken mit modernem Konsumverhalten kombiniert werden. Wenn Religion nur noch ein stillschweigendes Einverständnis darüber ist, dass wir alle blind nach derselben Sache tasten, wer kann dann noch jemanden dafür kritisieren, dass er zwar „spirituell, aber nicht religiös" ist?

Ich mag nostalgisch klingen – wie einer, der sich nach der guten alten Zeit zurücksehnt. Aber ich plädiere nicht für eine Rückkehr zur westlichen Kultur der 1950er-Jahre. Damals waren die Menschen genauso sündig und hatten genauso viele Probleme, etwa institutionellen Rassismus und Sexismus, ganz zu schweigen von übereifrigen Schulleitern mit Rohrstöcken! Dennoch gab es in dieser Kultur etwas – mit unterschiedlichem Maß an Erfolg und Beständigkeit –, was der Soziologe Peter L. Berger den „heiligen Baldachin" einer grundlegend christlichen Weltanschauung nannte: eine grundlegende Vorstellung über Gott, Moral, Sexualität, Familie, Ehe, Mutterschaft, Spiritualität und Religion, die bewusst oder unbewusst aus einem christlichen Blickwinkel heraus verstanden wurden. Die Menschen *brachen* die Regeln damals genauso wie heute, aber alle gingen ziemlich genau von *denselben* Regeln aus.

Ich habe beobachtet, wie sich dieser „umwälzende Wandel" innerhalb einer Generation vollzogen hat. Ich habe lange darüber nachgedacht, in der ganzen Welt Vorträge darüber gehalten und Bücher darüber geschrieben. Ich bete, dass mir diese Überlegungen und Forschungen durch Gottes Gnade zu einer erfolgreichen Analyse dessen verhelfen, was gerade geschieht und was Christen hilft, diesbezüglich Salz und Licht zu sein. Ziel ist nicht, eine westliche Kultur des 20. Jahrhunderts zurückzuholen, sondern das Evangelium in unserer eigenen Zeit klar zu verkündigen und die Kultur durch ein Gott wohlgefälliges Leben zu segnen.

Diese veränderte Kultur, in der wir leben, ist die einzige, die junge Leser kennen. Es ist nichts falsch daran, jung zu sein, aber wie George Bernard Shaw mit offensichtlichem Bedauern gesagt haben soll: „Schade nur, dass man die Jugend an die jungen Leute verschwendet." Wir alle bewundern die Energie, den Enthusiasmus und die Kreativität der Jugend. Dennoch kann mangelndes Wissen über die jüngere Vergangenheit zu Problemen führen. Heutige Generationen sehen vielleicht zeitgenössische Überzeugungen und Lebensstile als normal an, ohne sich darüber im Klaren zu sein, wie abnormal sie noch vor wenigen Jahren waren. Sowohl junge als auch ältere Christen suchen ihre Erkenntnis oft unkritisch in der sie umgebenden Kultur, deren Annahmen und Werte oft entschieden unchristlich sind. Wir sollten zwar versuchen, unsere Kultur zu verstehen, um in ihr Jesus zu bezeugen – aber wir müssen vermeiden, uns ihren Erwartungen anzupassen, nur um ihre Bestätigung zu erhalten.[9] Am wichtigsten ist, dass wir als christliche Gemeinde alle Kulturen – und uns selbst – in jeder Generation an den Maßstab erinnern, der alle anderen Maßstäbe misst: den Maßstab des Glaubens, das Gesetz der wahren Freiheit, das Wort Gottes.

Die Welt des Gegensatzes in einer Welt von Eins oder Zwei

In diesen verwirrenden Zeiten habe ich gute Nachrichten für meine Mitreisenden: Der U-Bahn-Plan für unsere Lebensreise ist nicht so kompliziert, wie es scheint! Im Gegensatz zu den Annahmen unserer Kultur gibt es nur zwei Züge, die in entgegengesetzte Richtungen fahren und an zwei sehr unterschiedlichen Zielen ankommen.

Ich bin darauf gekommen, als ich versuchte, die überraschenden Veränderungen im Westen zu verstehen, die aus den Kulturkämpfen der 1970er- und 80er-Jahre hervorgingen. Zwei einfache Begriffe, „Eins" und „Zwei", tauchen in der gegenwärtigen Debatte über Spiritualität oft auf. Ich sage manchmal: Wenn man von eins bis zwei zählen kann, kann man schon ein Theologe sein. Mit den Begriffen „Eins" und „Zwei" landet man genau im Nervenzentrum der Kultur, so als würde man am *Piccadilly Circus* oder am *Trafalgar Square* aus der U-Bahn aussteigen anstatt in einer kleinen Station außerhalb wie *Plumstead* oder *Cockfosters*. Wenn wir das Evangelium in unserer modernen Welt verteidigen wollen, müssen wir verstehen, was sich hinter den Begriffen „Eins" und „Zwei" verbirgt.

Wie lässt sich Spiritualität mit diesen einfachen Begriffen beschreiben? In *The Joy of Sects*, einem Werk, das alle großen Religionen behandelt, gibt uns Peter Occhiogrosso einen Hinweis. Obwohl er in seinem Titel nicht die Begriffe „Eins" oder „Zwei" verwendet, stellt er dennoch klar und deutlich fest: „Durch jede große Überlieferung fließt ein Strom ... ein einziger Strom, der jede dieser Überlieferungen aus einer einzigen Quelle speist ... die immerwährende Philosophie."[10] Er definiert die „immerwährende Philosophie" *(Philosophia perennis)* als ein System, das „versucht, die Dualität *[Zweiheit]* aufzubrechen und uns zu einem vereinigenden Zustand *[Einsheit]* zurückzubringen, damit wir sehen, dass wir bereits eins sind"[11]. Der spirituelle Lehrer Andrew Cohen formuliert in einem Vortrag mit dem Titel „The Significance of Non Duality" (dt.: „Die Bedeutung der Nicht-Dualität") ganz ähnlich: „Es gibt nur eins, nicht zwei." Während des Vortrags fragt er immer wieder: „Warum ist es wichtig, dass es nur eins und nicht zwei gibt?"[12]

„Eins" und „Zwei" tauchen auch in Diskussionen über die „Veröstlichung" des Westens auf.[13] Philip Goldberg legt in *American Veda*[14] dar, dass Amerika hinduistisch geworden ist, und verweist auf die allgemeine Verbreitung des alten Sanskrit-Begriffs „Advaita", was „nicht zwei" bedeutet. Advaita bekräftigt, dass alles eins ist. Die Betonung des Einsseins ist ein wesentliches Merkmal aller östlichen Religionen, die im Westen auf fruchtbaren Boden gefallen sind. Dazu gehören die sehr alten Religionen wie Hinduismus, Sikhismus, Taoismus und auch der Buddhismus sowie neuere Zugänge wie Sufismus, Neuplatonismus[15], Gnosis und Kabbala.

Auch C. G. Jung erklärte die Existenz mittels der Begriffe „Eins" und „Zwei"[16], ebenso wie Pater Thomas Keating, ein römisch-katholischer interreligiöser Mystiker, der lehrt, dass das hohe Ziel der Spiritualität darin bestehe, vom Bewusstsein der Zweiheit (Abgrenzungen in der realen Welt) zum nicht dualen Zustand des Einsseins zu gelangen.[17] Dieselbe Terminologie findet sich in den Schriften einiger evangelischer Führungspersönlichkeiten[18], und sie steht auch im Mittelpunkt der zeitgenössischen utopischen Diskussionen über Interspiritualität.[19]

„Eins" oder „Zwei"? – Es gibt nur *eine* Antwort

Die obigen Beispiele mögen willkürlich oder eigenartig erscheinen, aber sie führen uns tatsächlich zum Kern der gegenwärtigen Faszination für Spiritualität und den Sinn des Daseins. Danach haben Menschen schon immer gefragt. Die wesentliche Frage lautet: Warum gibt es etwas und nicht nichts? Die Frage selbst ist ein Rätsel, denn wie kann es nichts geben, wenn es jemanden gibt, der danach fragt? Die zweite Frage muss also lauten: Was ist das Wesen von diesem Etwas?

Es mag reduktionistisch erscheinen, darauf zu bestehen, dass es nur zwei mögliche Antworten auf diese letzten Fragen gibt. Der Theologe Colin Gunton aus dem 20. Jahrhundert, der als einer der bedeutendsten britischen Theologen seiner Generation gilt, sagte jedoch:

> *Wahrscheinlich gibt es letztlich nur zwei mögliche Antworten auf die Frage nach dem Ursprung, und sie tauchen an verschiedenen Stellen in allen Epochen auf: [Entweder] ist das Universum das Ergebnis der Schöpfung durch eine freie personhafte Handlungsmacht, oder es erschafft sich auf die eine oder andere Weise selbst. Die beiden Antworten sind letztlich nicht miteinander vereinbar und erfordern eine Entscheidung: entweder für die eine oder die andere – oder für die agnostische Weigerung, sich zu entscheiden.*[20]

Das Wesen der Wirklichkeit kann auch auf andere Weise untersucht werden, nämlich indem man fragt, wovon die Wirklichkeit gesteuert wird. Wir lenken nicht viel in unserem Leben, wenn überhaupt etwas: Zeitpunkt und Ort unserer Geburt, unsere Eltern, unsere Gesundheit und unsere Lebensspanne – all das entzieht sich unserer Kontrolle. In solch einer verletzlichen Lage haben wir wieder dieselben zwei Möglichkeiten: an ein unpersönliches Schicksal oder an eine persönliche Bestimmung zu glauben.

In beiden Fällen stoßen wir hier auf den letzten Grund. Entweder ist der transzendente Schöpfer – ein Gott der interpersonalen Liebe der Dreieinigkeit – der Ursprung von allem, was geschaffen wurde, und erhält es, oder das Universum selbst ist in all seiner Vielfalt alles, was es gibt. Wie dem auch sei: Ob wir nun die Natur oder den Schöpfer der Natur verehren – wir haben es mit einem Glaubensbekenntnis und einem Ausdruck von Anbetung zu tun. Wir können nicht aus dem Universum heraustreten, um einen objektiven Standpunkt einzunehmen. Wir müssen hier eine Glaubensentscheidung zwischen diesen Alternativen treffen – und es gibt nur diese zwei. Wenn Gott und die Natur die Wirklichkeit bilden, dann bedeutet dies *Zweiheit*, und alles ist entweder Schöpfer oder Geschöpf. Wenn hingegen das Universum alles ist, was es gibt, dann bedeutet dies *Einsheit*.

Beispielhaft für diese Alternativen mögen zwei strikt voneinander getrennte Ausgangspunkte stehen: derjenige der Bibel und derjenige von Camille Paglia, einer zeitgenössischen Philosophin. Die Bibel beginnt mit den Worten: „Im Anfang schuf Gott den Himmel und die Erde“ (1Mo 1,1), also die Natur. Paglia beginnt ihr Buch *Sexual Personae* ganz anders: „Am Anfang war die Natur.“[21] Diese beiden Auffassungen von der Wirklichkeit gab es schon immer; aber da wir seit Jahrhunderten in einem christlichen Umfeld leben, überrascht uns der wieder aufflammende Konflikt. Paglia schrieb ihr Buch in bewusster Opposition zu der in 1. Mose dargelegten Sicht der Welt.

Christliches Denken beginnt nicht mit Paglias Sicht der Existenz, sondern mit der der Bibel. Robert Sokolowski, Professor für Philosophie an der *Catholic University of America*, formuliert es so:

> *Die christliche Theologie unterscheidet sich von heidnischen religiösen und philosophischen Überlegungen vor allem durch die Einführung einer neuen Abgrenzung: der Unterscheidung zwischen der Welt, die auch möglicherweise nicht hätte existieren können, und Gott, von dem angenommen wird, dass er möglicherweise alles ist, was existiert, ohne dass er deshalb seine Güte oder Größe einbüßt.*[22]

Eine solche Unterscheidung beschreibt zwei völlig verschiedene Arten von Wesen, die niemals miteinander verwechselt oder vermischt werden können – versöhnt ja, aber niemals vermischt. Die eine Art ist völlig unabhängig, in sich selbst genügsam und glückselig und wäre das auch, wenn es das Universum nie gegeben hätte. Die andere ist völlig abhängig; sie lebt, besteht und existiert durch die freie Güte und Liebe eines anderen.[23]

Schöpfer und Geschöpf: Das erste und das letzte Wort der Bibel

Diese biblische, christliche Art zu denken gibt der Wirklichkeit einen tiefen Sinn. Sie war der Kern des Glaubens Israels im Alten Testament. Der Bibel zufolge ist Gottes Existenz und Identität der geeignete Rahmen für unsere eigene. Nur von diesem Ausgangspunkt aus können wir wahre Erkenntnis über Gott, die Schöpfung und uns selbst erlangen. Die Bibel beginnt und endet mit dieser Annahme.

Am Anfang

1. Mose 1,1 beginnt mit der majestätischen Erklärung der Andersartigkeit und trägt sie in eine Welt hinein, deren Mythologie

nur Gleichartigkeit anerkennt. Diese Erklärung bekräftigt die radikale Einzigartigkeit und die Vorrangstellung des Schöpfers. Sie begründet die unauflösliche Unterscheidung zwischen dem Schöpfer und dem, was er aus Großzügigkeit und Liebe geschaffen hat. Nach dieser Erklärung ist der Rest der Bibel in gewissem Sinn ein Kommentar.

Biblisches Denken beginnt immer mit der Bestätigung von Gottes Einzigartigkeit, Freiheit, Güte und Liebe. In Jesaja 40 wird Gott als „der Schöpfer der Enden der Erde" (40,28) beschrieben. Psalm 33 nimmt den Anfang von 1. Mose wieder auf: „Durch des HERRN Wort ist der Himmel gemacht ... Denn er sprach, und es geschah; er gebot, und es stand da" (33,6.9). Psalm 104 macht ähnliche Aussagen aus der Sicht eines Menschen, der Gott, den Schöpfer, preist. Gottes große Antwort an Hiob (Hiob 38–39) ist keine philosophische Abhandlung, sondern eine Rede, die uns mit ihrer unmissverständlichen Feststellung überwältigt, dass Gott die Herrschaft über die gesamte Schöpfung ausübt. Nehemia sagt über Gottes Schöpferkraft: „Du, HERR, bist es, du allein. Du, du hast den Himmel gemacht, die Himmel der Himmel und all ihr Heer, die Erde und alles, was darauf ist, die Meere und alles, was in ihnen ist. Und du machst dies alles lebendig, und das Heer des Himmels wirft sich vor dir nieder" (Neh 9,6).

Die Einzigartigkeit der Zweiheit

Colin Gunton stellte fest, dass diese Auffassung von Schöpfung und Bestimmung in der antiken Welt einzigartig war:

> *[Der Bericht von 1. Mose] war keineswegs ein antiker Mythos unter vielen, sondern einzigartig, weil er Dinge sagte, die kein anderer antiker Text zu sagen vermochte ... Die Bibel ist anders und, so könnte man sagen, die Überbringerin einer einzigartigen Botschaft und kann daher nicht einfach als ein weiteres Beispiel für einen antiken Mythos abgetan werden.*[24]

Vor den 1960er-Jahren, als es üblich wurde, den alttestamentlichen Glauben als einen vorderasiatischen religiösen Mythos unter vielen abzutun, bestätigten sogar viele kritische Wissenschaftler die Einzigartigkeit der biblischen Erzählung. So stellte Claus Westermann den Schöpfungsbericht der Genesis den babylonischen Schöpfungsmythen wie folgt gegenüber:

> *Was den Schöpfungsbericht [der Genesis] von den vielen Schöpfungsgeschichten des Alten Orients unterscheidet, ist, dass es für die Genesis nur einen Schöpfer geben kann, und dass alles andere, was ist oder sein kann, niemals etwas anderes sein kann als ein Geschöpf.*[25]

G. Ernest Wright, Professor für Altes Testament an der *Harvard University* im 20. Jahrhundert, folgte dem Beispiel seines Mentors, des Archäologen William Albright, und lehrte, dass der Unterschied zwischen dem Alten Testament und den anderen Religionen der antiken Welt so signifikant sei, dass keine evolutionäre oder entwicklungsorientierte Darstellung der Religion Israels dem Alten Testament gerecht werden könne.[26] Gunton, Westermann, Wright und Albright betonen alle den Unterschied zwischen den Kosmologien des Alten Orients und der einzigartigen Botschaft, die das erste Buch Mose in die antike Welt trug. John Oswalt, ein moderner Alttestamentler, kam zu dem Schluss: „Es gibt nur zwei Weltanschauungen: die biblische … und die andere."[27]

Gotteserkenntnis in der Zweiheit

Der Apostel Paulus würde dem zustimmen. Gottes „unsichtbare Wirklichkeit, seine ewige Macht und göttliche Majestät sind nämlich seit Erschaffung der Welt in seinen Werken zu erkennen" (Röm 1,20; NeÜ), und das, was er gemacht hat, drückt seine Transzendenz und Andersartigkeit aus. Alle Menschen bekommen in seiner Schöpfung einen Einblick in diese Eigenschaften unseres Schöpfers. Doch, fährt Paulus fort, haben sie „die Wahrheit Gottes in die Lüge verwandelt und dem Geschöpf Verehrung und Dienst dargebracht … statt dem Schöpfer“ (Römer 1,25).[28] Ich habe diesen Vers oft gelesen, bevor mir klar wurde, dass Paulus damit erklärt, dass es nur zwei Arten zu leben und zu denken gibt, nur zwei Arten zu glauben. Die Menschen, sagt er, beten entweder „die Geschöpfe“ oder „den Schöpfer“ an und dienen diesem oder jenen. Was für ein einfacher und doch tiefgründiger Gegensatz, Paulus!

„Schöpfer“ und „Schöpfung“ liegen aller menschlichen Erkenntnis über Gott und uns selbst zugrunde; dieses Thema zieht sich durch das gesamte Neue Testament. Im Hebräerbrief wird erklärt: „Aufgrund des Glaubens verstehen wir, dass die Welt durch Gottes Wort entstand, dass also das Sichtbare aus dem Unsichtbaren kam“ (Hebr 11,3; NeÜ). Paulus fasst zusammen, wer der wahre Gott ist: der Gott, „der die Toten lebendig macht und das, was gar nicht existiert, ins Dasein ruft“ (Röm 4,17; NeÜ). Der Kolosserbrief wirft noch mehr Licht auf dieses offenbarte Geheimnis, wenn er die Schöpfung und ihre Bedeutung direkt mit Christus in Verbindung bringt, der auch die Quelle unserer Neuschöpfung ist: „Denn in ihm ist alles in den Himmeln und auf der Erde geschaffen worden, das Sichtbare und das Unsichtbare, es seien Throne oder Herrschaften oder Gewalten oder Mächte: Alles ist durch ihn und zu ihm hin geschaffen“ (Kol 1,16).

Zum Schluss

Die Bibel endet mit derselben Erklärung: Gott ist der Schöpfer. Offenbarung 4 zitiert die Bürger des Himmels, mit denen wir einmal Gott als unseren Schöpfer und Herrn in alle Ewigkeit preisen werden, mit den Worten: „Du bist würdig, unser Herr und Gott, die Herrlichkeit und die Ehre und die Macht zu nehmen, denn du hast alle Dinge erschaffen, und deines Willens wegen waren sie und sind sie erschaffen worden“ (Offb 4,11). Hier wird deutlich, dass unsere Identität immer die eines Geschöpfes sein wird – auch wenn sie verherrlicht ist – und dass Gott immer der eine Schöpfer sein wird, dem alle Herrlichkeit gebührt und von dem unsere Herrlichkeit kommt. Dies ist das erste und das letzte Wort der Bibel.

Unsere Weltanschauungsalternativen: *Einsheit* und *Zweiheit*

Ich behaupte mit der Bibel, dass es nur zwei Weltanschauungen gibt: die eine, in der die Schöpfung die letzte Instanz ist, und die andere, die auf der letztgültigen, vorgeordneten und alles bestimmenden Existenz des Schöpfers beruht. Die Schöpfung oder der Schöpfer sind die einzigen Alternativen als Ziele göttlicher Verehrung, die einzig möglichen Erklärungen der Welt, die wir kennen. Der Widerstreit besteht zwischen zwei sich gegenseitig ausschließenden, gegensätzlichen Glaubenssystemen. Unsere Entscheidung wird sich auf die Antworten auswirken, die wir auf diese beiden wichtigen Fragen geben: Gibt es etwas und nicht nichts? Und wenn es etwas gibt, wie ist dieses Etwas beschaffen?

Der Einfachheit halber nenne ich diese beiden Alternativen *Einsheit* und *Zweiheit*.[29] Es handelt sich dabei nicht um bloße Variationen eines allgemeinen spirituellen Themas, sondern um die beiden einzigen zeitlosen, einander widersprechenden Möglichkeiten, über die Welt nachzudenken.[30] Zwischen diesen beiden Begriffen *Einsheit* und *Zweiheit* besteht ein himmelweiter Unterschied. Sie markieren die einzigen beiden Ziele, die wir ansteuern können. Sie wollen wir nun genauer beschreiben.

Einsheit

Die *Einsheit* sieht die Welt als selbstschöpferisch (oder ewig existierend) und selbsterklärend an. Alles besteht aus demselben Stoff, sei es Materie, Geist oder eine Mischung daraus. Es gibt nur *eine* Art von Existenz, die wir auf die eine oder andere Weise als göttlich (oder als von höchster Bedeutung) verehren, auch wenn das bedeutet, dass wir uns selbst verehren. Obwohl es offenbar Unterscheidungen und sogar Hierarchien gibt, sind alle Unterschiede im Prinzip aufgehoben, und alles hat denelben Wert. Das ist eine „Homokosmologie“, eine Weltanschauung, die auf Gleichheit beruht. Der klassische Begriff dafür ist „Heidentum“, Anbetung der Natur.

Zweiheit
Die einzige andere Möglichkeit ist eine Welt, die das freie Werk eines persönlichen, transzendenten Gottes ist, der sie *ex nihilo* (aus dem Nichts) erschaffen hat. Bei seiner Schöpfung war Gott durch keine vorher bestehenden Zustände oder Bedingungen eingeschränkt oder von ihnen abhängig. In unserer menschlichen Erfahrung mit schöpferischer Tätigkeit gibt es nichts genau Vergleichbares; unsere schöpferischen Handlungen sind mit denen Gottes lediglich gewissermaßen vergleichbar. Da gibt es Gott, und es gibt alles, was nicht Gott ist – alles, was von Gott, dem Vater, dem Sohn und dem Heiligen Geist, geschaffen und erhalten wird. Diese Weltanschauung hebt die Andersartigkeit, die Unterscheidbarkeit hervor. Wir verehren nur den von der Schöpfung unterschiedenen, persönlichen, dreieinigen Schöpfer als göttlich, der auch innerhalb der Schöpfung grundlegende Unterscheidungen festgelegt hat. Das ist eine „Heterokosmologie", eine Weltanschauung, die auf Andersartigkeit und Unterscheidbarkeit beruht.[31] Sie wird oft als „Theismus" bezeichnet.

Beide Weltanschauungen, ob sie nun implizit angenommen oder explizit vertreten werden, setzen dieselbe fundamentale Überzeugung voraus. Mit anderen Worten: Wenn die eine wahr ist, muss die andere falsch sein. Im moralischen Universum der Bibel ist Wissen niemals neutral. Deshalb bezeichnet Paulus diese Weltanschauungen als „die Lüge" und „die Wahrheit" (Röm 1,25).

Was kommt auf uns zu? Aussteigen aus dem Einsheit-Zug

Auf den folgenden Seiten zeige ich auf, auf welche Weise intellektuelle und kulturelle Einflüsse heute für eine *einsheitliche,* monistische Sicht der Wirklichkeit werben, also für den Zug, der in die der biblischen Sichtweise entgegengesetzten Richtung fährt. Ich möchte die Kirche vor der Gefahr warnen, subtile Ausdrucksformen dieser neuen Spiritualität anzunehmen, weil sie das Wesen und die Motive dieser Weltanschauung nicht durchschaut.

Der rasante Erfolg des *einsheitlichen* Denkens im Westen des 20. Jahrhunderts zwingt uns zu der Frage, ob unsere Kultur einer traditionell heidnischen Kosmologie „ausgeliefert" ist (um die Worte von Paulus in Römer 1,24.26.28[32] zu verwenden). Wenn ja: Gibt es eine Möglichkeit für unsere Kultur, aus diesem Zug auszusteigen und zum *zweiheitlichen* Gleis zurückzukehren? Welche Macht könnte den Zug der *Einsheit* aufhalten, ehe er ins Verderben rast? Es gibt wohl kein Zurück, es sei denn, die Umkehr erfolgt durch geistliche Erweckung und wundersame Bekehrung – nicht zu einem nostalgischen Lebensstil der 1950er-Jahre oder zu einer altmodischen, fundamentalistischen Religion *made in USA,* sondern zum Kern der biblischen *zweiheitlichen* Weltanschauung. Die *Zweiheit* ist so alt wie die Geschichte und beruht auf dem biblischen Zeugnis von der Person und dem historischen Werk Christi, der selbst für unsere Sünden „dahingegeben" und um unserer Rechtfertigung willen „auferweckt worden" ist (Römer 4,25; 8,32).

Ich möchte Sie auf eine U-Bahn-Fahrt mitnehmen – jedoch nicht an irgendeinen Ort in London, sondern zu den explosiven Kräften unter der Oberfläche des religiösen Durcheinanders unserer Zeit. Die Macht und der Erfolg dieser Kräfte können entmutigend sein. Doch im Glauben an Gott, den Schöpfer, der sein Volk erlöst und seine Absichten mit seiner Schöpfung offenbart hat, bin ich zuversichtlich, dass wir uns nicht verirren werden. Durch Gottes Gnade werden wir die Karte finden, die aufrichtig Suchende zum richtigen Bahnhof zurückführt. Willkommen an Bord!

TEIL 1

AUS DEN FUGEN GERATEN

In den Kapiteln 2 bis 6 werden wir die utopischen Visionen der Menschheit des frühen 20. Jahrhunderts untersuchen, die auf dem Grundgedanken von Befreiung beruhen. Bestimmte kulturelle Führer strebten nach Befreiung von den alten Fesseln christlich-abendländischer Werte, wie einer monogamen Sexualität und einer eng begrenzten theistischen Spiritualität auf Grundlage der biblischen Offenbarung.

Kapitel 2 wird sich mit dem großen Gegner des Christentums in der Neuzeit vom 18. bis zum 20. Jahrhundert befassen, nämlich dem säkularen Humanismus oder der materialistischen *Einsheit* und dem ihm zugrundeliegenden Glauben, dass die Vernunft die Menschheit retten würde – ein Glaube, der zu seinem eigenen Niedergang führte.

In den Kapiteln 3 und 4 wird betrachtet, wie dieser Niedergang durch die Förderung der spirituellen *Einsheit,* also der heidnischen Mythologie, ermöglicht wurde. Wir werden dieses Denken insbesondere im Optimismus des Schweizer Psychologen Carl Gustav Jung erkennen, der sich das Kommen einer neuen Menschheit vorstellte. Wie Jean Houston, die Beraterin von Hillary Clinton, später sagen würde: „Nur der Mythos wird uns retten."

In Kapitel 5 wird untersucht, wie Jungs Vorstellungen von sexueller und spiritueller Befreiung für eine gesunde Psyche während der westlichen Kulturrevolution der 1960er-Jahre und ihrem populären Mantra „Make love, not war" an die Oberfläche der gesellschaftlichen Kultur gelangten. Diese Kulturrevolution war auch eine sexuelle und spirituelle Revolution. Die Hoffnung auf menschlichen Fortschritt durch die Befreiung von der Vergangenheit beflügelte die Revolutionäre der Sechzigerjahre, die hofften, einen neuen Tag des menschlichen Glücks heraufzuführen – das Wassermannzeitalter.

Kapitel 6 zeigt, dass viele große Hoffnungen auf diesen neuen Tag enttäuscht wurden, als freier Sex und offenes Zusammenleben die Familienstruktur und die dafür notwendigen moralischen Tugenden ernsthaft unterminierten. Wir werden untersuchen, wie das *einsheitliche* monistische Denken die alte Kultur (bewusst) untergrub, indem es „die Polaritäten" zerstörte. Aus großem Optimismus ist großer Pessimismus geworden; die befreite Kultur ist „aus den Fugen geraten".

KAPITEL 2

AUFSTIEG UND FALL DES SÄKULAREN HUMANISMUS

Zwei Herausforderungen für das westliche Christentum tragen derzeit zu dem in Kapitel 1 beschriebenen religiösen Durcheinander bei. Die erste dieser Herausforderungen, der säkulare Humanismus, ist das Thema dieses Kapitels.

Die Dominanz des säkularen Humanismus – eine nicht religiöse *Einsheit*

Die in der Mitte des 20. Jahrhunderts unmittelbar bevorstehende Bedrohung des Christentums wurde nicht als Invasion anderer religiöser Systeme wahrgenommen, sondern als Unterwerfung des „christlichen" Abendlandes unter einen nicht religiösen Materialismus: den säkularen Humanismus, der darauf abzielte, die Religion gänzlich zu vernichten.

Die Wurzeln des säkularen Humanismus

Was wir als säkularen Humanismus bezeichnen, begann als reiner Humanismus. Im 15. Jahrhundert verstand sich der Humanismus der Renaissance als Wiedergeburt der Menschheit nach dem antiken heidnischen griechischen Vorbild des rationalen

Denkens, das in einer klassischen Aussage von Protagoras aus dem 5. Jahrhundert v. Chr. gut zusammengefasst ist: „Der Mensch ist das Maß aller Dinge." Die Reformation gab dem Humanismus ungewollt eine Schlüsselwaffe für seinen Feldzug gegen die Tradition an die Hand: das Recht des einzelnen Christen, den Glauben und die Praktiken der römisch-katholischen Kirche selbst anhand des Wortes Gottes als letzter Autorität zu prüfen (an sich eine gute Sache). Dieses Recht wurde für einige Humanisten zu einem Mittel, das Wort Gottes durch die autonome menschliche Vernunft zu ersetzen.

Im 17. Jahrhundert begannen Denker wie Hobbes, Descartes und Locke damit, dieses säkularisierte humanistische Denken zum Mainstream zu machen, indem sie die intellektuelle Autonomie des menschlichen Geistes unabhängig von religiösen Traditionen oder göttlicher Offenbarung forderten. Obwohl er ein zutiefst religiöser Mensch war, versuchte der französische Mathematiker René Descartes mit seiner berühmten Aussage „Cogito ergo sum" („Ich denke, also bin ich"), die bloße Existenz allein auf der Grundlage des menschlichen Verstandes zu beweisen. Oft wird behauptet, dass Descartes den Grundstein für den kontinentalen Rationalismus des 17. und 18. Jahrhunderts gelegt hat.[33]

Die Hochachtung des Humanismus vor Intelligenz und Rationalität führte in der westlichen Kultur zu kreativem, unabhängigem Denken, das unzählige wissenschaftliche und technische Leistungen ermöglichte. Dieser Fortschritt bildete die Grundlage für solch erstaunliche Errungenschaften wie die Landung des Menschen auf dem Mond. Allerdings wurde das unabhängige menschliche Denken allmählich als einzige Norm für *alle* Wahrheit angesehen, als der Urgrund von jeglichem Sinn und aller Bedeutung – eine rationalistische *Einsheit*. Immer mehr Menschen kamen zu dem Schluss, dass der Glaube an eine von Gott geschaffene Welt und an eine spirituelle Dimension lediglich ein abergläubischer, primitiver Mythos sei, der als unvernünftige Täuschung aufgegeben werden müsse. Für den modernen Menschen hatte die Religion zu weichen.

So beherrschte die Aufklärung, das Zeitalter der Vernunft, als die große Gegenspielerin des Christentums etwa vom 18. bis zum 20. Jahrhundert das westliche Denken. Nur die Leistungen des Menschen – nun nicht mehr im Glauben an Gott, sondern in der Vernunft selbst als Kriterium der Wahrheit begründet – würden uns retten. Ein starker Optimismus in Bezug auf die Fähigkeiten des Menschen, selbst eine bessere Welt zu schaffen, eroberte den Westen im Sturm. Die Vernunft würde den primitiven religiösen Aberglauben ersetzen und das kommende, herrliche Reich des Menschen auf Erden herbeiführen.

Diese optimistische menschliche Vision einer Religion der Menschlichkeit wird zu Recht mit der Französischen Revolution in Verbindung gebracht. Im Jahr 1789 errichteten die Pariser Revolutionäre mitten in der Kathedrale *Notre Dame* in Paris, dem Zentrum des europäischen katholischen Christentums, einen Altar für die Göttin der Vernunft.

Intellektuelle Führungspersönlichkeiten des säkularen Humanismus

Der Philosoph und Revolutionär Voltaire aus dem 18. Jahrhundert machte eine erschreckende Aussage über das Christentum: „Ecrasez l'infâme", wörtlich: „Zermalmt das Niederträchtige." Was Voltaire dabei im Sinn hatte, waren der Aberglaube, die Dogmen, die Institutionen, die Ethik und das Menschenbild des Christentums. Voltaires Motiv wurde zum Schlachtruf der Aufklärung des 18. Jahrhunderts, ein Schrei, der sich gegen das Christentum selbst richtete.

Der atheistische Humanismus eroberte die intellektuelle Elite Europas. Kaiser Napoleon Bonaparte fragte Pierre-Simon Laplace, einen großen französischen Wissenschaftler, der an der Entwicklung der mathematischen Astronomie und Statistik beteiligt war, nach dem Stellenwert Gottes in seiner Arbeit. Laplace soll geantwortet haben: „Ich brauche diese Hypothese nicht."[34]

Viele Philosophen und bedeutende Beobachter der Gesellschaft des 19. Jahrhunderts sagten den endgültigen Sieg des

Säkularismus und das völlige Verschwinden der Religion voraus:

- Ludwig Feuerbach, ein Philosoph des 19. Jahrhunderts, nannte das Christentum eine Einbildung und Gott „eine gigantische menschliche Projektion“[35], im Grunde „einen Menschen in groß“[36].
- Charles Darwin verdrängte mit einer anderen Variante des säkularen Humanismus den Glauben an Gott als Schöpfer noch weiter aus dem wissenschaftlichen Bereich. Er stellte die Theorie auf, dass alle Lebewesen durch einen ungesteuerten und unpersönlichen Prozess der natürlichen Auslese, der durch zufällig auftretende Veränderungen zustande kam, aus einem gemeinsamen Vorfahren hervorgegangen seien. Die meisten seiner späteren Anhänger vertraten die Ansicht, dass das Leben auf der Erde durch reinen Zufall entstand und der Mensch „das Ergebnis eines ziellosen und natürlichen Prozesses ist, der ihn nicht im Sinn hatte“[37]. Darwin machte Gott damit praktisch überflüssig und die Schöpfung (einschließlich der Menschheit) zu einem rein physikalischen und sich selbst erzeugenden, aber sinnlosen Mechanismus.
- Karl Marx lehnte die Religion als „Opium für das Volk“ ab. Religiösen Glauben sah Marx als Zeichen für eine falsch geordnete Gesellschaft an. Er glaubte, dass die Notwendigkeit des Glaubens verschwinden würde, sobald die Gesellschaft rational organisiert sei.[38] „Der Mensch“, so Marx, sei „das höchste Wesen für den Menschen“[39].
- Friedrich Nietzsche, ein deutscher Denker des 19. Jahrhunderts, betrachtete das Leben als ein rein diesseitiges Phänomen und lehnte die Vorstellung einer jenseitigen Welt ab. Er trieb die Ablehnung göttlicher Wahrheit auf ihre logische Spitze, indem er so weit ging zu erklären: „Gott ist tot.“[40] Dieses Thema tauchte in den 1960er-Jahren im westlichen Denken wieder auf und wurde von einer Reihe führender Theologen vertreten.

Ende des 19. Jahrhunderts begann der populäre Atheismus, die neue Wissenschaft der Psychologie zu beeinflussen. Sigmund Freud schrieb *Die Zukunft einer Illusion* und bezeichnete sich als „ganz gottlosen Juden". Er soll gesagt haben: „Je mehr die Früchte des Wissens den Menschen zugänglich werden, desto weiter verbreitet sich der Niedergang des religiösen Glaubens."[41] Als Psychologe argumentierte er weiter, dass die Religion (einschließlich des Judentums) ein „Massenwahn" oder eine „kollektive Neurose" sei, in der unsere „infantile" Sehnsucht nach einer allmächtig schützenden (aber auch bedrohlichen) Vaterfigur förmlich verankert sei. Er betrachtete Religiosität also als ernsthaften pathologischen Zustand, als das große Hindernis für die geistige Gesundheit, von dem die zukünftige Welt zweifellos geheilt sein würde. Dies zu betonen hat nicht aufgehört. Richard Dawkins, einer der Neuen Atheisten, definierte 1976 den Glauben als „eine Art Geisteskrankheit", und diese Meinung vertritt er immer noch.[42]

Für viele Intellektuelle des 20. Jahrhunderts wurde es selbstverständlich, dass die Religion schließlich der offensichtlichen „Wahrheit" des säkularen Humanismus weichen würde. Ein Beispiel dafür ist der britische Schriftsteller Evelyn Waugh. Waugh wuchs im britischen Bildungssystem der Oberschicht auf und besuchte eine *preparatory school*[43] für Jungen, die auf „soliden Prinzipien und fundiertem Wissen beruhte, die fest im christlichen Glauben verankert waren". Im Alter von 17 Jahren hielt er in seinem Tagebuch Folgendes fest: „In den letzten paar Wochen habe ich aufgehört, Christ zu sein. Ich habe erkannt, dass ich zumindest in den letzten beiden Semestern in allem Atheist war, abgesehen von dem Mut, es mir selbst gegenüber zuzugeben."[44] Waugh erinnerte sich daran, dass seine Lehrer Bücher behandelten, die glaubenszersetzend waren, und „es war uns überlassen, unsere eigenen Lösungen zu finden, und wir wurden ermutigt, unorthodox zu sein". Er erinnerte sich daran, dass die Hälfte der Schüler in seiner Klasse „bekennende Agnostiker oder Atheisten waren"[45]. Dies alles geschah innerhalb eines angeblich christlichen Schulsystems.

Waughs Aussage ist charakteristisch für einen Zeitraum von etwa zwei Jahrhunderten, in denen das säkulare humanistische Programm einen immensen Erfolg hatte. Auch die Kirche wurde mit voller Wucht getroffen, und sie begann, die christliche Botschaft in anti-supranaturalistischer Weise umzudeuten. Im 19. Jahrhundert wurde der Säkularismus im christlichen Gewand, der sogenannte theologische Liberalismus, zu einem mächtigen Faktor im Christentum. Er beeinflusste insbesondere zahlreiche Seminare, theologische Hochschulen und andere Ausbildungsstätten für Geistliche dahingehend, dass sie es sich zum Ziel setzten, den christlichen Glauben so umzuarbeiten, dass er den säkularen humanistischen Geist des modernen Zeitalters widerspiegelt.

Der Liberalismus war von dem Wunsch beseelt, das Christentum nach dem Empfinden des modernen Menschen neu zu definieren. Er deutete das Evangelium zur sozialen Gerechtigkeit um und sah Jesus nur als Beispiel, aber nicht als göttlich-menschlichen Erlöser. Die Botschaft des Neuen Testaments wurde oft als eine antike Version der marxistischen Theorie beschrieben, in der Jesus ein Revolutionär wie Che Guevara war, der die sozialen und wirtschaftlichen Machtstrukturen in seiner Zeit radikal verändern wollte.

In den späten 1960er-Jahren, als ich an der *Harvard University* Neutestamentliche Theologie studierte, war die Entmythologisierung ein beliebtes Thema. Es ging darum, den alten christlichen Glauben in eine Psychologie für das 20. Jahrhundert zu verwandeln. Traditionelle Überzeugungen und biblische Schlüsselereignisse wurden ihrer Historizität beraubt. Skeptische Wissenschaftler schrieben Bücher, in denen sie die Wunder in den Evangelien, einschließlich der physischen Auferstehung Jesu, leugneten und so dem christlichen Evangelium das Herz aus dem Leib rissen und den Glauben vieler Mitglieder der großen Kirchen auslöschten.

Mit dem Aufkommen der „Gott-ist-tot"-Bewegung in den Sechzigerjahren wurde das Verschwinden des traditionellen

Christentums seltsamerweise sogar im „christlichen" Amerika annehmbar. Amerikanische Theologen wie Thomas J. J. Altizer, Gabriel Vahanian, Paul Van Buren, David Miller und William Hamilton feierten in der Neuen Welt den endgültigen Triumph des nietzscheanischen Gottesmords. Der rationale Mensch war erwachsen geworden und brauchte die „Gotteshypothese" nicht mehr. Als meine Kommilitonen und ich in den späten 1960er-Jahren im Theologiestudium über diese radikale „christliche" Theologie nachdachten, sahen wir darin den endgültigen Triumph des liberalen, säkularen Humanismus.

Die Vorhersagen über das Verschwinden des Christentums schienen sich durch seinen Niedergang als dominierende soziale Kraft in der westlichen Gesellschaft zu bestätigen.[46] Das war neu, denn in der jüngeren westlichen Geschichte hatte es eine Zeit gegeben, in der trotz der Dominanz des säkularen Humanismus unter der intellektuellen Elite kaum jemand die Existenz Gottes öffentlich in Zweifel zog. So definierte der Oberste Gerichtshof der Vereinigten Staaten im Jahr 1890 Religion als „die Ansichten eines Menschen über seine Beziehung zu seinem Schöpfer und die daraus erwachsenden Verpflichtungen, sein Wesen und seinen Charakter zu verehren und seinem Willen zu gehorchen"[47]. Es gab keine andere Definition von Gott als die eines persönlichen, transzendenten Schöpfers! Vor allem dank des säkularen Humanismus ist dies im öffentlichen Diskurs jedoch nicht mehr der Fall.

Der neue säkulare Humanismus

Was also ist Säkularismus oder säkularer Humanismus, und was ist aus ihm geworden? Er ist heute unter anderen Namen bekannt. Als intellektuelle Disziplin wird er philosophischer Materialismus genannt, als soziale Bewegung ist er als Moderne bekannt, ein gewissermaßen religiöser Ausdruck dafür ist Atheismus, im Marxismus wird er als politische Theorie bezeichnet, und für viele Menschen ist er eine unreflektierte, standardmäßige Art zu leben – so, als ob es Gott nicht gäbe. All diese Ausprägungen des Säkularismus lehnen das Übernatürliche als ein Überbleibsel abergläubischer, primitiver Glaubenssysteme ab. Ohne jeglichen Bezug auf Gott versucht der Säkularismus, die gesamte Existenz aus einer diesseitigen, materialistischen Perspektive rational zu beschreiben, wobei der Mensch im Mittelpunkt dieser Existenz steht. All diese Ausprägungen des säkularen Humanismus können also als *einsheitlich* (jedoch nicht im spirituellen Sinn) bezeichnet werden, weil sie versuchen, die Welt durch die Welt zu beschreiben, indem sie sich der diesseitigen menschlichen Vernunft bedienen, ohne auf einen externen, transzendenten Schöpfer zu verweisen. Die Vernunft zur letzten Instanz zu machen ist eine Form der Anbetung.

Diese säkulare humanistische Sichtweise prägt die Universitäten des Westens immer noch. Einige Leser werden darin die Formulierungen von Professoren wiedererkennen, die in ihren Vorlesungssälen eine erbitterte Feindseligkeit gegenüber jeglicher Spiritualität an den Tag legen. Der Säkularismus hat alle Bereiche der westlichen Gesellschaft erfasst und beansprucht für sich, der alleinige Zugang zur Realität zu sein. Der dem Naturalismus verpflichtete wissenschaftliche Verstand sei die einzige Möglichkeit, etwas zu erkennen. Aber das ist nicht die ganze Geschichte. Auf dem Weg ins 21. Jahrhundert ist etwas Seltsames passiert. Trotz der zuversichtlichen säkularen Vorhersage vom „Verschwinden der Religion" verschwindet in letzter Zeit der säkulare Humanismus.

Der Tod des säkularen Humanismus?

Entgegen aller Erwartungen hat die moderne Wissenschaft selbst zum Niedergang des allwissenden säkularen Humanismus beigetragen. Der Glaube der Aufklärung an eine menschliche Rationalität, die in der Lage ist, die tiefsten Geheimnisse der natürlichen Welt auszuloten, wurde durch Entdeckungen wie die der Quantenphysik und der heisenbergschen Unschärferelation untergraben, die besagt, dass die Beobachtung subatomarer Teilchen die Möglichkeit verhindert, ihre wahre physikalische Beschaffenheit zu erkennen. Richard Feynman, Physiker und Nobelpreisträger, war der Meinung, dass niemand die Quantenphysik mit ihren Begriffen der Unbestimmtheit und Nichtlokalität *wirklich* versteht.[48]

Vielleicht noch stärker gegen den Säkularismus sprechen jedoch seine katastrophalen Auswirkungen. Sein optimistischer Glaube an die Menschheit und sein tiefes Selbstvertrauen begünstigten zwei Weltkriege, die ungezählte Millionen von Opfern forderten. Seine Betonung der sozialen Gerechtigkeit unterstützte den totalitären Faschismus, der schließlich in den Massakern von Stalin, Hitler und Pol Pot endete. Die Überbetonung der menschlichen Überlegenheit und des Fortschritts führte letztlich zur Hyperindustrialisierung und einer Vielzahl von Umweltkatastrophen. Die Konzentration auf die Selbstverwirklichung förderte ein seelenloses Konsumdenken, das einen absolut wesentlichen Aspekt der menschlichen Existenz ignorierte: die Spiritualität.

Postmoderne Kritik

„Der Rationalismus, der Weg der Aufklärung zum irdischen Heil, ist in eine Sackgasse geraten“, sagt der christliche Philosoph Vishal Mangalwadi. „Deshalb hoffen viele empfindsame Menschen, dass ein nicht rationaler Mystizismus uns erleuchten möge.“[49] Die Kultur ist am Ende, und sie hat keine spirituellen Quellen, um die tiefen Probleme des Lebens zu bewältigen. Der säkulare Humanismus hat sich als unzureichend erwiesen, allen Dimensionen des Lebens gerecht zu werden, von denen viele nicht nur rational sind.

In unserer Zeit ist diese intellektuelle Herausforderung für die Rationalisten besonders schwierig. Die neuere Philosophie hat die Philosophie selbst infrage gestellt. Die Bewegung oder Stimmung, die allgemein als Postmoderne bekannt ist, hat die säkulare Religion der Vernunft und des Fortschritts dekonstruiert. Viele Kinder säkularer Humanisten haben das Erbe ihrer intellektuellen Eltern zerrissen und verworfen. Das Denken der menschlichen Vernunft, das einst als unser Kontakt mit dem objektiven Sinn des Universums galt, wird nun als vergebliche, subjektive Übung abgelehnt. Diese Kritik der Vernunft besagt, dass wir unserer begrenzten menschlichen Lage als denkende sowie zeit- und körpergebundene Wesen nicht entkommen können. Wir sind winzige Elemente in einem scheinbar unendlichen Kosmos, die nicht in der Lage sind, aus ihm herauszutreten, um wahre Aussagen über sein Wesen machen zu können. Die Postmodernisten lehnen nicht das Denken als solches ab. Sie lehnen nur das rationale Denken und die objektive Beobachtung als das einzig sichere Mittel ab, um den Sinn der Wirklichkeit zu erfassen.

Was bedeutet „ist"?

Postmoderne Denker argumentieren, dass die sogenannte rationale Wahrheit, wie jede Wahrheit, „sozial konstruiert" sei. Wahrheit sei eine subjektive Meinung, die keine unfehlbare Beziehung zu der Art und Weise habe, wie die Dinge tatsächlich sind. Wie Bill Clinton denkwürdig sagte: „Es kommt darauf an, was das Wort ‚ist' bedeutet."[50] Als Philosophie dekonstruiert die Postmoderne die Gültigkeit des Anspruchs des rationalen Diskurses, eine objektive Darstellung der wahren Natur der Dinge zu sein. Wahrheit in diesem Sinne ist lediglich persönliche Macht, die eine Person oder eine soziale Gruppe anderen aufzwingen oder für egoistische Zwecke einsetzen will. Eine rationale Erklärung ist unmöglich geworden.

Der französische postmoderne Philosoph Michel Foucault ist in der jüngeren Geschichte der Philosophie ein klassisches Beispiel für diesen Weg. In den 1950er-Jahren war er offizielles Mitglied der Kommunistischen Partei Frankreichs und überzeugter Säkularist. Er verließ sie, als sein Verdacht wuchs, dass der Marxismus nur eine machtausübende Ideologie unter vielen ist, die nichts mit der Wirklichkeit zu tun haben. Foucault vertrat die Ansicht, dass Wahrheitsansprüche lediglich Machtansprüche seien; die Verurteilung seiner Homosexualität durch andere sei lediglich die Meinung der heterosexuellen

Mehrheit, die einer unterdrückten homosexuellen Minderheit zum Zweck der sozialen Kontrolle durch Macht und Willkür aufgezwungen werde.

Im Jahr 1959 promovierte Foucault mit einer Arbeit, die zwei Jahre später unter dem Titel *Folie et déraison. Histoire de la folie à l'âge classique*[51] – dt.: *Wahnsinn und Gesellschaft. Eine Geschichte des Wahns im Zeitalter der Vernunft* – veröffentlicht wurde. Foucault warf Descartes, der den Satz „Ich denke, also bin ich" geprägt hatte, vor, an allem zu zweifeln, außer an seiner eigenen Vernunft. Mit anderen Worten: Descartes konnte an der Vernunft als dem von ihm gewählten Anker in der Wirklichkeit nur deshalb festhalten, weil er eine sehr reale Möglichkeit verleugnete – nämlich seine eigene Unzurechnungsfähigkeit. Descartes war also doch nicht so objektiv, wie er zu sein glaubte.

Obwohl der Säkularismus immer noch einflussreich ist, ist die postmoderne Denkweise fest in unserer Kultur verankert, und ihre Kritik an der modernistischen Hybris ist sinnvoll. Da die Postmoderne keine vorübergehende Modeerscheinung ist, ist der Säkularismus, den sie so gnadenlos kritisiert, sehr wahrscheinlich dem Untergang geweiht. So spricht ein postmoderner Autor von der „peinlichen Intoleranz des Atheismus"[52]. Eine völlige Ablehnung des Wertes der Religion durch den atheistischen Säkularismus ist für postmoderne Intellektuelle, die vom subjektiven Charakter aller Weltanschauungen überzeugt sind, eher peinlich. Für sie ist die Toleranz zu einem der großen Werte geworden, die es zu respektieren gilt – sogar die Toleranz gegenüber Religion und Spiritualität.

Abgesehen von der postmodernen Kritik haben zwei weitere Faktoren das Selbstvertrauen der Humanisten ernsthaft erschüttert. Erstens steht der Atheismus – trotz der Popularität des Neuen Atheismus[53] – durch verschiedene Ausdrucksformen des Theismus unter intellektuellem Druck. Antony Flew, einer der bekanntesten Atheisten des 20. Jahrhunderts, wurde gegen Ende seines Lebens zum Theisten; er glaubte an eine Art persönlichen Schöpfergott, wenn auch nicht unbedingt an den, der sich in der Bibel offenbart. Er war nicht in der Lage, das Geheimnis des persönlichen, denkenden, planenden, selbstkritischen und seiner selbst bewussten Menschen zu erfassen, das sich eben nicht allein aus der Physik oder Chemie erklären lässt. Er stellte fest: „Es ist einfach unvorstellbar, dass irgendeine materielle Matrix oder ein Feld Akteure hervorbringen kann, die denken und handeln. Materie kann keine Vorstellungen und Wahrnehmungen hervorbringen ... eine solche Welt ... muss ihren Ursprung in einer lebendigen Quelle, einem Geist, haben."[54] Trotz Flews Zögern ist der einzig wahre Kandidat für diese Rolle der persönliche, dreieine, transzendente Gott, der sich in der Heiligen Schrift offenbart.

Zweitens steht der Atheismus unter spirituellem Druck. Denn viele, die erkennen, dass die materielle Welt in und an sich unzureichend ist, sehnen sich nach Spiritualität – sei es als Erklärung für den Lauf der Dinge oder als Antwort auf die Sehnsüchte der menschlichen Seele. Dazu gehören auch diejenigen, die von sich sagen, sie seien „spirituell, aber nicht religiös", die sich scharenweise abwenden von einer Religion des säkularen Humanismus und von dessen tiefem Gefühl der Sinnlosigkeit und Entfremdung von der Menschheit und dem Rest des Universums. Die Menschen sehnen sich verständlicherweise nach Ganzheitlichkeit. Als ein spirituell Hungriger räumt der Atheist Sam Harris ein: „Zum Verständnis der menschlichen Existenz bedarf es mehr, als die Wissenschaft und die säkulare Kultur im Allgemeinen zugeben"[55].

Eine neue Denkweise, die sich in der ersten Hälfte des 20. Jahrhunderts herauszubilden begann, versuchte, im „primitiven Aberglauben", der von den Säkularisten lange abgelehnt wurde, die Antwort auf die tiefsten Bedürfnisse des modernen Menschen zu finden. Der Rationalismus wird daher nicht nur wegen seiner Unfähigkeit kritisiert, seine eigene Bedeutung zufriedenstellend zu begründen. Er wird auch dafür kritisiert, dass er den Menschen aufgrund von Vernunft und Beobachtungsgabe zur Norm von allem macht und damit jede spirituelle oder religiöse

Dimension des Lebens ausschließt, die von der Vernunft und von Experimenten überhaupt nicht erfasst werden kann.[56]

Die Wiedergeburt der religiösen Einsheit

Auch der Tod der Postmoderne?

Wir sind nicht nur Zeugen des Niedergangs des säkularen Humanismus. Wie Richard Tarnas, ein progressiver Spiritualist, feststellt, ist das Ende des säkularen Humanismus auch das Ende der Postmoderne. Als vernünftige Rationalitätskritik ist die Postmoderne in gewisser Weise der „letzte Atemzug der Aufklärungsphilosophie, die ein eigenes Metanarrativ voraussetzt, das vielleicht subtiler ist als andere, aber letztlich nicht weniger der dekonstruktiven Kritik unterliegt“[57]. Die Postmoderne unterliegt einem Zirkelschluss, weil sie ihr eigenes rationales Denken voraussetzen muss, um den Rationalismus des säkularen Humanismus zu kritisieren. Das klaffende irrationale Vakuum, das die dekonstruktive Postmoderne erzeugt, schreit danach, durch ein neues Paradigma gefüllt zu werden – ein neues, vereinigendes, nicht rationales Prinzip, ein Metanarrativ, ein *grand récit,* eine übergeordnete Geschichte, eine mythische Welt, die Verstand und Geist zusammenbringen kann.

Die postmoderne Denkweise hat Zukunft, denn sie ist anpassungsfähig an die großen spirituellen Veränderungen in der heutigen Gesellschaft. Die Konzentration auf das Persönliche sowie auf individuelle und gemeinschaftliche Erfahrungen passt perfekt zum Aufkommen dieser neuen Art von mystischer Spiritualität. Aus dieser Perspektive beschreibt eine Gruppe von Wissenschaftlern, das *Bible and Culture Collective,* eine vielversprechende Zukunft der Postmoderne: „[Die postmoderne] Dekonstruktion erscheint vielen atheistisch und anarchistisch. Andere haben eine *mystische* Tendenz in der postmodernen Dekonstruktion festgestellt und behaupten, dass die Dekonstruktion für Mystizismus und negative Theologie[58] des jüdisch-christlichen Denkens offen ist."[59] Der römisch-katholische Theologe David Tacey sieht eine besonders glückliche Übereinstimmung von Buddhismus, der Mystik von Meister Eckhart und dem postmodernen Bewusstsein.[60] Die Postmoderne trägt mit ihrer Betonung von Pluralismus, Komplexität und Mehrdeutigkeit zur Zukunft der menschlichen Entwicklung bei, aber Tarnas stellt fest, dass diese Schwerpunkte „genau die Merkmale sind, die für die potenzielle Entstehung einer grundlegend neuen Form intellektueller Vision notwendig sind"[61]. Er deutet damit an, dass die Weiterentwicklung des Menschen Hilfe aus anderen Quellen benötigt.

Der Tod Gottes

David Miller lieferte einen Hinweis auf diese Entwicklung des säkularen Humanismus, der durch die Postmoderne in seinem Kern geschwächt wurde, hin zu einer neuen Faszination für die spirituelle *Einsheit*. Miller hatte eine wichtige Führungsposition im Publikationsausschuss der *Society of Biblical Literature* inne, war aber auch mit den Theologen der 1960er-Jahre verbunden, die den „Tod Gottes" propagiert hatten. Wie bereits erwähnt waren meine christlichen Professoren, Kommilitonen und ich, als wir die Theologie des „Todes Gottes" studierten, davon überzeugt, dass diese den Triumph des säkularen Humanismus markiere. Dies wurde scheinbar von T. J. J. Altizer, einem Vertreter dieser Theologie, bestätigt. Er lehrte, dass Gott sich so vollständig in die Welt inkarniert habe, dass er durch seinen Tod am Kreuz den Menschen von jeder fremden, transzendenten Macht befreie.[62] Diese kreative Auslegung der christlichen Theologie war sicherlich der letzte Triumph des atheistischen Humanismus!

Aber nicht so schnell! David Miller beschrieb den Tod Gottes nicht als den Sieg des säkularen, atheistischen Humanismus, sondern als die Rückkehr des spirituellen Heidentums; nicht als den Tod jeder Vorstellung von Göttlichkeit, sondern als den Tod des spezifisch transzendenten Gottes der biblischen *Zweiheit*. Sein Buch *The New Polytheism* sagt mit überraschender Zuverlässigkeit voraus: „Nach dem Tod Gottes werden wir die Wiedergeburt der Götter und Göttinnen des antiken Griechenlands und Roms erleben."[63]

Was wusste Miller, was nur wenige andere zu dieser Zeit erkannten? Lange nach meiner Studienzeit entdeckte ich, dass Miller ein lebenslanger Anhänger von Carl Gustav Jung war und die jungsche Psychologie weltweit in klinischen Programmen gelehrt hatte, unter anderem am Jung-Institut in der Schweiz und am *Pacifica Graduate Institute* in Kalifornien. (Die Bedeutung von Millers Faszination für Jung wird im nächsten Kapitel deutlicher werden, wenn ich die Bedeutung von Jung bei der Gestaltung der modernen Kultur nachzeichnen werde). Miller wusste, dass der Tod Gottes der Tod des *zweiheitlichen* Gottes der Bibel war – ein Untergang, der nicht den Sieg des Säkularismus einläutete, sondern die befreiende Wiedergeburt der *einsheitlichen* heidnischen Götter aus fernen Orten und alten Zeiten im Westen zelebrierte. Millers Feier des Todes des biblischen Gottes in den 1960er-Jahren weist somit auf eine Reihe von bahnbrechenden Geschehnissen in unserer heutigen Zeit hin:

1. Auf den *Gnadenstoß* für das westliche Christentum als wesentliche gesellschaftliche und kulturelle Kraft. Wir sind jetzt in der Defensive, nicht aufgrund unserer Wahrheitsansprüche, sondern als Kraft für das Gute innerhalb unserer Kultur.[64]
2. Auf den Untergang des säkularen Humanismus. Er kam völlig unerwartet und wird weitgehend noch nicht bemerkt.
3. Auf die Wiedergeburt des alten heidnischen Glaubens an die Göttlichkeit der Natur und des Menschen.

Nach dem säkularen Humanismus ist die Wiedergeburt des antiken Heidentums in unserer Zeit die zweite große Herausforderung für das auf historischen Tatsachen beruhende Christentum. Wir beginnen gerade erst, seine Macht zu bemerken. Um die Richtung zu verstehen, in die unsere Gesellschaft sich verändert, müssen alle Christen – insbesondere die seit der Jahrtausendwende geborenen, für die der säkulare Humanismus an Einfluss verloren hat – den Schweizer Psychologen Carl Gustav Jung kennenlernen, den Schöpfer der transpersonalen Psychologie.

KAPITEL 3

CARL GUSTAV JUNGS TRAUM VON EINER „NEUEN MENSCHHEIT“

Kulturen – auch unsere – entstehen nicht aus dem Nichts, und sie sind auch nicht statisch. Der Westen hat sich durch den Einfluss und die entschlossenen Bemühungen Carl Gustav Jungs und anderer führender Persönlichkeiten wie ihm gewandelt. Während viele Menschen passiv auf den Schienen der Geschichte unterwegs sind, hat Jung seine eigenen Gleise gelegt. Aber wer war C. G. Jung? Er ist nicht so bekannt wie John F. Kennedy oder John Lennon.

Wer war C. G. Jung?

Die meisten kennen die Star-Wars-Filmserie („Krieg der Sterne“) und denken dabei an eine dunkle und eine helle Seite der Macht sowie an die Notwendigkeit, dies im Gleichgewicht zu halten. Neben solch einer Grundvorstellung entwickelte Jung auch das Konzept des inneren Selbst, auf das sich heute viele berufen, um ihre tiefsten Gefühle zu beschreiben. Jung war es auch, der die Begriffe „extrovertiert“ und „introvertiert“ prägte. Der Myers-Briggs-Typenindikator, der am weitesten verbreitete

Persönlichkeitstest, wurde aus seinen Theorien entwickelt. Wenn Sie schon einmal einem Therapeuten gegenübergesessen haben, anstatt auf einer Couch zu liegen, dann haben Sie das Jung zu verdanken. Er hat Zwölf-Schritte-Programme, Videospiele, Romane, Filme und Lehrmaterialien beeinflusst.

Jung wird oft als Vater der New-Age-Bewegung angesehen, die die heutige Welt tief und dauerhaft geprägt hat. Die jungsche Psychologie öffnete die allgemeine Kultur für die indische Spiritualität. Jung war von dem indischen Guru Vivekananda und seiner Lehre über das göttliche Selbst tief ergriffen. Als er nach Indien reiste, war er davon beeindruckt, dass indische Denker Gut und Böse ohne Gewissensbisse miteinander verbinden konnten. Obwohl sein Name allgemein nicht so bekannt ist, hat Jung Philosophie, Archäologie, Anthropologie, Literatur und vor allem die Populärpsychologie und die Spiritualität beeinflusst, indem er die Religion psychologisierte. Seine Theorien zu diesem Thema haben auch die Seele des westlichen Christentums tiefgreifend verändert.

Zu Beginn des 20. Jahrhunderts herrschte allgemeiner Optimismus in Bezug auf die neue Wissenschaft der analytischen Psychologie, die von Sigmund Freud und seinem jungen Mitarbeiter C. G. Jung entwickelt worden war. Es handelte sich um eine neue, auf objektiver, wissenschaftlicher Analyse basierende Disziplin, welche die Probleme des menschlichen Verhaltens rational erklären und lösen und so die Welt zu einem besseren Ort machen sollte. Jung und seine Kollegen sprachen von einem neuen Tag für das menschliche Miteinander, an dem individuelle Verhaltensstörungen durch Psychologie und ausgewählte Weisheiten aus allen Kulturen der Welt geheilt werden könnten und die Menschheit in eine neuen Ära des menschlichen Glücks eintreten würde.

Tatsächlich sah sich Jung als Architekt eines „neuen Humanismus“[65] und als Schöpfer einer „neuen Ordnung des menschlichen Miteinanders“[66]. Er entwickelte nicht nur eine weithin akzeptierte Therapie für gequälte Seelen, sondern auch einen religiösen Entwurf für die Zukunft der Menschheit. In den

1950er-Jahren behauptete Jung: „Wir stehen erst an der Schwelle einer neuen spirituellen Epoche."[67] Er glaubte, dass er „die endgültige, einheitliche Weltreligion" entwickeln würde.[68] Diese aufregende futuristische Vision, alle Menschen und alle Religionen zusammenzuführen, gab Jung und seinen Jüngern klare und motivierende Zielvorstellungen. Das Ziel war schwindelerregend. Vor etwa 70 Jahren prophezeite Jung ein neues globales Christentum, das sich an alle anderen Religionen angleicht:

> *Ich stelle mir eine deutlich befriedigendere und umfassendere Aufgabe für [die Psychoanalyse] vor ... Ich denke, wir müssen ihr Zeit geben, um die Menschen von vielen Seiten tief in ihrem Innern zu erreichen, um in den Intellektuellen einen Sinn für Symbolik und Mythos wiederzubeleben, um Christus wieder ganz sanft in den wahrsagenden Gott des Weinstocks zurückzuverwandeln, der er einst war, und auf diese Weise die ekstatischen Triebkräfte des Christentums zu absorbieren, um den Kult und den heiligen Mythos wieder zu dem zu machen, was sie einst waren – ein vor Freude trunkenes Fest, bei dem der Mensch das Ethos und die Heiligkeit eines Tieres zurückgewann. Das war die Schönheit und der Zweck der klassischen Religion.*[69]

Trotz Jungs positivem Blick nach vorn war in der entstehenden Disziplin der Psychologie nicht alles rosig. Im ersten Viertel des 20. Jahrhunderts trennten sich die Wege von Jung und Freud.[70] Während Jung eine auf Spiritualität basierende Version der psychologischen Heilung vorschlug, tat Freud Religion als Illusion ab – als eine Krankheit, die geheilt werden müsse. Diese Trennung war ein frühes Zeichen für den letztendlichen Sieg der Spiritualität über den humanistischen Materialismus. Die Zukunft gehörte Jung.[71]

Doch nur wenige Menschen, ob säkular oder christlich, verstanden das wahre Wesen des jungschen Denkens. Jungs Plan, die „klassische Religion“ wiederherzustellen und Christus wieder „in den wahrsagenden Gott des Weinstocks zurückzuverwandeln“ zeigt, dass Jung mehr im Sinn hatte, als nur wissenschaftliche Theorien über psychologische Persönlichkeitstypen aufzustellen.

Wer war der wahre Carl Gustav Jung?

Eine geheimnisvolle Person

Jungs Erfolg war zum Teil auf das mysteriöse Bild seiner Persönlichkeit zurückzuführen, das er der breiten Öffentlichkeit präsentierte. Seine Vision für die Zukunft der Menschheit beinhaltete die Dekonstruktion des biblischen Christentums und die Förderung heidnischer Spiritualität. Doch er wusste, dass seine Einladung zum Mystizismus niemals von einer Mischkultur angenommen werden würde, die von säkularem Humanismus und christlichem Theismus geprägt war. Denn beide Geistesströmungen lehnen – aus unterschiedlichen Gründen – die Naturverehrung ab. Daher wählte der „Priester“ Jung[72] die wissenschaftliche Redeweise.[73] Diese intellektuelle List deckte Richard Noll, Psychologe und Professor für Wissenschaftsgeschichte an der *Harvard University,* in einer brisanten Biografie über Jung auf. Durch sorgfältige Recherche in Jungs Veröffentlichungen entwickelte Noll die These, dass Jung seine Bedeutung für die Öffentlichkeit absichtlich verschleiert hatte, während er seine wahren Theorien in einem privaten Kreis von Forschern und Fachkollegen entwickelte.

Nolls Bücher *The Jung-Kult: Origins of a Charismatic Movement*[74] und *The Aryan Christ: The Secret Life of Carl Jung* waren bei überzeugten Jungianern, von denen viele ihre eigene Karriere auf den Lehren ihres Meisters aufgebaut hatten, nicht beliebt. Jungs Anhänger waren gekränkt von Nolls Kühnheit, mit der er beispielsweise behauptete:

> *Diese Maske [der wissenschaftlichen Forschung] des 20. Jahrhunderts wurde von Jung absichtlich und in gewisser Weise täuschend konstruiert, um seine eigene magische, polytheistische, heidnische Weltsicht einer säkularisierten Welt schmackhafter zu machen, die darauf konditioniert ist, nur solche Ideen zu respektieren, die einen wissenschaftlichen Anstrich haben.*[75]

In öffentlichen Vorträgen und Schriften, so Noll, war Jung darauf bedacht, „verschlüsselt"[76] zu sprechen und zu schreiben.

Obwohl Noll von der akademischen Psychologie diffamiert wurde, wurde er schließlich von Jung selbst rehabilitiert. Fast 50 Jahre nach Jungs Tod veröffentlichte die Philemon-Stiftung das *Rote Buch,* einen 372 Seiten starken, leuchtend roten Band in Großformat, der Jungs Berichte über seine eigenen okkulten Erlebnisse in Schlüsselphasen seines Lebens enthielt. Noll hatte den Inhalt dieses Bandes bisher nie gesehen. Im *Roten Buch* erfahren wir Jungs wahre Gedanken über die Zeit nach seiner Trennung von Freud, als er einige Jahre lang unter Depressionen litt und sich einer qualvollen Selbstanalyse unterzog. In dieser Zeit hatte er „psychotische Fantasien" und erlebte „zahlreiche paranormale Phänomene"[77]. Er tauchte in „die Welt der Toten" ein und schrieb unter dem Namen des gnostischen Schriftstellers Basilides das Buch *Die sieben Belehrungen der Toten*[78]. Im *Roten Buch* schildert Jung, was er als „numinose" Erfahrungen bezeichnet, darunter seine Beziehung zu Philemon, einem Geistführer, von dem er sagt: „Philemon repräsentierte eine Kraft, die nicht ich selbst war ... Er war es, der mich übernatürliche Objektivität lehrte."[79] Derselbe Geistführer, Philemon, sprach Jung als „Christus" an.[80]

Die meisten Jungianer lehnten Nolls These zwar ab, doch sie wurde nicht nur durch das *Rote Buch* bestätigt, sondern auch durch Jungs persönliche Freunde wie die jungianische Wissenschaftlerin June Singer. Sie stellte fest, dass Jung „zwei Persönlichkeiten hatte: Die eine war die rationale und wissenschaftliche; die andere, die ihn wirklich groß gemacht hat, war die transpersonale [d. h. die paranormale]“[81]. Sie sagte auch, dass Jung „mehr als nur ein wenig Interesse am Okkulten“[82] hatte. Jung selbst erklärte: „Dieser Schritt über die Wissenschaft hinaus ist eine unbedingte Voraussetzung der ... psychologischen Entwicklung ..., denn ohne dieses Postulat könnte ich die übernatürlichen Vorgänge, die empirisch auftreten, nicht angemessen formulieren.“[83] Jung gibt ferner die Bedeutung seiner psychisch-übernatürlichen Erfahrungen mit der Geisterwelt in den Jahren 1914 bis 1930 zu, als er „mithilfe der Alchemie ... den inneren Bildern ... nachging, die mich zu zerbrechen drohten“[84]. Alles, was er nach diesen Erfahrungen schrieb, war, wie er es ausdrückte, deren „äußere Einordnung“. Am Ende seines Lebens wurde Jung offener, was die wahre Bedeutung seiner Theorien betraf, und erklärte: „Wir können keine Psychologie mehr praktizieren, die die Existenz von ... Parapsychologie [paranormalen Phänomenen] ignoriert.“[85]

Für Jung lag die Zukunft der Psychologie in der Entwicklung eines paranormalen Spiritualismus. Das wird im *Roten Buch* und in seinem eigenen Verständnis des „Christusbewusstseins“ deutlich, oder, wie Noll es nennt, des „arianischen Christus“ – der Rettung des Christentums vor dem Schöpfer, dem Gott des Alten Testaments.

Jungs Hintergrund

Die Kenntnis von Jungs familiärem Hintergrund hilft, den wahren Mann zu erkennen. Jung stammte nicht aus einer konservativen christlichen Familie. Sein Großvater väterlicherseits war Großmeister des Schweizer Freimaurerordens, und sein Großvater mütterlicherseits war Okkultist und Spiritist. Seine Großmutter mütterlicherseits war eine Seherin, die „im Alter von 20 Jahren in eine dreitägige Trance fiel, während der sie mit den Geistern der Toten kommunizierte und Prophezeiungen machte“[86]. Carl Gustavs Mutter war ein Medium, das lange Zeit „von den Geistern, die sie nachts besuchten, in den Bann gezogen wurde"[87]. Viele Jahre lang besuchte Jung mit seiner Mutter und zwei Cousinen Séancen.[88]

Jungs Vater war lutherischer Pfarrer. Dies bedeutete, dass Jung einer gewissen Form des christlichen Glaubens ausgesetzt war. Doch der Glaube seines Vaters war rein formal, sodass Jung sich von ihm abwandte und Christus in seiner Jugend offen ablehnte. Er sagte: „‚Herr Jesus' wurde für mich nie ganz real, nie ganz akzeptabel, nie ganz liebenswert ... ‚Herr Jesus' schien mir in gewisser Weise ein Gott des Todes zu sein ... Seine mir stets gepriesene Liebe und Güte erschienen mir heimlich zweifelhaft."[89] C. G. Jung kannte nur eine steife, theologisch liberale Form des Christentums, und so konnte er seiner sich entwickelnden heidnischen Spiritualität verschiedene Formen des liberalen Christentums hinzufügen.

Heidnische Mythen für die westliche Psychologie

Jungs Therapie beruhte auf einem Glauben an eine Mythologie, die zu Beginn des 20. Jahrhunderts im „christlichen" Westen nicht unbedingt beliebt war. So wurde Charles Darwin beispielsweise während seiner Reise zu den Galapagos-Inseln im Jahr 1832 Zeuge von nackten Eingeborenen, die sich ins Delirium tanzten, und war schockiert, da er diese Darbietung als „eine höchst rohe, barbarische Szene" empfand.[90] Um 1900 kritisierte W. H. Auden das Werk von W. B. Yeats über den Hinduismus als „erbärmliches Spektakel eines erwachsenen Mannes, der sich mit dem Hokuspokus der Magie und dem Unsinn Indiens beschäftigt"[91].

Doch die Werte änderten sich. C. G. Jung ließ sich von der Idee leiten, dass der heidnische Mythos die weltweite Suche nach dem Verständnis und der Heilung des Selbst widerspiegele, indem man entdeckt, dass alle Götter in uns selbst zu finden seien. Seine Ideen beeinflussten den Gott-ist-tot-Theologen David Miller, der Anfang der 1970er-Jahre vorhersagte, dass „wir mit dem Tod Gottes die Wiedergeburt der Götter und Göttinnen Griechenlands und Roms erleben werden"[92]. Jung legte nicht nur eine

Theorie für psychologische Therapie vor, sondern vor allem eine Weltanschauung, durch die alle Menschen höhere Ebenen der persönlichen Befreiung erreichen sollten.[93]

Jung stellte fest: „Die entscheidende Frage für den Menschen ist: Ist er mit etwas Unendlichem verbunden oder nicht?“[94] Er beantwortete diese Schlüsselfrage jedoch nicht mithilfe der christlichen Wahrheit, sondern mit einer anderen Quelle für den Sinn des Lebens und mit psychologischer Gesundheit. Die Transpersonale Psychologie basierte auf Jungs eigenen Erfahrungen mit dem Paranormalen und auf wiederentdeckten heidnischen Traditionen. Seine ursprüngliche Doktorarbeit trug den Titel „Zur Psychologie und Pathologie sogenannter okkulter Phänomene“[95], in der er diese Phänomene mit psychischer Gesundheit in Verbindung brachte, die für alle verfügbar ist.

Halten Sie inne und denken Sie darüber nach: Die moderne Auffassung von psychischer Gesundheit beruht zum großen Teil auf einer heidnisch inspirierten Darstellung der Funktionsweise der Welt.

Mythologische Archetypen als Bedeutungsrahmen

Jung versuchte, die westliche Psyche von ihren christlichen Voraussetzungen zu befreien, indem er den menschlichen Geist neu mit dem ausstattete, was er Archetypen nannte: Ordnungsprinzipien der Religionen aus uralten Zeiten. Nach Jungs Theorie ist das Unbewusste die Tiefenebene des Menschen, in der Fantasien als mystische Erfahrungen der „realen“ Geisterwelt gedeutet werden. Jung glaubte, dass unsere Instinkte auf spirituellen Archetypen (erklärenden Mythen) aus allen Weltreligionen und der geistigen Welt, die sie inspiriert, beruhen.

Jung verfügte über ein umfangreiches Wissen über die religiösen Traditionen und Mythologien der Welt und versuchte, deren gemeinsame, wiederkehrende spirituelle Themen für sein Therapieverständnis zu nutzen. Er benennt eine Vielzahl von

Archetypen, darunter den Übermenschen (von Nietzsche), das Kind, die große Muttergottheit (entweder gut oder grausam), den Schatten (der eigentliche Ort des Bösen), das Selbst (die vollendete Einheit der Persönlichkeit), Hermaphroditos (Zwitterwesen, männlich und weiblich, symbolisiert durch den Kreis), den weisen alten Mann, die *Anima* im Mann und den *Animus* in der Frau. Andere basierten auf der Bandbreite menschlicher Instinkte und Fantasien oder auf universellen Begriffen wie Rebell, Liebender, Schöpfer oder Träumer, Narr, Weiser und Magier oder Schamane. Diese sollten als „die fundamentalen und bestimmenden Strukturen der menschlichen Erfahrung"[96] fungieren, als die neuen philosophischen „Universalien", welche die Welt in einer befriedigenden Synthese zusammenführen sollten.[97]

Diese Liste ist zwar unvollständig, erscheint aber umfangreich und vielfältig. Doch wie die weltweiten interreligiösen Veranstaltungen, die zwar die Vielfalt feiern, sich aber auf eine gemeinsame Sicht des Kosmos als göttlich geeinigt haben, und wie die antiken Verehrer der Göttin Isis, die sich zu der einen Gottheit bekannten, Isis aber auch als die Göttin der „tausend Namen"[98] ansahen, so zeigen auch Jungs Archetypen *nur eine* Sichtweise der letzten Wirklichkeit. Bezeichnenderweise fehlen in dieser Liste Begriffe wie das angeborene Wissen um Gott als Schöpfer (Röm 1,10-21) oder das in jedes menschliche Herz geschriebene Gesetz Gottes (Röm 2,15). Die Archetypen scheinen dazu gedacht zu sein, die Menschen zum „Herzen" und zur Quelle der heidnischen Religion zu führen.

Die Vereinigung der Gegensätze

Dieses heidnische „Herz" war das Ideal der Vereinigung von Gegensätzen, der Schlüssel zu Jungs Methode der Heilung des Unbewussten. Die Bedeutung dieser Verbindung zieht sich durch Jungs gesamtes Werk, ausgedrückt als *coincidentia oppositorum* (der Zusammenfall der Gegensätze) oder *mysterium coniunctionis* (das Geheimnis der Vereinigung). Mircea Eliade sagte, dass dieser Begriff ein wesentliches Element in allen Weltreligionen ist, insbesondere im Hinduismus, in dem die Beseitigung der Gegensätze und die Wiedervereinigung der Teile als „königlicher Weg des Geistes“ bekannt ist.[99] Jung integrierte diese Vorstellung in die moderne Psychologie.

Das Endziel der Individuation oder Reifung ist, wie Eliade erklärte, die Aufhebung der Gegensätze.[100] Für Jung sind Gut und Böse daher nur relativ. Das reife oder individuierte Selbst ist das Selbst, das sich mit den verschiedenen inneren Widersprüchen abgefunden, sie angenommen und schließlich zum Schweigen gebracht hat.[101] Männlich und weiblich sind einander nicht ausschließende Optionen für das, was immer einem Lust bereitet. Dieser Gedanke hat die heutigen Vorstellungen von sexueller Vielfalt beflügelt. Eine solche Verbindung, so wird behauptet, bringe Heilung von Schuld, sprenge die bösartigen Fesseln der biblischen Ordnung und der heterosexuellen, monogamen Ehe und erzeuge Freiheit für das geeinte Individuum. Das beseitigt die Vorstellung von Gott hinter der Schuld.

Das praktische Anliegen der psychologischen Befreiung des Menschen hat theologische Implikationen. Oder anders ausgedrückt: Die eigene Definition von Gott bestimmt alles andere. Für Jung verbindet Gott auch die Gegensätze. Er bevorzugt den gnostischen Gott „Abraxas, halb Mensch, halb Tier, als einen Gott, der höher steht als der christliche Gott und der Teufel und alle Gegensätze in sich vereint“[102]. Wie W. B. Yeats als sein Motto erklärte: *„Daemon est deus inversus“* („der Teufel ist die andere Seite Gottes“).

Jung verwendete häufig das antike Symbol des *Uroboros,* der ihren eigenen Schwanz fressenden Schlange, die im alten Heidentum und in der Gnosis zu finden ist. Für ihn war es ein Archetyp der Reifung und ein drastisches Symbol für die Integration und Assimilation des Schattens selbst, der dunklen Seite. Der Rückführungsprozess vom Kopf zum Schwanz ist auch ein Symbol der Unsterblichkeit, da der *Uroboros* sich im Tod häutet und dann wieder zum Leben erweckt. Der von der Schlange gebildete Kreis symbolisiert eine einzigartige, endgültige Einheit mit dem Kosmos und die Versöhnung der Gegensätze.[103] Dieser wissenschaftliche Experte für menschliches Verhalten gründete also sein Verständnis der Welt und der menschlichen Realität auf den Pantheismus.[104]

Eine solche Denkweise führt zu radikalen Schlussfolgerungen. Maria Molzer, eine Kollegin von Jung, die die Mitglieder einiger reicher amerikanischer Familien (der Rockefellers und der McCormicks) analysierte, greift Jungs Idee der Vereinigung auf: „Auch ich denke, dass Gott und der Teufel zwei Manifestationen desselben Prinzips sind und dass der eine den anderen bedingt ... Wir müssen lernen, den Teufel wieder zu schätzen. Die christliche Religion hat ihn vertrieben. Er beansprucht wieder seine Rechte."[105] In der jungschen Welt wird das Böse zum Freund. Eine solche „Rationalisierung" (mit dem Verstand konstruierte Erklärung zum Zweck der Rechtfertigung) ist dämonisch.

Wie wir bereits erwähnt haben, offenbart das *Rote Buch* Jungs tiefsitzende Überzeugungen. Darin beschreibt er seine „häufigen Übungen zum Leerwerden des Bewusstseins", um „das zu suchen, was unterhalb der Schwelle des Bewusstseins liegt"[106]. Er versuchte, die Psychologie zu verstehen, indem er tief in die „klassische chinesische Philosophie [und] die mystischen Spekulationen Indiens und des tantrischen Yoga" eindrang[107]. Er beschäftigte sich intensiv mit dem Okkulten und traf dort seinen Geistführer Philemon, den er als „heidnischen" alten Mann mit den Hörnern eines Stiers und den Flügeln eines Vogels beschrieb.[108] Als Jung begann, viele parapsychologische Ereignisse zu erleben, machte Philemon ihn mit Abraxas, dem Teufelsgott der Gnosis, bekannt.[109]

Die Gründung einer neuen Religion

Jung und seine Anhänger waren spirituelle Pantheisten, die sich sowohl gegen die biblische Tradition als auch gegen den Säkularismus wandten. Sie sahen sowohl das Ende des Säkularismus (der die jungschen Vorstellungen von Spiritualität als primitiven, unwissenschaftlichen Aberglauben behandelte) und ein „postsäkulares Zeitalter“ als auch das Ende des Christentums voraus, dem es nicht gelang, die dunkle Seite zu integrieren und die Echtheit des inneren Gottes anzuerkennen.[110] Jung bezauberte die Säkularisten, indem er behauptete, seine Arbeit sei wissenschaftlich. Er bezauberte die Kirche, indem er behauptete, seine Theorien stellten eine neue Form des Christentums dar.

Jung war jedoch weder Wissenschaftler (im engeren Sinn) noch Christ. Im Jahr 1922 hielt er im *Roten Buch* die Gespräche fest, die er mit seiner Seele führte – eine Überwindung seiner Selbstzweifel. Seine Seele sagte ihm: „Das große Werk beginnt ... du musst auf eine höhere Ebene des Bewusstseins gehen ... kein Christ mehr sein.“ Er fragte: „Aber was ist meine Berufung?“, und seine Seele antwortete: „Die neue Religion und ihre Ankündigung ... eine neue Ordnung des menschlichen Miteinanders.“[111] Auf dem hinteren Einband der englischen Ausgabe des *Roten Buches* steht in geprägten goldenen Lettern geschrieben:

> *Die Jahre, in denen ich den inneren Bildern nachging, waren die wichtigste Zeit meines Lebens, in der sich alles Wesentliche entschied. Damals begann es, und die späteren Einzelheiten sind nur Ergänzungen und Verdeutlichungen. Meine gesamte spätere Tätigkeit bestand darin, das auszuarbeiten, was in jenen Jahren aus dem Unbewussten aufgebrochen war und mich zunächst überflutete. Es war der Urstoff für ein Lebenswerk.*[112]

Jung sah in diesen inneren Erleuchtungserfahrungen die Quelle für alle seine späteren Auffassungen, einschließlich der Versöhnung von Gegensätzen als Grundlage für eine hoffnungsvolle Zukunft der Menschheit. Für ihn wiesen die vereinten Archetypen auf „die Sphäre des *unus mundus*, der einheitlichen Welt ... den letzten Grund des Universums“[113], wo das Göttliche und das Menschliche sich treffen und verschmelzen. Er hatte die Vision einer zukünftigen Gesellschaft, die „über Typ und Geschlecht hinausgeht“[114]. Laut Noll glaubte Jung, er sei „in das größte aller Geheimnisse eingeweiht und zu einem Gott geworden. Die Götter hätten ihm die Geheimnisse des Lebens und der menschlichen Geschichte gezeigt, Visionen der Zukunft und eines Neuen Menschen ... Er könnte die Welt retten. Wer könnte besser als er, der mit der direkten Kenntnis des Göttlichen gesegnet war, Prophet eines neuen Zeitalters sein?“[115]

Jungs Vermächtnis

Warum dieser Erfolg?

Wie haben Jungs Ideen unsere Kultur infiltriert? Jung entwarf ein psychologisches Modell, das gesundes menschliches Verhalten als Verbindung mit dem eigenen Unbewussten und mit Archetypen beschrieb. Sexuelle und spirituelle Befreiung seien wesentlich für die psychotherapeutische Gesundheit des Unbewussten. Sein Ansatz wurde als die neueste wissenschaftliche Botschaft über die menschliche Psyche aufgenommen, und seine psychospirituellen Heilmethoden sprachen die wissenschaftliche Genauigkeit an. Für viele westliche Menschen des 20. Jahrhunderts wurde dies zum letzten Wort über Gesundheit und Spiritualität. Seine Anhänger behaupten, dass das Verständnis und die Anwendung seiner Theorien dem Einzelnen helfen würden, auf der Transformationsreise eine höhere Stufe der Individuation oder Reife zu erreichen und schließlich seinem wahren Selbst und auch dem Göttlichen zu begegnen. Trotz der Komplexität von Jungs System mit seiner halbwissenschaftlichen Terminologie hatte seine Betonung des Unbewussten praktische Auswirkungen, die sich durchsetzten und bis heute andauern.

Jung erhielt enorme Unterstützung von der Kirche. Während Freud als atheistischer Humanist abgetan wurde, galt Jung als ein Mann des Geistes und wurde von einigen als erstrangiger christlicher Seelsorger geschätzt.[116] Jeffrey Satinover, Psychiater und ehemaliger Präsident der *Jung Foundation of New York*, hob „die wirklich erstaunliche Anzahl von Geistlichen, die jungsche Analytiker geworden sind“[117], hervor. Er fügte hinzu: „Es ist nicht übertrieben, zu sagen, dass die theologischen Positionen der meisten Mainstream-Konfessionen in ihren Seelsorgeansätzen sowie in ihren Lehren und Gottesdiensten mehr oder weniger identisch mit Jungs psychologischer bzw. symbolischer Theologie geworden sind.“[118]

Wohlhabende Familien wie dic Rockefellers, die McCormicks und die Mellons unterstützten Jungs Vision finanziell.[119] Viele Frauen dieser Familien waren frühe Klientinnen jungscher Therapie, und ihr Geld machte die englischsprachige Welt mit Jung bekannt und verschaffte ihm weltweiten Einfluss.

Wie viele derjenigen, die Jungs therapeutische, befreiende Methoden akzeptierten, hätten seine Botschaft abgelehnt, wenn sie die Quelle und die wahre Bedeutung von Jungs Denken gekannt hätten? Für viele war der Schaden bereits angerichtet. Ein polnischer römisch-katholischer Gelehrter berichtet von dem deutschen Priester Eugen Drewermann, der als Professor für dogmatische Theologie begann und durch „eine Reduktion der Theologie auf die Psychologie bei New Age und Buddhismus landete. Für ihn wurden Sigmund Freud und C. G. Jung wichtiger als Jesus und der Apostel Paulus.“[120] Die Folgen dieser Entscheidungen sind heute offenbar. „Erst jetzt beginnt sich der Schleier zu lüften“, so Satinover im Jahr 1994, „in einer Zeit, in der die jungsche und die mit Jung verwandte Spiritualität mit ihrer Betonung der gnostischen ‚Weisheit‘, der sexuellen Freiheit, der östlichen Mystik, des Pantheismus, der Göttinnenverehrung und der Anpassung an das Böse bereits tief in die Kirche eingedrungen sind“.[121]

Die Dominanz des Unbewussten

Jahrhundertelang wurde im Westen eine allgemein biblische Kosmologie gelehrt. Als jedoch die Macht des Christentums im

Westen aufgrund des säkularen Humanismus schwand, empfanden viele Jung als ein Geschenk des Himmels. Er bot ein spirituelles und therapeutisches Verfahren, mit dem das Unbewusste des Einzelnen von den ethischen Anforderungen eines heiligen Lebens und dem Schmerz der Schuld befreit werden konnte. Da die moralischen und spirituellen Anforderungen von außen relativiert und somit eliminiert wurden, konnten die Bedeutung und sogar der Begriff der Sünde als eine irrationale emotionale Störung abgetan werden, die in der kultivierten Gesellschaft des 20. Jahrhunderts unerwünscht war. Persönliches Begehren, ja, sogar Fantasie, wurde zum Weg zu wissenschaftlich fundierter psychologischer Ganzheitlichkeit und menschlicher Reife.

Jung brachte diese Vision eines neuen Humanismus in seiner Rechtfertigung einer außerehelichen Affäre mit einer jungen Studentin perfekt zum Ausdruck. In einem Brief an einen Freund schrieb er: „Nichts ist wichtiger als die Vollendung des Selbst."[122] Jung starb 1961, aber seine Ansichten lebten z. B. in einem Motto der Sechzigerjahre weiter: „Wenn es sich gut anfühlt, tu es einfach." Ein ursprüngliches Mitglied von Jungs Kreisen drückte Jungs Vision so aus: „Freie Liebe wird die Welt retten." Dies wurde zu einem Schlachtruf der sexuellen Revolution der Sechzigerjahre. In den 1940er-Jahren fertigten der Harvard-Psychologe Henry Murray und seine Geliebte Christiana als Hommage an Jung eine Gravur an, auf der zu lesen war:

> *Wir huldigen dem Alten Mann für seine große Einsicht – Animus-Anima [männlich und weiblich vereint], der uns in rechtem Verständnis auf unseren Weg brachte; [und] für seine Lehre, dass das erotische Problem in unserer Zivilisation nie angegangen wurde und dass seine Lösung die höchste Aufgabe für den Geist war.*[123]

Die jungsche Therapie hat sich durchgesetzt. Das Unbewusste übertrumpft heute jede andere Autorität und liefert eine Wahrheit, die nicht infrage gestellt werden kann. Unser inneres Selbst hat das letzte Wort. Der Fernsehstar Dr. Phil argumentiert in seinem Bestseller *Self Matters (Selbstangelegenheiten)*, dass wir unser eigenes Leben durch die Entdeckung des inneren Selbst gestalten müssen. Christopher Lasch, ein scharfer Beobachter der heutigen Zeit, nannte sein eigenes Buch über unsere Kultur *Das Zeitalter des Narzissmus*[124]. Unsere Kultur ist süchtig nach Fantasie – man denke nur an den Erfolg der Pornoindustrie. Die Utopie, auf die wir konditioniert worden sind, beruht auf der reinen Fiktion unserer Instinkte. Der Begriff „Fantasie“ leitet sich von „Phantom“ ab – etwas, das nur in der Vorstellung existiert, aber oft mit der Realität verwechselt wird. Es ist die Lüge. Jung sprengte die Fundamente des traditionsreichen Gebäudes der westlichen biblischen *Zweiheit* und baute es mit einer „neuen Menschheit“ auf der Grundlage der religiösen *Einsheit* wieder auf.

Das Maß des Menschen

Wie können wir die Bedeutung eines so bahnbrechenden Denkers wie C. G. Jung einschätzen? Als Richard Noll nach einer Gestalt in der Geschichte suchte, deren Einfluss mit der Tragweite von Jung vergleichbar ist, stieß er auf Julian den Abtrünnigen, einen Kaiser im 4. Jahrhundert, der christlich erzogen wurde, sich aber für eine Rückkehr zum Heidentum entschied:

> *Jung gehört zusammen mit dem römischen Kaiser Julian dem Abtrünnigen zu denjenigen, die das orthodoxe Christentum in erheblichem Maße untergraben und den Polytheismus der hellenistischen Welt in der westlichen Zivilisation wiederhergestellt haben ... Aufgrund einer Vielzahl historischer und technischer Faktoren – die modernen Massenmedien sind dabei die wichtigsten – hat Jung Erfolg gehabt, wo Julian versagte ... Der patriarchalische Monotheismus der orthodoxen jüdisch-christlichen Religionen ist so gut wie zusammengebrochen, und um die Lücke zu füllen, nehmen Protestanten, Katholiken und*

> *Juden alternative, synkretistische Glaubenssätze an, die oft eine Grundlage in jungschen ‚psychologischen' Theorien vermuten lassen.*[125]

Die Dringlichkeit, dass wir unsere jüngste Vergangenheit verstehen müssen, um in unserer Gegenwart die Wahrheit sagen zu können, spiegelt sich in dem Werk *Lord of the World (Herr der Welt)* wider, das 1907 von einem römisch-katholischen Monsignore geschrieben wurde, als Jung gerade auf den Höhepunkt seiner Karriere zuging. Der Autor, Robert Hugh Benson, beschreibt dort einen älteren Politiker, der einem jungen Priester die geistige Situation jener Zeit erklärt:

> *Sehen Sie, zuerst war da der reine, einfache Materialismus – der mehr oder weniger gescheitert ist, er war zu grob –, bis die Psychologie zur Hilfe kam. Jetzt beansprucht die Psychologie den ganzen Rest des Bodens für sich; und dem übernatürlichen Aspekt scheint Rechnung getragen zu werden. Das ist der Anspruch.*
>
> *Nein, Vater, wir verlieren, und wir werden weiter verlieren, und ich denke, wir müssen jeden Moment auf eine Katastrophe gefasst sein.*[126]

Hatte der junge Priester recht mit seiner Furcht vor einer bevorstehenden geistigen Katastrophe? Zweifellos stellten die 1960er-Jahre mit der Übernahme der jungschen Vorstellungen von sexueller und spiritueller Befreiung eine katastrophale Transformation der alten christlichen Zivilisation dar.

KAPITEL 4

DIE IMMERWÄHRENDE PHILOSOPHIE – URSPRUNG DER ZEITGENÖSSISCHEN SPIRITUALITÄT

Wenn wir die Etablierung dieser neuen Spiritualität erst im 21. Jahrhundert wahrnehmen, haben wir zweifellos wenig Verständnis für ihre Ursprünge. Wir betreten kein Neuland, wie manche meinen mögen. Spiritualität erwächst immer aus tiefen Wurzeln. Jungs Gebrauch alter heidnischer Archetypen in der Psychologie war nur insofern neu, als dass sie auf moderne therapeutische Techniken angewandt wurde.

Viele Menschen bezeichnen sich heute als „spirituell, aber nicht religiös" – doch woher kommt das? Catherine L. Albanese, ehemalige Präsidentin der *American Academy of Religion,* nennt diese neue Spiritualität eine „amerikanische metaphysische Religion" – etwas, das über das Materielle hinausgeht, aber nicht spezifisch christlich ist. Sie sagt: „Auf ihre Weise ist die amerikanische metaphysische Religion ebenso kraftvoll, überzeugend und einflussreich wie die protestantische Tradition, die häufiger im Mittelpunkt der Aufmerksamkeit der Religionswissenschaftler steht."[127]

Der Journalist Tony Schwartz recherchierte in den 1990er-Jahren sechs Jahre lang zu spirituellen Randgruppen und führenden Gurus, die behaupteten, durch ein verändertes Bewusstsein den Gott in sich entdeckt zu haben. Er behauptete, er sei auf „eine aufstrebende amerikanische Weisheitstradition“ gestoßen, die ihren Ursprung im New-Age-Phänomen der Sechzigerjahre habe, aber „ausgewogener“ sei.[128] Angesichts der unübersehbaren Stellung der historischen, christlichen Lehre in der westlichen Kultur haben wir die wachsende Präsenz einer anderen spirituellen Alternative, die sich sowohl vom säkularen Humanismus als auch vom Christentum unterscheidet, oft nicht wahrgenommen.

Der schlafende Riese des westlichen Heidentums

Was Jung und sein Kreis in der ersten Hälfte des 20. Jahrhunderts propagierten und was David Miller 1974 als die Wiedergeburt der Götter vorhersagte, erscheint nun an der Oberfläche unserer Kultur als das, was es eigentlich ist: die Rückkehr eines ausgefeilten, umfangreichen, beeindruckenden Heidentums in den Westen, das in der einen oder anderen Form während der gesamten Menschheitsgeschichte präsent war.

Der Begriff „heidnisch“ (engl.: *pagan*) bezieht sich hier nicht auf alte Stammesreligionen oder unmoralische, „gottlose“ Menschen, wie der Begriff manchmal auch verwendet wird. Der Begriff „Paganismus“ stammt von dem lateinischen Wort *paganus* ab, das „Landbewohner“ bedeutet. Ursprünglich bezog sich der Ausdruck also auf die Landbevölkerung, aber im weiteren Sinn auch auf Menschen, die an ihren traditionellen Volksreligionen festhielten, als das Christentum in der Regel zunächst in den Städten aufkam, bevor es sich in den ländlichen Regionen durchsetzen konnte. Diejenigen, die sich heute als Heiden, Paganer oder Neopaganer bezeichnen, tun dies aus einem ähnlichen Grund: Sie verehren bewusst die Erde oder sich selbst als Aspekte des Göttlichen und akzeptieren nicht die Behauptungen des historischen Christentums über den aus sich selbst existierenden Gott, der die Welt und das Heil erschaffen hat. Üblicherweise lehnen Heiden jede Form von organisierter Religion bewusst ab. Es gibt eine fast grenzenlose Vielfalt von Ausdrucksformen des Heidentums, aber alle heidnischen Religionen sind letztlich *einsheitlich*.

Jung hat kein Geheimnis daraus gemacht, dass er das Heidentum dem Christentum vorzog, wie wir im letzten Kapitel festgestellt haben. Er war ein sorgfältiger Interpret, der die gemeinsamen Fäden der antiken Gnosis, des Hinduismus, des Buddhismus, der mittelalterlichen Alchemie und der deutschen Mystik des 19. Jahrhunderts zu *einem* Teppich für die moderne Welt verwoben hat.

Viele Jahrhunderte lang wurde diese Spiritualität, insbesondere im Westen, durch den Triumph des frühen Christentums in den Untergrund gedrängt. Isis hatte verloren, Jesus hatte gewonnen. Das Heidentum wurde zu einer geheimnisvollen Untergrundströmung, die im westlichen Bewusstsein fortlebte und vor allem durch esoterische Bücher und Fachsprache nur Eingeweihten bekannt war. Sie müssen sich also in Acht nehmen: Wir haben es hier nicht mit einem marginalen Kult oder einer unbedeutenden neuen Theorie zu tun, die mit ein wenig Mühe und gutem Willen vom westlichen Kernland zurückgedrängt werden könnte. Der alte heidnische Riese rührt sich. Das mächtige Ungeheuer des Denkens und der Praxis, welches die antike Welt beherrschte, steht nun vor unserer Tür und will in unseren Häusern, Gesetzen und sogar Kirchen das Sagen haben. Es erübrigt sich, festzustellen, dass es für Christen von heute notwendig ist, die wahre Natur dieser gegnerischen – und seit Kurzem wieder aufgetauchten – Spiritualität zu verstehen.

Der britische Dramatiker George Bernard Shaw sagte: „Es gibt nur eine Religion, wenn auch in hundert Versionen.“[129] Worin besteht diese „eine Religion“? Der Ausdruck, der für mich in den letzten Jahren meiner Forschung über das Heidentum alles zusammenbrachte, ist der klassische, verschlüsselte Begriff

„immerwährende Philosophie“ *(philosophia perennis)*, manchmal auch *philosophia occulta* oder *magia* genannt.[130] Der Begriff wurde im späten 17. oder frühen 18. Jahrhundert von dem Mathematiker und Philosophen Gottfried Leibniz geprägt,[131] aber die Idee reicht weit in die Vergangenheit zurück. Berühmt wurde der Begriff durch Aldous Huxley, den Autor von *Schöne neue Welt*. In seinem Buch *Die ewige Philosophie* definiert Huxley den Begriff:

> *[Die immerwährende Philosophie erkennt] hinter der Welt der Dinge, des Lebens und des menschlichen Geistes eine göttliche Wirklichkeit ... [Sie findet] in der Seele etwas, das dieser göttlichen Wirklichkeit ähnlich oder sogar mit ihr identisch ist ... Anfangsgründe der* philosophia perennis *lassen sich in den überlieferten Lehren indigener Völker überall auf der Welt finden. Voll entwickelt, hat sie ihren Platz in jeder der höheren Religionen.*[132]

Das ist eine perfekte, gelehrte Definition des Heidentums.

In Kapitel 1 sind wir auf Peter Occhiogrosso gestoßen, den Autor von *The Joy of Sects*, der die Ansicht vertritt, dass trotz der vielen widerstreitenden Ausdrucksformen der Weltreligionen eine tiefe Übereinstimmung zwischen ihnen besteht, „von denen die Vertreter ihrer Hauptströmungen nicht sprechen“[133]. Er nennt diese, wie sich der Leser erinnern wird, „einen einzigen Strom, der jede dieser Traditionen aus einer einzigen Quelle speist ... die immerwährende Philosophie“[134]. Der moderne Jungianer Stanislav Grof hat die Erfahrungen nordamerikanischer, mexikanischer und südamerikanischer Schamanen mit der Spiritualität von Vipassana-, Zen- und Vajrayana-Buddhismus, Siddha-Yoga, Tantra und dem christlichen Benediktinerorden verglichen. Er zieht Verbindungen zwischen all diesen Erfahrungen und jenen, die in der Literatur über die immerwährende Philosophie beschrieben werden.[135]

Andere wichtige Visionäre unserer gegenwärtigen Kultur sind der Mythologe Joseph Campbell, ein engagierter Schüler von

Jung, der in der immerwährenden Philosophie den grundlegenden heidnischen Mythos sah[136], und Huston Smith, der von einigen als der größte lebende Gelehrte der Weltreligionen gepriesen wird. Er sagt, dass Huxleys *Die ewige Philosophie* ihn „vom Naturalismus zu einer mystischen Sichtweise der Wirklichkeit bekehrt hat“[137]. Smith nennt sich selbst[138] einen „Perennialisten mit großem P“.[139]

Der Begriff „immerwährende Philosophie“ ist an den seltsamsten Orten aufgetaucht – unter anderem im britischen Königshaus. König Charles III., ein sehr einflussreicher Umweltschützer, hielt im September 2006 die Eröffnungsrede auf einer Konferenz zum Thema Tradition und Moderne.[140] Er sagt uns, von welcher Tradition er spricht. In seiner Rede erwähnt Charles III. die Arbeit der *Temenos Academy*, die, wie er betont, „seit Langem der immerwährenden Philosophie verpflichtet ist“.

Eine Philosophie mit vielen Namen

Die immerwährende Philosophie hat auch andere Namen. Anhänger der Wicca-Religion sprechen von der „Alten Weisheit“, die in der Wendung „wie oben, so unten“ zusammengefasst ist. Diese findet man sowohl in der Freimaurerei („Das, was unten ist, sei wie das, was oben ist“)[141] als auch in der antiken Gnosis (wie z. B. im Philippusevangelium: „Ich bin gekommen, um [das Untere] gleich dem Oberen … zu machen“)[142]. Es erinnert auch an die antike Hermetik, die kürzlich von Rhonda Byrne in ihrem Bestseller *The Secret – Das Geheimnis* wiederbelebt wurde. In ihrer Einleitung spricht Byrne vom „Großen Geheimnis“ vergangener Spiritualität und zitiert die sogenannte Smaragdtafel aus dem Jahr 3000 v. Chr., auf der steht – genau: „Wie oben, so unten.“[143] Eine solche Lehre findet sich im Sufismus, dem islamischen Mystizismus – vor allem bei den modernen Sufis –, und wurde außerdem von George Gurdjieff verwendet, um das Enneagramm (ein neunspitziges esoterisches Symbol in einem Kreis) zu schaffen, das dazu dienen soll, neun verschiedene

Persönlichkeitstypen und ihre Schwingungen zu einem Bewusstsein des Einen zu bringen.[144]

Die immerwährende Philosophie wird auch als „Ewige Schrift“[145], „Erleuchtung“, „Vergessene Wahrheit“ oder „Ursprüngliche Tradition“ bezeichnet, von der ihre Anhänger glauben, dass sie auf den Turm von Babel zurückgehe.[146] Das *arcanum arcanorum,* das „Geheimnis der Geheimnisse“, bezieht sich wie alle diese Begriffe auf ein letztes Geheimnis, das hinter aller Astrologie, Magie und allen Formen des Okkulten liegt. Einige zeitgenössische Heiden sprechen von ihren Praktiken als der „Alten Religion“[147].

Derselbe grundsätzliche Glaube an die Göttlichkeit der Natur findet sich in der mittelalterlichen Alchemie, deren überzeugter Anhänger Carl Jung war. Er schrieb:

> *Für den Alchemisten ist derjenige, der in erster Linie der Erlösung bedarf, nicht der Mensch, sondern die Gottheit, die verloren ist und in der Materie schläft ... Der Mensch nimmt die Aufgabe auf sich, das erlösende* opus *[lateinisch „Werk“] zu vollbringen, und schreibt den Zustand des Leidens und die daraus resultierende Notwendigkeit der Erlösung der in der Materie gefangenen* anima mundi *[„Seele der Welt“] zu.*[148]

Die führende Theosophin Bailey sagte über die Zukunft: „Es gibt einen großen und glorreichen Plan, der sich für das Schicksal der Nationen entfaltet ... [Gottes] Plan für die Evolution der Menschheit und die Vorbereitung von Lehrern, die sie leiten sollen in den esoterischen Traditionen das Große Werk genannt.“[149]

Diese Terminologie des „Großen Werkes“ findet sich bei Sekten wie den Rosenkreuzern und spirituellen Alchemisten des Mittelalters. Lange vorher wurde der Begriff in ähnlicher Weise in der alten Hermetik verwendet, die zur Zeit der Renaissance populär wurde.[150] Spätere hermetische Spielarten verwendeten den Begriff „Großes Werk“ auf die gleiche Weise. Eliphas Levi, ein Führer des *Hermetic Order of the Golden Dawn* im 19. Jahrhundert, erklärte: „Das Große Werk ist vor allem die Schöpfung des Menschen durch sich selbst, d. h. die volle und ganze Übernahme seiner Fähigkeiten und seiner Zukunft; es ist vor allem die vollkommene Emanzipation seines Willens."[151]

Das klingt verdächtig nach Jung, ebenso wie eine weitere Definition von Aleister Crowley, einem weiteren Mitglied desselben hermetischen Ordens, der auf dem Cover des Beatles-Albums „Sgt. Pepper's Lonely Hearts Club Band" abgebildet war. Crowley meint: „Das Große Werk ist die Vereinigung der Gegensätze ... die Vereinigung der Seele mit Gott, des Mikrokosmos mit dem Makrokosmos, des Weiblichen mit dem Männlichen, des Egos mit dem Nicht-Ego."[152]

Dieselbe Vision taucht mit Jungs Begriff *opus* in einem populären Buch über die Umwelt, *Das Wilde und das Heilige*[153], wieder auf. Der Autor, Thomas Berry, war ein katholischer Theologe, der sich nach seinem Abfall vom Glauben als „Geologe" bezeichnete. Er erklärte, dass die „historische Mission unserer Zeit darin besteht, den Menschen auf der Ebene der Spezies neu zu erfinden ... mittels ... gemeinsamer Traumerfahrungen"[154]. Berry bezog sich damit auf die Arbeit, die in alten „schamanischen Zeiten"[155] geleistet wurde, und glaubte, dass unsere heutige Berufung darin bestehe, „das Große Werk der Ersten Völker, ... [die] ein enges Verhältnis zu den Mächten aufgebaut hatten, die [Amerika] ins Leben riefen"[156], fortzuführen.

Die immerwährende Philosophie, die große Tradition, die alte Religion – das alles sind Spielarten des zugrunde liegenden Weltbildes, das wir als *Einsheit* bezeichnen. Die weite Verbreitung solcher Philosophien und dieser Spiritualität in all ihrer Vielfalt deutet darauf hin, dass es eine höchst bedeutsame Fraktion von Kulturschaffenden gibt – von einfachen Wicca-Anhängern bis hin zum britischen König –, die sich mit alten heidnischen Traditionen identifizieren und sie sogar als Hoffnung für die Zukunft propagieren.

Die Prophezeiung der Tragweite des Heidentums

Das Wiederauftauchen einer Vielzahl von *einsheitlichen* Spiritualitäten, welche die Fantasie vieler Menschen im Westen angeregt haben, wurde von einigen aufmerksamen Beobachtern seltsamerweise als die kommende Weltreligion prophezeit. Ich sage „seltsamerweise", denn zu der Zeit, als solche Vorhersagen gemacht wurden, beherrschten der säkulare Humanismus und das Christentum die Szene. Für alle anderen schien eine solche mystische Spiritualität keine Chance zu haben.

Frühe Propheten des Heidentums

Gegen Ende des 19. Jahrhunderts sagte Friedrich Nietzsche voraus, dass seine Ideen über den Tod Gottes und die Umkehrung der Werte eines Tages normal sein würden. Was Nietzsche prophezeite, war, wie ein Kommentator scharfsichtig feststellte, nicht nur eine weitere „konkurrierende religiöse Form"[157] neben dem Christentum, sondern deren Gegenpol – eine „Umwertung" des biblischen Theismus; keine Ketzerei, sondern ein Abfall vom Glauben. Nietzsche sah anstelle von Gott den Übermenschen kommen, den wahrhaft freien neuen Menschen, für den nichts verboten ist – außer dem, was sein Verlangen nach und seine Fähigkeit zur Selbstverwirklichung behindert. Seriöse historische Arbeiten über Nietzsche behaupten, dass ein Teil seiner Motivation für den Umsturz der biblischen Werte und die Neugestaltung des Menschen seine Neigung zur Homosexualität war.[158] Die sorgfältig gewählten Worte seines deutschen Biografen sind es wert, zitiert zu werden:

> *Ein neues Ideal trat ihm entgegen – das Ideal des Übermenschen, des Supermanns, ein vor Gesundheit strotzendes Wesen voller pulsierender Lebensfreude, ein Wesen, nach dem er sich sehnte, wie der Liebende sich nach seiner fernen Geliebten sehnt. Nietzsches Leidenschaft für dieses männliche Idol wurde zum Kern seines Denkens. Das*

klassische Griechenland mit seinem Ideal der Tapferkeit im Kampf, seiner Verehrung der körperlichen Schönheit und den Geheimnissen seines Sexualkults wurde zum Vorbild für sein eigenes Leben.[159]

Zu seiner Zeit wurde Nietzsche als einsamer, wahnsinniger Verrückter abgetan, der in den Armen seiner in ihn vernarrten Schwester im Irrsinn starb. Heute finden seine „Wahnvorstellungen" ein Echo in einer wiederbelebten heidnischen Spiritualität und in den kulturellen Zielen führender Denker, die seine Ideen für völlig normal halten.

1920, Jahre nach Nietzsches Tod, sagte Jessie Weston, Autorin von elf Büchern über die Gralslegende, einen unmittelbar bevorstehenden Tag der Offenbarung voraus. Sie war sich sicher, dass „der Gral eine lebendige Kraft ist, er wird niemals verschwinden; er mag wohl aus dem Blickfeld verschwinden ... aber er wird wieder auftauchen und erneut zu einem Thema von lebenswichtiger Bedeutung werden".[160] Für Weston stand der Gral für die mystische Suche des Menschen nach göttlicher Selbstverwirklichung. Das Gralsthema und die immerwährende Philosophie tauchten dann als weltweites Phänomen in Dan Browns *Sakrileg* mit der Behauptung auf, dass die spirituelle Wahrheit sowohl dem Heidentum als auch dem Christentum gehöre. Diese für lange Zeit unterdrückte „Wahrheit", die nun aber an die Oberfläche komme, hat mit dem Tod des Gottes der Bibel und der Göttlichkeit von Mutter Natur und der Menschheit zu tun.[161]

Im Jahr 1930 sprach Foster Bailey, ein weiterer Freimaurer und Ehemann der oben zitierten Bailey, von einem neuen mystischen Zeitalter. Er erklärte mit unheimlicher Zuversicht: „Ein neuer Tag bricht an ... Das Zeitalter der Fische vergeht; das Wassermannzeitalter bricht an."[162]

Die Prophezeiungen erfüllen sich

C. G. Jung, der sich selbst als moderner Gnostiker bezeichnete, steht in der gleichen esoterischen Tradition. In den 1950er-Jahren, zu Beginn der Revolution der Sechzigerjahre, sagte er voraus, dass „wir erst an der Schwelle einer neuen spirituellen Epoche stehen"[163]. Er sah sich selbst als modernen Joachim von Fiore, jenen charismatischen Mönch, der Ende des 12. Jahrhunderts das Zeitalter der Ankunft des Geistes prophezeite, das auf das Zeitalter des Vaters (von der Schöpfung bis zum Kommen Christi) und das Zeitalter des Sohnes (vom Kommen Christi bis zu Joachims eigener Zeit) folgen sollte. Die Lehren des Mönchs wurden schließlich verworfen, aber Jung glaubte, dass seine eigenen Theorien über das Unbewusste das Zeitalter des Geistes auf eine noch radikalere Weise einläuten würden, als Joachim von Fiore es sich vorgestellt hatte. Jungs Zeitalter des Geistes würde „das Ende des christlichen Äons" durch „die Außerkraftsetzung Christi" anzeigen[164].

Ab den 1960er-Jahren begannen sich solche Prophezeiungen zu erfüllen. Die zugrunde liegende immerwährende Philosophie, von Eingeweihten gekannt und geschätzt, kam in Jungs Vision einer neuen Menschheit an die Oberfläche der westlichen Kultur. Seitdem ist diese Spiritualität des „Nach-innen-Gehens" (die Suche nach dem Gott im Innern) in der Öffentlichkeit immer erkennbarer geworden. Jung gab den Impuls und war der Anlass dafür, aber er war eindeutig Teil einer langen Tradition esoterischer Spiritualität. Er hat sie einfach weitergegeben.

Die gegenwärtige Wiederbelebung des Spiritualismus, die durch die therapeutische Psychologie und den weitverbreiteten Mystizismus eingeleitet wurde, hat tiefe Wurzeln in der langen und unruhigen Geschichte des den Schöpfer verleugnenden Heidentums. Die Kenntnis von Ursprung und Wesen dieser Spiritualität hilft, die wahre Identität dieser Einflüsse aufzudecken, die seit Mitte des letzten Jahrhunderts von Menschen übernommen werden, die davon ausgehen, dass solche Ideen und Praktiken völlig normal und gut für die Seele seien – wie ein Hauch von frischer geistiger Luft.

KAPITEL 5

DIE SPIRITUELLE UND SEXUELLE REVOLUTION DER „SECHZIGER“

Ein spiritueller Tsunami

Was als kaum wahrnehmbarer „Kult“[165] begann, hat sich zu einer spirituellen Flutwelle entwickelt. Der offene, wenn auch zunächst etwas marginale Ausdruck dieser überwältigenden Welle fand seinen ersten Ausdruck in der Kulturrevolution der 1960er-Jahre. Vielleicht erschien der Begriff „Revolution“ damals etwas dramatisiert. Handelte es sich nicht lediglich um eine typische Auflehnung der Jugend gegen die Regeln der Eltern? Der Begriff ist jedoch angemessen, denn eine Revolution ist eine Bewegung, die bewusst einen scharfen Bruch mit überlieferten gesellschaftlichen und kulturellen Strukturen vollzieht. Die Französische Revolution von 1789 strebte einen totalen Bruch mit ihrer christlichen Vergangenheit an. Sie ließ Tausende von römisch-katholischen Priestern guillotinieren, stellte eine Statue der Göttin Vernunft auf dem Altar der Kathedrale *Notre Dame* im Zentrum von Paris auf, änderte die Sieben-Tage-Woche in eine mit zehn Tagen und benannte alle Monate des Jahres um. Das war eine Revolution!

Die Sechzigerjahre brachten sowohl eine spirituelle als auch eine sexuelle Revolution mit sich. In diesem Kapitel werden die hochbrisanten spirituellen Ideen, die aus Jungs Theorien hervorgingen, erforscht und anschließend ihre sexuellen Implikationen untersucht. Die kulturellen Veränderungen der Sechzigerjahre waren zwar selten offen gewalttätig, aber dennoch ebenso weltverändernd wie die der Französischen Revolution. Sie führten zu einem Bruch mit den christlichen Wurzeln der westlichen Kultur und suchten eine neue spirituelle Grundlage im religiösen Erbe des Ostens.

Das war die Essenz eines Hits von Bob Dylan aus dem Jahr 1964, in dem er erklärte, dass „die Zeiten sich ändern" – ein Wandel, den die Eltern „nicht verstehen können"[166]. Dylan beschwört hier nicht etwa die typischen Spannungen zwischen einer Generation und der nächsten; sein Lied beschwört vielmehr einen Aufbruch und einen Riss. Die Hippies zogen in den fernen Osten, während die Gurus in den Westen kamen. Die Beatles gingen 1968 nach Rishikesh in Indien, und 1970 kam ihr Guru Maharishi Mahesh Yogi in die Vereinigten Staaten. Was bleibt übrig, wenn eine Generation den Eindruck hat, dass die Bibel auf der einen Seite und Wissenschaft und Technik auf der anderen Seite letztlich keinen Sinn stiften können? Colin Campbell hat diesen Trend bestätigt, indem er feststellte, dass „der Niedergang sowohl religiöser als auch säkularer Theodizeen ... ein kulturelles Vakuum schuf, das nur eine östliche Sichtweise zu füllen vermochte"[167]. In den Sechzigerjahren entdeckten wir im Westen ein atypisches, scheinbar spontanes spirituelles Phänomen, das in der westlichen Geschichte keine eindeutigen Vorläufer hatte: die Anfänge des sogenannten New Age.

Es sollte nicht überraschen, dass C. G. Jung, obwohl er 1961 starb, einer der Hauptverbreiter des Wassermannzeitalters und der New-Age-Bewegung war. Bereits 1940 schrieb er: „1940 ist das Jahr, in dem wir uns dem Meridian des ersten Sterns im Wassermann nähern. Es ist das Erdbeben, welches das Neue Zeitalter ankündigt."[168] In den 1950er-Jahren erklärte er: „Wir stehen erst an der Schwelle zu einer neuen spirituellen Epoche"[169], und er glaubte, dass seine Theorien über das Unbewusste das Zeitalter des Parakleten einläuten würden, der „das Ende des christlichen Äons" durch „die Außerkraftsetzung Christi" anzeigen würde.[170] Indem er vom Wassermannzeitalter sprach, prognostizierte Jung eine Neuinterpretation der christlichen Gottesvorstellung durch den hinduistischen vedantischen Pantheismus und den Sieg einer sich selbst verwirklichenden Spiritualität[171], die interessanterweise die heute weit verbreitete Praxis des Yoga mit einschloss.

Manche meiner Leser erinnern sich vielleicht noch an den beschwingten Megahit „Age of Aquarius" von 1969. Ich habe ihn immer mitgesungen und die Musik geliebt, aber wie die meisten Menschen hatte ich keine Ahnung von der Bedeutung des Textes:

Wenn der Mond im siebten Haus steht
und Jupiter mit Mars in einer Linie steht,
dann wird der Friede die Planeten leiten
und die Liebe wird die Sterne lenken.
Das ist der Anbruch des Wassermannzeitalters.[172]

Die wenigen, die es verstanden, wussten, dass das Zeitalter der Fische (bzw. das Zeitalter des Christentums) zu Ende geht, wenn der Wassermann gekommen ist. Der Liedermacher Don McLean hat die Bedeutung des Augenblicks mit seinem melancholischen Lied „American Pie" von 1971 erfasst, in dem er fragt:

Hast du das Buch der Liebe selbst geschrieben,
und glaubst du an den Gott da oben,
wenn die Bibel dir das sagt?

Er scheint bereits das Ende des Christentums zu sehen, das bis zu diesem Zeitpunkt so typisch amerikanisch war, was besonders in diesen Worten deutlich wird:

Und die drei Männer, die ich am meisten bewundere:
der Vater, der Sohn und der Heilige Geist,

Sie fuhren mit dem letzten Zug an die Küste
an dem Tag, als die Musik starb.[173]

McLean erklärte 2009, dass „American Pie" ein großer Song ist, „der die Welt, die als Amerika bekannt ist, auf den Punkt bringt"[174].

Damals erlebten wir die New-Age-Prophetin und Hollywood-Schauspielerin Shirley MacLaine, die einen Bestseller-Roman mit dem Titel *Out on a Limb* (dt.: *Zwischenleben*) schrieb und in einer Fernsehsendung die haarsträubende Ankündigung machte: „Ich bin Gott." Viele von uns fragten sich, wann dieser Ast abbrechen würde, aber er brach nicht ab, und der New-Age-Baum hat einen Großteil des Westens erobert.[175]

In der Tat waren die Sechzigerjahre nur der Beginn des Wassermannzeitalters. Der Soziologe Christopher Partridge beschrieb sie als die Zeit der „Wiederverzauberung des Westens". David Horowitz und Peter Collier, marxistische Führer der *Berkeley Students for a Democratic Society* in den Sechzigern, schrieben später ein Buch über ihre Erfahrungen mit dem Titel *Destructive Generation: Second Thoughts about the Sixties*[176] (dt. etwa: *Destruktive Generation: ein zweiter Blick auf die Sechziger*). Diese Männer haben begriffen, dass die Idee, die den revolutionären Veränderungen, die sie geschürt hatten, zugrunde lag, die Zerstörung der gesamten Weltanschauung der jüngeren westlichen Zivilisation forderte. Und sie befürchteten das Schlimmste.

Wiedergeburt des Heidentums

Die Wiederbelebung des Heidentums, das sich durch die ansprechenden Prinzipien der transpersonalen Psychologie seinen Weg in unsere Kultur bahnte, wurde in den Vereinigten Staaten von Joseph Campbell unterstützt, einem engen Freund und Bewunderer von C. G. Jung, der dessen Ideen über Mythologie verbreitete. Dieser römisch-katholisch geprägte College-Professor, der sich aber später vom Christentum lossagte, machte diese Ideen durch äußerst erfolgreiche Bücher und eine 1988 ausgestrahlte PBS-Fernsehsendung, „The Power of Myth" (dt. „Die Kraft des Mythos"), bekannt. Diese Produktion wurde zu einer der beliebtesten Fernsehsendungen in der Geschichte des nicht kommerziellen öffentlichen Fernsehens der USA.

Was hat Campbell gemacht? Zusammen mit dem Journalisten Bill Moyers übertrug er Jungs esoterische Sprache der transpersonalen Psychologie in die Alltagssprache: Für innere Probleme und innere Abgründe brauchen wir Mythen als Wegweiser. Diese Mythen sind Ausdruck der Suche des Menschen nach Sinn durch alle Zeiten hindurch. Mythen sind nicht bloß Übermittler rationaler Bedeutung, sondern ermöglichen auch die Erfahrung, lebendig zu sein.[177]

Mark H. Gaffney, ein anderer ehemaliger römisch-katholischer Spiritualist und enthusiastischer Jungianer, stellt das Geschehen vor dem größeren Hintergrund der Welt der Ideen dar. Er beschreibt „ein glücklich-zufälliges Zusammentreffen von Ereignissen"[178], eine unvorhergesehene, aber erfreuliche Wendung der Ereignisse, die sowohl den Niedergang des Christentums und des Säkularismus' als auch das Erstarken alternativer Spiritualitäten betraf. Zu dieser Wende in den Sechzigerjahren gehörte die Veröffentlichung der 1945 in Nag Hammadi entdeckten gnostischen Texte[179], die Jung förderte und für die Gaffney ein geschickter Ausleger wurde. Diese gnostischen Texte machten eine häretische Form des Christentums für diejenigen zugänglich, die nach alternativen Formen des alten Glaubens suchten. James Robinson, Herausgeber der 1977 übersetzten und veröffentlichten englischen Version der Nag-Hammadi-Texte, erkannte, dass diese in die kulturellen Veränderungen, die er überall sah, hineinpassten: „Die Zielrichtung ... hat viel gemeinsam ... mit östlichen Religionen und mit heiligen Männern aller Zeiten sowie mit ... den Gegenkulturbewegungen der 1960er-Jahre."[180]

Die Gnosis ist nur eine Ausdrucksform alter Mythologie. Als die Hippies in den Osten und die Gurus in den Westen zogen, breiteten sich zahlreiche alternative spirituelle Richtungen aus. Beweise für eine spirituelle Wiederbelebung des Pantheismus finden sich in solchen Bewegungen und Ausdrucksformen wie der Visionssuche der amerikanischen Ureinwohner, der Akasha-Chronik, ayurvedischer Medizin, Chakren, östlicher Meditation aller Art, Eckankar (Seelenreisen), Feng Shui, Hare Krishna, Karma, Mandalas, Mantras, Reinkarnation, Schamanismus, Sufismus, Tai Chi, Tantrismus und Yijing, um nur einige zu nennen. Diese Methoden werden zu einer dominierenden Quelle religiöser Wahrheit in einer Kultur, die einst die Bibel für die höchste Offenbarung Gottes hielt.

Hinduismus auf dem Vormarsch?

Jung war fasziniert von Yoga, hinduistischer Spiritualität und der Kultur Indiens, das er 1937 und 1938 bereiste. Er war sichtlich beeindruckt und erklärte 1932: „Wir haben den Osten politisch erobert, [aber jetzt] steht der Geist des Ostens wirklich *ante portas* [vor den Toren].“[181]

Als ich 1964 zum ersten Mal das „christliche“ Amerika entdeckte, hätte ich nie gedacht, dass man Amerika als hinduistisch bezeichnen könnte. Wenn Sie diese Bezeichnung als übertrieben empfinden, schlage ich Ihnen vor, das Buch eines zum Hinduismus konvertierten westlichen Intellektuellen, Philip Goldberg, zu lesen: *American Veda: From Emerson and the Beatles to Yoga and Meditation: How Indian Spirituality Changed the West* (dt. etwa: *Die amerikanischen Veden: Von Emerson und den Beatles zu Yoga und Meditation: Wie indische Spiritualität den Westen veränderte*). Goldberg erinnert uns daran, dass 2009 sogar die *Newsweek* den Wandel erkannt hat: „Wir sind jetzt ganz hinduistisch ... eine große Zahl von Amerikanern ist in der Weltanschauung des Hinduismus angekommen, wo ‚die Wahrheit *eine* ist, auch wenn ihre Weisen von ihr mit unterschiedlichen Namen sprechen‘.“[182] Goldberg zufolge „befindet sich Amerika in einem Prozess der Neugestaltung des Heiligen, vergleichbar mit den Großen Erweckungen des 18. Jahrhunderts“.[183]

Eine andere, noch eindrucksvollere Studie kommt zu demselben Ergebnis. Colin Campbell, der die *Veröstlichung des Westens* dokumentierte, stellt fest:

> *Es gibt plausible Argumente für die Behauptung, dass derzeit im Westen ein Prozess der Veröstlichung stattfindet ... ganz anders als alles, was man bisher erlebt hat ... es geht um grundlegende Veränderungen in der vorherrschenden Weltanschauung, die sich im Westen durchsetzen ... in allen Bereichen des Lebens, einschließlich der Religion ... der Medizin, der Kunst, des politischen Denkens und sogar der Wissenschaft ... sie berührt auch das, was verloren gegangen ist.*[184]

„Was verloren gegangen ist“, nämlich der Glaube an das Christentum und an „die Macht der Vernunft, eine bessere Welt herbeizuführen“. Ich glaube, ich beginne jetzt, die Bedeutung eines Gesangs zu verstehen, den ich in den Sechzigerjahren von vielen Hippie-Studenten gehört habe: „Hey! Ho! Wha’ d’you know? Western Civ has got to go!“ („Hey! Ho! Weißt du was? Die westliche Zivilisation muss gehen!“) Sie versuchten nicht nur, den Unterricht zu schwänzen!

In gewisser Hinsicht hat die westliche Kultur einen religiösen Wandel durchlaufen. Die Revolution der Sechzigerjahre brachte nicht nur für die Hippies ein „spirituelles Wiedererwachen“: Wir alle erleben jetzt die Auswirkungen in unserem Alltag, ob wir uns dessen bewusst sind oder nicht. Unser Denken und unser Wortschatz umfassen Begriffe wie Mantra, Avatar und Karma. Das Gesundheitswesen bietet traditionelle östliche Ansätze zur Heilung und Behandlung körperlicher Krankheiten an, z. B. Healing Touch, Ayurveda und Meditation.[185]

Wir müssen verstehen, dass Techniken wie Yoga und „Achtsamkeit“[186] zwar völlig harmlos erscheinen und sogar einiges bewirken können, dass aber die Weltanschauung und die ihnen zugrunde liegenden Annahmen *einsheitlich* sind. Und wir fragen vor dem Hintergrund der entschlossenen Bemühungen, den Hinduismus als Religion zu fördern: Inwieweit zieht unsere gegenwärtige Faszination für alternative Techniken den Westen des 21. Jahrhunderts, einschließlich vieler Christen, auf subtile Weise in eine nicht biblische Weltanschauung hinein? Führen uns Yoga und „Achtsamkeit" auf raffinierte Weise in die Spiritualität einiger der vielen Formen der *Einsheit*?[187]

So betont beispielsweise der zum Hinduismus konvertierte Dr. David Frawley, auch bekannt als Pandit Vamadeva Shastri, den Stellenwert des Yoga innerhalb dieses alten religiösen Empfindens:

> *[Der Hinduismus] repräsentiert die ursprünglichen heidnischen Traditionen der Welt, die den Schlüssel zu der älteren und erfahrungsorientierteren Spiritualität der Menschheit enthalten, nach der so viele Menschen heute suchen ... Die Welt wäre ein freundlicherer und verständnisvollerer Ort zum Leben, wenn Yoga und Meditation die Grundlage des menschlichen Lebens und der Kultur wären.*[188]

Die Invasion der östlichen Spiritualität bedeutet, dass die New-Age-Bewegung bei Weitem nicht verschwunden ist, wie manche dachten, sondern dass sie zum Mainstream geworden ist und sich in die verschiedenen, sich ergänzenden spirituellen Ausdrucksformen gewandelt hat, deren Kern eine Göttlichkeit im Innern ist.

Spirituelle Interreligiosität

Neben der Faszination unserer Kultur für antike Mythen und Spiritualität streben die meisten großen Religionsgemeinschaften und fast alle großen Kirchen im heutigen Westen nach interreligiöser Einheit und interspiritueller Praxis. Das Phänomen, das C. G. Jung vorausgesehen hatte, ist eingetroffen: „Unsere Welt“, sagte er, „ist geschrumpft, und es dämmert uns, dass die Menschheit *eine* einzige ist, mit *einer* einzigen Psyche ... [Das] sollte die Christen um der Nächstenliebe willen – der größten aller Tugenden – dazu veranlassen, ein gutes Beispiel zu geben und anzuerkennen, dass es zwar nur *eine* Wahrheit gibt, diese aber in vielen Sprachen spricht.“[189]

Hier müssen wir die interreligiösen Bemühungen der christlichen Hauptströmungen verorten. Die römisch-katholische Theologin Heather Eaton ist repräsentativ, wenn sie behauptet, dass der christliche Glaube Offenheit für Neuinterpretationen seiner Lehren im Licht „der unzähligen religiösen Traditionen zeigen und bereit sein müsse, durch den interreligiösen Dialog verändert zu werden“. Der moderne religiöse Mensch muss den vielen religiösen Sichtweisen und spirituellen Befindlichkeiten offen begegnen und sich durch diesen Prozess verändern. Aus diesem Blickwinkel sei das Christentum nur einer von vielen Wegen zur Entdeckung der religiösen Wahrheit.[190] Was der Kirchenvater Hippolyt im 2. Jahrhundert n. Chr. als gnostischen Glaubensabfall ansah, wird heute als christliche Reife betrachtet.[191]

Die religiösen und spirituellen Veränderungen, die C. G. Jung vorausgesehen hat und die seit der Mitte des 20. Jahrhunderts aufblühen, werden heute von einer Reihe von Wissenschaftlern als ein wesentlicher Faktor des modernen Westens angesehen:

- Der Soziologe Christopher Partridge stellt fest: „Es gibt einige Anzeichen dafür, dass ‚eine steigende Flut von Spiritualität ... zu einer Wiederverzauberung der Welt führt‘.“[192]
- Der Religionshistoriker Wouter Hanegraaff spricht von einer „tiefgreifenden Transformation der Religion“ im Westen, weg vom traditionellen Christentum hin zur „Magie“[193].
- Der Philosoph Richard Tarnas ist der Ansicht, dass „wir in einem jener seltenen Zeitalter leben, wie dem Ende der klassischen Antike oder dem Beginn der Neuzeit, die unter großen Anstrengungen und Kämpfen einen wirklich grundlegenden

Wandel der Annahmen und Prinzipien der Weltanschauung hervorbringen, die einer Kultur zugrunde liegen".[194]

Der außer Kontrolle geratene Zug der heutigen westlichen Zivilisation, der durch die Enttäuschung über den säkularen Humanismus, die hohle Hoffnung des Postmodernismus und schließlich durch die Ablehnung der biblischen *Zweiheit* entgleist ist, kann nicht einfach wieder aufs Gleis gesetzt werden. Er braucht keine Reparatur, sondern Erlösung! Die historische christliche Kirche muss einen umfassenden Blick auf das werfen, was vom Beginn des 20. bis zum Beginn des 21. Jahrhunderts geschehen ist, um eine Reihe wichtiger Dinge zu erkennen:

1. Der alte Gegner, der Säkularismus, ist auf dem Rückzug.
2. Ein neuer geistiger Gegner ist aufgetaucht: das Heidentum.
3. Das Christentum nimmt in der westlichen Gesellschaft keine bevorzugte Stellung mehr ein.
4. Einige Christen, die vom Erfolg und der äußerlichen Schönheit dieser kulturellen spirituellen Bewegung fasziniert sind, übersehen, dass deren grundlegende religiöse Vision auf dem bewussten Versuch beruht, den christlichen Glauben und die Zivilisation, die er mitbegründet hat, zu untergraben.
5. Diese neue religiöse Option ist ein umfassendes Konzept und hat atemberaubende Absichten. Sie ist darauf aus, die ideologische Macht an sich zu reißen – natürlich alles „zum Wohl der Menschheit".
6. Das Ablegen von Bibeltraktaten auf Parkbänken, der Verweis auf „die uralte Geschichte" oder nette, aber oberflächliche Gespräche mit unseren Nachbarn werden in einer postchristlichen Kultur, in der eine weitverbreitete Abneigung gegen das Evangelium herrscht, kein ausreichendes Zeugnis sein.
7. Das starke Bekenntnis unserer Kultur zur *Einsheit* zu verstehen und eine angemessene *zweiheitliche* Erwiderung zu entwickeln, ist sowohl für die Evangelisation als auch für die kulturelle Erneuerung unerlässlich. (Das wird in Teil 3 behandelt.)

Dieses spirituelle Phänomen wird verschiedentlich als „Viertes Erwachen", „Großer Aufbruch", „Großer Wandel", „Neues Pfingsten", „fundamentale Transformation der Gegenwart" oder „neue Ausrichtung" bezeichnet. Dabei handelt es sich nicht einfach um das Hinzufügen einiger nützlicher spiritueller Einsichten oder einiger unglücklich abweichender Lehrinhalte – im Gegenteil: Wir stehen vor einem Paradigmenwechsel. Das Alte gehört in den Müll wie angebrannte Essensreste. Ein neues Gericht wird zubereitet, sieht verführerisch aus, ist aber mit Gift versetzt und wird das einzige Gericht auf der Speisekarte sein.

Seit den Anfängen des praktisch unbekannten „Jung-Kults" ist es C. G. Jung und seinen Anhängern gelungen, eine moderne Welt zu schaffen, die in vielerlei Hinsicht durch die eine oder andere der verschiedenen *einsheitlichen* Spiritualitäten verführt wird. Und die Verführung, die diesmal auch durch und durch sexuell ist, ist noch lange nicht vorbei.

Ein sexueller Tsunami

Die Gruppe um C. G. Jung war in verschiedene außereheliche Beziehungen verwickelt, doch das war damals kaum bekannt. Um den Schein zu wahren, blieben sie verheiratet, aber im Laufe der Zeit begannen sie, mit radikaleren sexuellen Praktiken zu experimentieren, und zwar auf der Grundlage von Jungs Theorien, dass der Mensch sowohl aus einem Animus (dem männlichen Element) als auch aus einer Anima (dem weiblichen Element) besteht. Jung und seine Anhänger waren entschlossen, wie Noll es ausdrückte, „Mut zur Sünde"[195] zu haben. (Später griffen einige radikale Feministinnen diese Ideen auf und forderten ihre Schwestern auf, „in Sünde sprachfähig" zu werden, „die innere Schlampe zu befreien" und „das Bewusstsein der heiligen Prostituierten wiederzuerlangen"[196].)

Als C. G. Jung vor fast 80 Jahren in die Zukunft blickte, erkannte er, wie groß die Herausforderung war, die geistige und sexuelle Befreiung, die er und seine Mitstreiter bereits genossen, in einer Kultur zu verwirklichen, die noch unter dem öffentlichen Einfluss der christlichen Moral stand. „Das ethische Problem der sexuellen Freiheit ist wirklich enorm und den Schweiß aller edlen Seelen wert. Aber 2000 Jahre Christentum können nur durch etwas Gleichgewichtiges ersetzt werden, durch eine unbezwingbare Massenbewegung."[197]

Befreite Heterosexualität

Was könnte für eine Massenbewegung unwiderstehlicher sein als eine sexuelle Befreiung zugunsten unserer psychischen und geistigen Gesundheit? Unsere Kultur beansprucht heute in noch ausgeprägterer Weise das Recht auf erotische Freiheit zum Zweck der Selbsterfüllung und Selbstverwirklichung. Aber als Jungs Überzeugungen über das sexuelle Ausleben die Kulturrevolution der Sechzigerjahre beflügelten, war das im Westen ein außergewöhnlicher Augenblick, der auf viele Jahrhunderte tiefgreifenden christlichen Einflusses folgte. Die christliche Vorstellung von sexueller Mäßigung aus Respekt vor den Grenzen der Schöpfung – und dem geoffenbarten Willen des Schöpfers – wurde als psychologisch unterdrückerisch und ungesund eingestuft. Die Erforschung und Befriedigung sexueller Begierden wurde zunehmend als untrennbar mit der persönlichen Identität und der persönlichen Entfaltung verbunden angesehen.

Die Verschmelzung von sexueller Befreiung und neuer Psychologie zeigt sich beispielhaft in den Schriften der marxistischen Denker der Frankfurter Schule, die in den 1930er-Jahren in Deutschland gegründet und später in die Vereinigten Staaten verlegt wurde. Herbert Marcuse, ein führender Intellektueller dieses Kreises, propagierte eine „polymorph-perverse" Sexualität, die „Lebenstriebe" oder die „freie Befriedigung der Triebansprüche des Menschen" als Mittel der Sozialtechnik einsetzt, um eine befreite, revolutionäre utopische Welt zu schaffen.[198] Sein Buch *Eros and Civilisation* (dt.: *Triebstruktur und Gesellschaft*) war in den Sechzigerjahren ein großer Erfolg unter Studenten; ich habe ihn einmal persönlich in einer Vorlesung gehört.

Obwohl Marcuse sich auf Freud konzentrierte, schätzte er Jungs Beharren auf der befreienden Kraft der Fantasie[199] und glaubte, dass die Psychologie den Bereich der Politik betreten habe, um soziale Revolutionen zu ermöglichen.[200] Diese Veränderung des Wertes und der Reichweite sexueller Beziehungen sollte dazu beitragen, den Weg zur Auflösung der gesamten sozialen Struktur zu ebnen, die um die „monogam-patriarchale Familienstruktur"[201] herum organisiert war, um Platz für die marxistische utopische Alternative zu schaffen. So hielt in den Sechzigerjahren auch die Sexualität mit einem Paukenschlag Einzug in die Politik.

Andere Faktoren unterstützten die bisher immer noch heterosexuelle Revolution, die beispielsweise durch den Sexualforscher Alfred Kinsey[202] und Hugh Hefner, den Gründer des *Playboy*-Magazins, populär gemacht wurde. Sie feierten und vermarkteten unbegrenzten Sex offen als Menschenrecht. Jungs Förderung der sexuellen Selbstverwirklichung und Fantasie, Kinseys Forschungen und die Bemühungen vieler anderer trieben jedoch die revolutionären Folgen über die Grenzen heterosexueller Beziehungen hinaus zu ihrer logischen – und spirituellen – Schlussfolgerung: Sie verneinten jede persönliche Identität und soziale Struktur, die in objektiven, geschöpflich-vorgegebenen Realitäten und moralischen Grenzen verwurzelt waren. So ist die Befreiung des persönlichen und kollektiv Unbewussten in unserer Zeit bis an die äußeren Grenzen des Queeren und Seltsamen vorgedrungen, in grenzenlosen Ausdrucksformen *einsheitlicher* Sexualität.

Befreite Homosexualität

Eine konstruierte Revolution

Die ersten Anzeichen der kommenden homosexuellen Revolution waren die Stonewall-Unruhen vom 28. Juni 1969, die heute jährlich als *Gay Pride Day* gefeiert werden. Damals nahmen nur wenige davon Notiz. In den 1970er-Jahren kamen ihre Forderungen im Manifest der *Gay Liberation Front* mehr in die Öffentlichkeit. Das Manifest zeugt von einer unglaublichen Weitsicht und Konsequenz der Vision:

> *Gleichberechtigung wird niemals ausreichen; was wir brauchen, ist eine totale soziale Revolution, eine vollständige Neuordnung der Zivilisation. Reformen ... können die tief verwurzelte Einstellung der Heterosexuellen nicht ändern, dass Homosexualität im besten Fall minderwertig gegenüber ihrer eigenen Lebensweise, im schlimmsten Fall eine abscheuliche Perversion ist. Es wird mehr als Reformen brauchen, um diese Einstellung zu ändern, denn sie ist in der grundlegendsten Institution unserer Gesellschaft verwurzelt – der patriarchalischen Familie.*[203]

Obwohl die Ideen schon vor Jahrzehnten vorhanden waren, hat das Thema Homosexualität erst in unserer Zeit eine so prominente und sichtbare Rolle in der zeitgenössischen Kultur und den Medien eingenommen. Einige Autoren haben diesen Prozess dokumentiert.[204] Sie berichten, dass im Jahr 1988 175 führende Homosexuellenaktivisten eine „Kriegs"-Konferenz abhielten. Im Jahr darauf schrieben Marshall Kirk und Hunter Madsen, die damals dort anwesend waren, das Buch *After the Ball* (dt. etwa: *Nach dem Tanz*). Dort wurde die AIDS-Epidemie als Anlass gesehen, um ihre Gruppe „als schikanierte Minderheit zu etablieren". Ihre Absicht war es,

> *die Gefühle, den Verstand und den Willen des Durchschnittsamerikaners durch einen geplanten psychologischen Angriff in Form von Propaganda, die der Nation durch die Medien vermittelt wird, umzuformen ..., den Mechanismus des Vorurteils für unsere eigenen Zwecke zu nutzen – indem wir genau die Prozesse nutzen, welche die Amerikaner dazu gebracht haben, uns zu hassen, um ihren Hass in herzliche Wertschätzung umzuwandeln.*[205]

Dieser bewusste Versuch, Angst und Hass auf das biblische Christentum zu lenken, scheint erfolgreich gewesen zu sein, wie die ständige Charakterisierung traditioneller Christen als homophob nun zeigt. Im Jahr 1999 sagten Redner auf einer Konferenz des *Gay, Lesbian & Straight Education Network* (GLSEN) über Bildung: „Wenn wir unsere Arbeit richtig machen, werden wir eine Generation von Kindern heranziehen, die den Behauptungen der religiösen Rechten keinen Glauben schenken.“[206]

Kirk und Madsen verwendeten auch eine nachweislich falsche Statistik und behaupteten, dass 10 % der Bevölkerung homosexuell seien, gemäß der Theorie, dass, „wenn es darum geht, das Argument abzuwehren, dass Homosexualität statistisch anormal und daher unmoralisch ist, die Macht in den Zahlen liegt “.[207] Eine Gallup-Umfrage ergab, dass eine Mehrheit der Erwachsenen glaubt, dass der Prozentsatz der Homosexuellen in der Bevölkerung 25 % betrage, und dass Millennials die Zahl auf 30 % schätzen.[208] Dagegen veröffentlichte das *National Center for Health Statistics* (NCHS) der Regierung am 15. Juli 2014 eine Studie, aus der hervorging, dass sich 1,6 % der Amerikaner als schwul oder lesbisch bezeichnen und 0,7 % als bisexuell. Fast 98 % der 35 557 Befragten bezeichneten sich selbst als heterosexuell oder „nicht schwul“.[209]

Wechselnde Meinungen

Nichtsdestotrotz war der Wechsel in der öffentlichen Meinung hin zur Unterstützung von Schwulen und Lesben als schikanierte

Minderheit und der Bezeichnung bibeltreuer Christen als intolerant und fanatisch ein erstaunlicher Erfolg. Die Geschwindigkeit und das Ausmaß dieses Wandels in der Haltung gegenüber Homosexualität sind bekannt:

- 1988 waren nur 12 % der Amerikaner dafür, dass homosexuelle Paare heiraten dürfen, und 73 % waren dagegen. Im Jahr 1996 unterstützten 28 % die gleichgeschlechtliche Ehe. Bis 2013 war die Zustimmung auf 52 % gestiegen.[210]
- 74 % der Millennials (die Generation, die etwa zwischen 1980 und 2000 geboren wurde) akzeptieren Homosexualität als normal und befürworten ihre Gleichstellung bezüglich der Ehe.[211]
- 80 % der katholischen Studenten unterstützen die gleichgeschlechtliche Ehe.[212]
- 44 % der jungen Evangelikalen befürworten jetzt Gleichstellung bezüglich der Ehe.[213]

Diese großen Veränderungen sind kein Ergebnis neuer Tatsachen oder ernsthafter Debatten. Die populären Medien haben die öffentliche Meinung dahingehend beeinflusst, dass sie das Thema entweder offen unterstützen oder sich vor jeglicher Beschäftigung mit dieser Frage hüten. Kathryn Montgomery, Expertin für Medienkommunikation, schreibt:

> *Eine Reihe von Lobbygruppen hat sich für eine Präsentation im Fernsehen eingesetzt, aber die Homosexuellenlobby war bei Weitem die am besten organisierte und koordinierte ... und erwarb sich den Ruf als „klügste und erfolgreichste Lobbygruppe, die je im Fernsehgeschäft tätig war".*[214]

Bereits 1996 konnte der homosexuelle Schriftsteller David Ehrenstein feststellen, dass es „bei fast jeder größeren Sitcom zur Hauptsendezeit offen homosexuelle Drehbuchautoren gibt". Er schloss daraus: „Kurz gesagt: Wenn es um Sitcoms geht, haben Homosexuelle das Sagen."[215]

Die Radikalen von gestern sind nicht nur die Trendsetter in den Medien von heute, sondern auch führende Regierungsvertreter. So ist beispielsweise das Eintreten für die Rechte von Homosexuellen Teil der offiziellen Außenpolitik der Vereinigten Staaten geworden. Im April 2013 verpflichtete sich die US-Behörde für internationale Entwicklung USAID ohne viel Aufhebens, 11 Millionen Dollar an Steuergeldern auszugeben, um Aktivisten zu schulen, internationale Lobbyisten für die gleichgeschlechtliche Ehe zu gewinnen, Antidiskriminierungsgesetze durchzusetzen und die Rechte von Homosexuellen auf der ganzen Welt zu fördern. Die „aufgeklärte" Regierung der Vereinigten Staaten zwingt die Länder der Mehrheitswelt dazu, diese westliche religiöse Agenda zu übernehmen – ein zutiefst ironischer Ausdruck des Kulturimperialismus.

Sexualität ohne Grenzen

Die Queer-Theorie behauptet, dass „alle sexuellen Verhaltensweisen ... und Identitäten sowie alle Kategorien normativer und abweichender Sexualitäten soziale Konstrukte sind, [und lehnt] die Vorstellung ab, dass Sexualität eine essenzialistische Kategorie ist ..., die durch die Biologie bestimmt oder durch zeitlose Normen der Moral und Wahrheit beurteilt wird".[216] Damit dies geschehen kann, muss jedoch der entscheidende zeitlose Maßstab dessen, was gut und was böse ist, wegfallen. Die zu überwindende Wahrheit ist moralischer Natur.

Jungs Vater war lutherischer Pfarrer; aber Jungs Auffassung von Sünde wich so dramatisch von der seiner Erziehung ab, dass er zu der Überzeugung gelangte, dass das Böse tatsächlich eine positive Wirkung auf die Persönlichkeit haben könne, indem es das Individuum von dem befreie, was manche als „Einseitigkeit" bezeichnen, und es in Kontakt mit dem „instinktiven Wesen" bringe. Noll fasst Jungs Überzeugungen zusammen: „Die

Fesseln der Familie, der Gesellschaft und der Gottheit müssen gesprengt werden."[217] Hier wird die Libido zu Gott. In einer solchen Sichtweise war es einfach – ja, sogar nobel –, sich von den engen Grenzen der vergangenen erlaubten Heterosexualität zu den weiten, traumhaften Feldern der zeitgenössischen Pansexualität zu bewegen.

Die Einstellung der Millennials zeigt das Fortschreiten dieser Sichtweise. In den Schulbüchern und Medien dieser Generation wird implizit oder explizit die Auffassung vertreten, dass es keine von Natur aus unterschiedlichen männlichen oder weiblichen Identitäten und Rollen in der Gesellschaft gebe und dass Sexualität ein Ausdruck der Wahl sei. Wie weit kann diese Aufhebung von Unterschieden gehen? Im Jahr 2000 bot die ehemalige presbyterianische Literaturprofessorin Virginia Ramey Mollenkott, die sich jetzt als lesbische Spiritualistin outet, ein radikales Paradigma für die künftige Befreiung der Sexualität an: eine allgeschlechtliche (engl. *omnigender*) Gesellschaft der „Allosexualität [andere Sexualität] ..., eine Anordnung vieler erotischer Verhaltensmuster ohne bestimmte Hierarchie"[218], in der praktisch alle sexuellen Wahlmöglichkeiten normalisiert werden. Die von Mollenkott vorgeschlagenen Wahlmöglichkeiten umfassen:[219]

1. Intersexuelle oder Hermaphroditen (Menschen mit beiderlei Geschlechtsorganen)[220]
2. Transsexuelle (haben sich einer Geschlechtsumwandlungsoperation unterzogen)
3. Transvestiten (oder Cross-Dresser)
4. Dragqueen und Dragking (Cross-Dressing-Performance-Künstler)
5. Transgender oder Bigender (leben zeitweise oder immer als Transvestiten bzw. empfinden sich mal dem einen, mal dem anderen Geschlecht zugehörig)
6. Androgyne (haben gleichzeitig eine männliche und eine weibliche Geschlechtsidentität und -rolle)[221]
7. Heterosexuelle

8. Homosexuelle
9. Bisexuelle
10. Personen, die verschiedene Fetische bevorzugen (wie beim Sadomaso- oder Gruppensex)[222]
11. Autoerotische (sind sexuell auf sich selbst gerichtet, z. B. Masturbation)
12. Ungeschlechtliche
13. Pansexuelle (können von allem etwas haben)
14. Pädophile (die, wie Mollenkott meint, nicht so schlimm sind, wie die Leute denken)[223]

Die Vermählung von Sexualität und Spiritualität

Warum waren Hollywood und die Medien in den letzten Jahren so erpicht darauf, die heranwachsende Generation in der entscheidenden Frage der Sexualität zu beeinflussen? War Pansexualität nur ein Vorwand für eine viel umfassendere Agenda? Welche Ideologie wird von diesen elitären Meinungsmachern, Absolventen der Kultur- und Sexualrevolution der Sechzigerjahre, wirklich verbreitet? Die sexuelle Agenda ist nur *ein* sichtbares Symbol einer mächtigen, jahrhundertelangen Dekonstruktion der christlichen Weltanschauung und ihrer Ersetzung durch eine heidnische *einsheitliche* Kosmologie, in der die Sexualität ein Sakrament ist.

Einsheitliche Spiritualität und Sexualität

Das religiöse Verständnis von Sexualität wurde von June Singer, einer engen Freundin und leidenschaftlichen Schülerin Jungs, die bei seinem Tod an seinem Bett saß, deutlich zum Ausdruck gebracht. In ihrem 1977 erschienenen Buch *Nur Frau – nur Mann? Wir sind auf beides angelegt* wandte Singer die jungsche Theorie an und vertrat die Ansicht, dass das spirituelle Zeitalter des Wassermanns auch das sexuelle Zeitalter der Androgynie sei. Der neue Humanismus dieses Zeitalters erfordere eine neue Sicht der Sexualität, die Androgynie, die Verschmelzung des männlichen und des weiblichen Geschlechts in einer Person.[224] „Wir haben ... alle Zutaten zur Hand, die wir brauchen, um unser eigenes neues alchemistisches *opus* [Werk] zu vollbringen ... um die Gegensätze in uns zu verschmelzen."[225] (Erinnern Sie sich an das „Große Werk", von dem wir in Kapitel 4 sprachen?) Das Vorantreiben dieser Auslöschung der sexuellen Grenzen ist entscheidend für die Verwirklichung des kommenden neuen Zeitalters: „Der Androgyne nimmt bewusst am evolutionären Prozess teil und gestaltet das Individuum ... die Gesellschaft und ... den Planeten neu."[226]

Androgyne Priester wurden in der Zeit der Sumerer um 1800 v. Chr. mit der Verehrung der Göttin Ischtar in Verbindung gebracht.[227] Von der kanaanitischen Göttin Anat heißt es: „Ihre Priester kleideten und schminkten sich wie [Frauen]."[228] Zu Beginn des 5. Jahrhunderts n. Chr. gedieh die Verehrung der Göttin Kybele immer noch. Augustinus beschreibt in seiner *Gottesstadt* aus erster Hand die öffentliche Zurschaustellung von homosexuellen Priestern *(galloi):*

> *Gestern sah man sie mit feuchtem Haar, geschminkten Gesichtern, schlaffen Gliedern und unbeholfenem Gang durch die Straßen und Plätze Karthagos ziehen und von der Öffentlichkeit die Mittel zur Finanzierung ihres schändlichen Lebens verlangen.*[229]

Singer führte das Wesen des androgynen menschlichen Selbst, das Homosexualität mit einschließt, bis zu der wahren, dem Kosmos zugrunde liegenden Natur zurück:

> *Der Archetyp der Androgynie erscheint in uns als ein angeborener Sinn ... und als Zeugnis für ... die ursprüngliche kosmische Einheit – d. h., er ist das Sakrament des Monismus, das die Funktion hat, die Unterschiede zu beseitigen ... [Dies wurde] von der jüdisch-christlichen Tradition fast vollständig abgeschafft.*[230]

Haben Sie Singers Verweis auf den „Monismus“ bemerkt? *Einsheit* ist lediglich ein wörtlicherer Ausdruck für dieses Grundkonzept. Wenn es in der „ursprünglichen kosmischen Einheit“ keinen Unterschied zwischen Schöpfer und Geschöpf gibt, dann gibt es in der diesseitigen Sexualität auch keinen Unterschied zwischen Mann und Frau.

Die sexuellen Grenzüberschreitungen und Exzesse der heutigen Kultur sind nicht nur auf Faktoren wie Hollywoods Streben nach immer größeren Kassenerfolgen oder die weite Verbreitung von Internetpornografie zurückzuführen. Unter der Oberfläche verbirgt sich mehr. Die Menschen in unserer Kultur (wie in jeder anderen auch) folgen der Versuchung, ihre Sexualität auf sündige Weise auszuleben – aber was heute als Ausdruck sündiger Sexualität gilt, ist oft etwas anderes als das, was in der Vergangenheit als sündig galt. Wir feiern ganz offen, was viele frühere Generationen beschämt hätte. Dieser Wandel lässt sich am besten dadurch erklären, dass viele der heutigen Exzesse direkter Ausdruck des Wiederauflebens einer alten, aber immer noch mächtigen *einsheitlichen* Weltanschauung sind – einer Weltanschauung mit einer engen Verbindung zwischen Spiritualität und Sexualität, welche die Bibel sehr gut kennt.

Biblische Sexualität und Spiritualität

Die Lehre des Apostels Paulus über homosexuelle Praktiken ist ein gutes Beispiel für das biblische Verständnis, dass sexuelle Sünde zwar in der Tat eine Frage unmoralischen Verhaltens, doch vielmehr noch Ausdruck einer religiösen Überzeugung ist, auch wenn viele das nicht erkennen. Die sexuelle Umkehrung der Schöpfungsordnung ist eine körperliche Manifestation *einsheitlicher* Anbetung und Kosmologie. Paulus leitet seine Lehre über Homosexualität in Römer 1,26-28 mit dem Wort „deswegen“ ein. Homosexuelles Verhalten ist religiös und wird in Römer 1,22-25 mit der Anbetung der Schöpfung anstelle der Anbetung Gottes, des Schöpfers, in Zusammenhang gebracht.

Stellen Sie sich das so vor: Sexualität und Spiritualität treffen unweigerlich aufeinander; sie sind keine abgeschotteten Bereiche menschlicher Wirklichkeit, sondern miteinander verwobene Aspekte des Bildes Gottes. Wenn Sie in Ihrem Herzen und Ihrem Denken Gott und Schöpfung, Gut und Böse einstürzen lassen, werden Sie schließlich auch männlich und weiblich im körperlichen Ausdruck Ihrer religiösen Realität einstürzen lassen und – in guter jungscher Manier – Ihre unterbewussten Fantasien befreien.

Diese Logik zeigt sich in dem derzeitigen kulturellen Druck in Bezug auf die gleichgeschlechtliche Ehe. Ehe dreht sich heutzutage um gegenseitige Liebe und freiwillige Verpflichtung, untermauert durch persönlichen Stil und Selbstbestätigung. Sie ist nicht länger die Berufung, das Bild und den Willen des Schöpfers und Erlösers in unserer Sexualität widerzuspiegeln. Es gibt daher keine inhärenten Grenzen dafür, was, wer oder wie viele Menschen geheiratet werden können – warum sollte man einen wichtigen Aspekt der menschlichen Selbstverwirklichung auf einen Mann und eine Frau oder auf nur zwei einwilligende Erwachsene beschränken?

Rod Dreher schreibt über Philip Rieff, einen Beobachter der sexuellen Revolution der Sechzigerjahre:[231]

> *In der klassischen christlichen Kultur, schrieb [Rieff], stand die Ablehnung des sexuellen Individualismus ganz im Zentrum der Symbolik, die sich nicht durchgesetzt hat. Er meinte, dass der Verzicht auf die sexuelle Autonomie und Sinnlichkeit der heidnischen Kultur im Zentrum der christlichen Kultur stand, einer Kultur, die den erotischen Instinkt nicht nur ablehnte, sondern – und das ist entscheidend – neu ausrichtete. Die Tatsache, dass das Abendland in Bezug auf Sinnlichkeit und sexuelle Befreiung rasch wieder heidnisch wurde, war ein starkes Zeichen für den Niedergang des Christentums.*[232]

Sogar in einigen Bereichen der evangelikalen Welt werden wir eindringlich ermahnt, „die weibliche Seite Jesu zu betonen", während wir die weibliche Seite in uns selbst entdecken.[233] Der heutige Glaube einiger Kirchenvertreter, dass es keine kategorischen sexuellen und geschlechtlichen Unterschiede gebe, besteht den Treue-zur-Bibel-Test nicht. Er tritt die Aussage von 1. Mose 1,27 mit Füßen, die den geschlechtlichen Unterschieden und der Komplementarität eine tiefe religiöse Bedeutung verleiht (männlich und weiblich nach Gottes Bild).[234] Dieser zeitgenössische Glaube versäumt es auf katastrophale Weise, das Gute und Gesunde der menschlichen Sexualität als Gottes gute Schöpfung zu fördern, die nach seinen Bedingungen genossen werden soll. Die von C. G. Jung und seinen Anhängern ersehnte Revolution hat heute die Sexualität befreit und die Religion wiederentdeckt – aber nicht die Wahrheit des Christentums.

KAPITEL 6

EINE ZERSTÖRERISCHE GENERATION

Geraten wir wirklich „aus den Fugen"? Diese Formulierung klingt zu extrem, um die Auswirkungen von Jungs Langzeitvision für eine neue Menschheit zu beschreiben. Aber wie Peter Collier und David Horowitz in *Destructive Generation: Second Thoughts about the Sixties* feststellten, musste die alte Ordnung zerstört werden, bevor utopische Fortschritte auf dem Weg zu einer neuen Menschheit gemacht werden konnten. Wir müssen uns also fragen: War dieser zerstörerische Teil des Projekts erfolgreich? Und: Hat er unserer Kultur die neuen Ideen des egalitären Fortschritts aufgezwungen? Schließlich ging es uns noch nie so gut wie heute! Durch den technologischen Fortschritt in der Medizin konnten tödliche Krankheiten ausgerottet werden. Millionen von Menschen wurden aus der Armut befreit und haben Zugang zu Bildung und Gesundheitsfürsorge erhalten, was zu einem längeren und wohlhabenderen Leben führt. Das Bewusstsein für die Menschenrechte und ihren Schutz hat enorm zugenommen. Dank des Wunders der Computer und des Internets haben sich die Ideale von Freiheit und Demokratie in der ganzen Welt verbreitet, und die Menschen erkennen zunehmend das Einssein der Menschheit. Außerdem wächst das Bewusstsein für die Bedeutung einer sauberen, grünen Umwelt. In vielerlei

Hinsicht hat das letzte halbe Jahrhundert große Fortschritte und positive Veränderungen gebracht.

Einige blicken daher optimistisch in die Zukunft. In *United America* (dt. etwa: *Vereintes Amerika*) hat Wayne Baker optimistisch überrascht festgestellt, dass die Amerikaner durch zehn Grundwerte fest miteinander verbunden sind, auf denen „wir die Nation aufbauen, verbessern und erhalten können“[235]. In seiner Empfehlung des Buches hofft Brian McLaren auf eine „Ausstrahlung von Positivität“ und eine nationale Einheit „um ein Gefühl größerer Verbundenheit herum“.

Andere Beobachter der Gesellschaft sind nicht so zuversichtlich. So ist der Titel eines kürzlich erschienenen Artikels des Stanford-Gelehrten Deroy Murdock geradezu apokalyptisch: „Die Vereinigten Staaten des Niedergangs: Amerika zerfällt in immer schwindelerregenderem Tempo“. Für ihn ist der „Niedergang atemberaubend und die Prognose düster“, denn in den Bereichen Wirtschaft, Kultur und Außenpolitik „wurde das amerikanische Volk verraten“[236].

Patrick Buchanan verkündet in *The Death of the West* (dt. etwa: *Der Tod des Westens*) ähnliche Aussichten. Er identifiziert diesen kulturellen Tod mit dem Verlust der historischen christlichen Identität. Buchanan hat nicht viel Hoffnung auf gemeinsame Überzeugungen, wie Wayne Baker sie sieht. Er stellt fest, dass die Amerikaner zwar immer noch an denselben Regierungsprinzipien festhalten, diese Prinzipien aber nicht ausreichen, um sie zusammenzuhalten. Die Südstaaten waren „an dieselben Regierungsprinzipien gebunden“ wie die Nordstaaten, aber das verhinderte den vierjährigen blutigen Bruderkrieg nicht.[237] Für Buchanan ist das „Aus-den-Fugen-Geraten“ sowohl religiös als auch geografisch bedingt: Er zitiert einen Journalisten der *Washington Post,* der nach den Präsidentschaftswahlen in den Vereinigten Staaten von 2000 erklärte: „Wir haben es mit zwei massiven Kräften zu tun, die aufeinanderprallen. Die eine ist ländlich, christlich, religiös konservativ. [Die andere] ist sozial tolerant, säkular, befürwortet Abtreibung und lebt in Neuengland und an der Pazifikküste.“[238]

Einige objektive Merkmale deuten auf einen Zusammenbruch der Kultur hin, die auf die Befreiungsbewegungen zurückzuführen ist, die aus der jungschen Vision eines neuen Menschseins hervorgegangen sind und ihren ersten populären Ausdruck in der Gegenkultur der Sechzigerjahre fanden. Niemand kann den weitreichenden Zusammenbruch der Familie und der traditionellen Ehe seit den 1960er-Jahren ernsthaft infrage stellen. Das Urteil ist düster: Der Publizist Mark Steyn stellt fest: „Ein Großteil dessen, was wir vereinfacht als westliche Welt bezeichnen, wird das 21. Jahrhundert nicht überleben."[239]

Trübe Aussichten

Die Generation der Millennials besteht aus den erwachsenen Kindern von Eltern, die in den Sechzigern selbst junge Erwachsene waren. Man könnte vermuten, dass sich eine befreite neue Menschheit positiv auf die Familienstruktur und die Ethik auswirken würde, aber man sollte nicht zu viel erwarten. Ein Kommentator bemerkte im Juni 2014: „Die sexuelle Revolution, die in den 1960er-Jahren begann, hat ihre Früchte getragen: alleinerziehende Elternteile, abwesende Väter, überforderte Mütter, Armut und Kinder, die durch die Straßen ziehen, anstatt in der Schule zu lernen."[240]

Eine soziologische Studie von zwei christlichen Millennials mit dem Titel *UnChristian* (dt.: *Un-Christlich*) macht wenig Hoffnung für die Zukunft.[241] Diese Autoren nehmen die Kritik ihrer Generation an der Kirche so ernst, dass sie im Titel ihres Bestsellers behaupten, diese Kirche sei „unchristlich", doch sie übersehen die Konsequenzen ihrer Argumentation. Sie zeigen zu Recht auf, dass die dramatischen kulturellen Veränderungen nicht auf einen gewöhnlichen Generationswechsel zurückzuführen sind. Sie behaupten, dass die Welt dieser Generation wie keine andere „den Bach runtergeht"[242]. Doch wenn die Autoren recht haben – können sie dann auf die geistig-moralischen Urteile einer Generation vertrauen, die in solchen Verhältnissen aufwächst, die „den Bach runtergehen"? Können Millennials objektiver als ihre Vorväter beurteilen, wie das Christentum aussehen sollte?

Die Autoren von *UnChristian* schildern, dass diese Generation vermehrt Gewalt, sich auflösenden Familienstrukturen, Pornografie und Sex vor und außerhalb der Ehe ausgesetzt ist. Das Buch weist ferner darauf hin, dass Drogenmissbrauch und Sucht weit verbreitet sind, wie auch Geschlechtskrankheiten, AIDS, Teenager-Schwangerschaften, alleinerziehende Mütter, abwesende Väter und Abtreibung,[243] dass einer von sechs Millennials Schulden hat, einer von vier geschieden ist, Obszönität üblich ist, Selbstmord die dritthäufigste Todesursache ist und dass es eine vaterlose Generation ist.[244] Von den 20-Jährigen aus christlichen Elternhäusern haben 60 % keinen Bezug mehr zur Kirche.[245]

Der Tod der Ehe

Es kommt noch schlimmer. Die Behauptungen, dass die angepriesenen Freiheiten der modernen Welt den Menschen bejahen würden, sind alles andere als erwiesen. Die scheinbar schädlichen Fesseln der heterosexuellen monogamen Ehe (wie Jung es sah) wurden ersetzt durch eine öffentliche Verherrlichung eines individuellen Akts der bloßen Selbstverwirklichung ohne langfristige Verpflichtungen, verstärkt durch Scheidung ohne Schuldfrage.[246] Nahezu die Hälfte aller amerikanischen Ehen wird heute geschieden.[247] Die Befreiung aus Familienstrukturen hat zu enttäuschenden Ergebnissen geführt, insbesondere für Kinder. Soziologen zeigen, dass sich der Anteil der Alleinerziehenden in den amerikanischen Haushalten seit 1960 mehr als verdreifacht hat.[248] Alleinerziehende Mütter verdienen nur halb so viel wie Haushalte verheirateter Mütter, und die Probleme werden durch Konflikte in Beruf und Familie, mangelnde Stabilität in den Ehen, Gesundheitsprobleme in der gesamten Familie und schwache Ergebnisse in der Bildung der Kinder noch verstärkt.

Viele haben die formale Ehe aufgegeben, was weitere Unsicherheiten mit sich bringt. Die *Centers for Disease Control and Prevention*, eine Behörde des US-amerikanischen Gesundheitsministeriums, berichtet, dass 50 % aller Frauen mit einem Mann zusammenleben, mit dem sie nicht verheiratet sind – ein starker Anstieg von 35 % gegenüber dem Jahr 1995.[249] Diese zusammenlebenden Paare verzichten oft so lange auf Kinder, bis es zu spät ist, was zu einem Rekordhoch von Unfruchtbarkeit führt. Da das Zusammenleben in der Regel nicht von Dauer ist, werden viele dieser Frauen mit Kindern zu alleinerziehenden Müttern, die auf staatliche Unterstützung angewiesen sind. Der Mediziner Ben Carson stellt fest, dass 73 % der afroamerikanischen Babys außerehelich geboren werden. Wenn das geschieht, wird die Ausbildung der Mütter in den meisten Fällen abgebrochen, und die Babys sind oft zu einem Leben in Armut und Entbehrung verurteilt, was die Wahrscheinlichkeit erhöht, dass sie im Justiz- oder Sozialsystem landen.[250] Einige Beobachter meinen, dass wir uns schnell dem Punkt nähern, an dem es von den durch Gelegenheitssex, unverbindliches Zusammenleben und vaterlose Erziehung verursachten Schäden kein Zurück mehr gibt.[251] Wenn keine Väter da sind, können „Halbfamilien" vollständig vom Staat abhängig werden.

Der Historiker Lawrence Stone hat gesagt: „Zu keiner Zeit in der Geschichte, vielleicht mit Ausnahme des kaiserlichen Roms, war die Institution der Ehe problematischer als heute."[252] Und W. Bradford Wilcox stellte fest: „Die Amerikaner mittleren Alters sind dabei, ihre Bindung an die Ehe zu verlieren."[253] Weil die Familie in Nordamerika zusammenbricht, verschlechtert sich die emotionale Gesundheit stark. Selbstmord hat inzwischen Autounfälle als häufigste Todesursache der Amerikaner überholt. 2014 starben mehr amerikanische Soldaten durch Selbstmord als im Kampf. Ein Drittel der amerikanischen Arbeitnehmer leidet unter chronischem und lähmendem Stress.[254]

Trotz des anfänglichen Optimismus der „Ich bin okay, du bist okay"-Generation ihrer Eltern stehen die Millennials vor einer

Arbeitslosenquote von 16 %, erdrückenden Schulden für manchmal wertlose Schul- und Studienabschlüsse, einem Staatsdefizit in Höhe von 20 Milliarden Dollar, das sie nicht verursacht haben, und drückenden Steuern. Um ihr Schicksal zu wenden, stehen die Millennials vor der schmerzhaften Aufgabe, ihr Leben nach hinten zu verschieben. Um ihre Studiendarlehen abzubezahlen oder einfach nur zu überleben, müssen sie mit Heirat, Kindern und Eigenheim warten, bis wieder eine solide wirtschaftliche Lage gegeben ist.[255] Kein Wunder, dass fast die Hälfte der Studienanfänger der *Harvard University* im Jahr 2013 zugab, bei Hausaufgaben, Prüfungen oder anderen Verpflichtungen in ihrer jungen akademischen Laufbahn zu schummeln. Die Umfrage der Studentenzeitung der Universität kam zu dem Schluss, dass es diesen Studenten mehr wert ist, voranzukommen, als ehrlich zu sein.[256] Das moralische Gefüge dieser Generation gerät aus den Fugen.

Die Plage der Pornografie

Die sexuelle Freiheit, für die Jung eingetreten war, wurde den jungen Menschen, die nach der Revolution der Sechzigerjahre geboren wurden, zweifellos zuteil. Sie haben Zugang zu grenzenlosen sexuellen Fantasien in kostenloser Pornografie, die in das Gefüge unserer Kultur hineingewoben ist. So wie das Netz der römischen Straßen die rasche Ausbreitung des Evangeliums und der frühen Kirche ermöglichte, werden auch die neuen „Straßen" des Internets oft für die Evangelisation genutzt; aber auch die Pornografie rast mit Höchstgeschwindigkeit über diese Autobahnen und bringt pornografische Inhalte auf Millionen von PCs und Smartphones. Internetnutzer verstricken sich in das wachsende Netz der sexuellen Erniedrigung. Im Jahr 2012 glaubten mehr als 43 % der Führungskräfte in der Erotikbranche, dass Mobilgeräte die Hauptinstrumente für das Anschauen von Pornos und für „Sexting", dem Versenden und Empfangen selbst produzierter, freizügiger Aufnahmen, werden würden. Sie sagten voraus, dass sich bis 2015 die Zahl der Konsumenten von Sexvideos auf

Tablets verdreifachen würde.[257] Im Zeitalter des Videostreamings und des flächendeckenden Internetzugangs hat sich der Konsum von Pornografie immer weiter verbreitet – sowohl unter Männern als auch unter Frauen.

Ein zeitgenössischer Experte auf dem Gebiet der Pornografie stellt fest: „Fast ein halbes Jahrhundert nach der sexuellen Revolution der Sechzigerjahre erleben wir immer noch deren Nachbeben"[258] als Folge eines empfundenen „Anrechts auf Sex"[259], das aus dieser Revolution hervorgegangen ist. Dieses Ausleben sofortiger sexueller Befriedigung ist aus der jungschen „Therapie" der befreiten Fantasie abgeleitet. Trotz des Optimismus von C. G. Jung und den Sechzigern, dass eine solche Fantasie zur menschlichen Reifung führen würde, scheint sie das Gegenteil bewirkt zu haben. Anstelle von Freiheit hat der sexuelle Libertarismus die Versklavung an leere Bilder und unpersönliche Hülsen von Sexualität hervorgebracht.

Die pornografische Abkürzung zum gottgegebenen Wunsch nach sexueller Intimität hat tiefgreifende und bleibende physiologische Auswirkungen auf das Gehirn. Der Gehirnspezialist William M. Struthers erklärt: „Männer scheinen so verdrahtet zu sein, dass Pornografie die ordnungsgemäße Funktion ihres Gehirns kapert ..., es neu verdrahtet ... und so eine lang anhaltende Wirkung auf ihr Denken und Leben hat ..., die sich in die Struktur des Gehirns einbrennt."[260] Struthers stellt fest, dass diese süchtig machende Droge Männer hervorbringt, deren geistiges Leben „übersexualisiert und verengt" ist (und dasselbe gilt, wenn auch auf andere Weise, für Frauen). Solche Männer können Frauen nicht mehr ansehen, ohne sie in Gedanken zu entkleiden,[261] wodurch Frauen zu bloßen Sexualobjekten werden. Sexuelle Gewalt wird zur Norm; die von der Pornobranche dargestellten Szenen enthalten oft Formen körperlicher Gewalt gegen die Partnerin.[262] Kein Wunder, dass die Auswirkungen von Pornografie auf die Ehe verheerend sind.

Struthers ist überzeugt, dass diejenigen, die in der Falle der Pornografie gefangen sind, „den Begierden [eines] verdrehten und verdorbenen Herzens ausgeliefert sind“[263]. Wie lange kann eine solche Gesellschaft überleben? Ein Beobachter sagt: „Wir nähern uns zugegebenermaßen dem Kipppunkt, jenseits dessen wir den Zusammenbruch möglicherweise nicht mehr verhindern können“[264] – insbesondere im Bereich der Sexualität, möchte ich hinzufügen. Der unethische Missbrauch und der Niedergang der heterosexuellen Sexualität und der Ehe haben unweigerlich Bedingungen geschaffen, unter denen viele nun die gleichgeschlechtliche Ehe unterstützen, die eine neue Definition des Menschen darstellt.

Das Aufkommen der Homosexualität

In ihrem Ausmaß und ihrer Geschwindigkeit ist die ethische Revolution, die wir in der Frage der Homosexualität erleben, in der Menschheitsgeschichte ohne Beispiel. Wir haben es hier nicht mit einer Zeitspanne von Jahrhunderten, noch nicht einmal *eines* Jahrhunderts zu tun. Diese Revolution vollzog sich innerhalb einer einzigen Generation. Auch wenn man für Homosexuelle Verständnis hat, denen verfassungsrechtlich garantierte Rechte nachteilig verweigert werden, verstehen sogar nicht christliche Denker die enormen kulturellen Auswirkungen einer Neufassung unserer Definition der menschlichen Sexualität und Spiritualität.

Im letzten Kapitel kam der Soziologe Philip Rieff aus den Sechzigerjahren zu Wort, der sagte, dass „das Abendland in Bezug auf Sinnlichkeit rasch wieder heidnisch wurde“ und dass die „sexuelle Befreiung ein starkes Zeichen für den Niedergang des Christentums war“[265]. Aber er gehörte zu einer kleinen Minderheit, die erkannte, wie sehr die Sexualität sich emanzipierte. Heute gibt es keine „normale“ Sexualität mehr. In der Tat wird jeder Versuch, das zu sagen, als Diskriminierung eingestuft.

Rod Dreher, dem wir ebenfalls im letzten Kapitel begegnet sind, weist auf eine Titelgeschichte in *The Nation* aus dem Jahr 1993 hin und stellt fest, dass die Vorkämpfer der Rechte für

Homosexuelle, damals noch „eine kleine und verachtete sexuelle Minderheit", Bestand und schließlich sogar Erfolg haben werden, wenn sie für sich selbst „eine umfassende Kosmologie" erfinden. Dreher fährt fort: „Um es ganz offen zu sagen, war die Sache der Homosexuellen-Rechte gerade deshalb erfolgreich, weil sich die christliche Kosmologie im Bewusstsein des Westens verflüchtigt hat."[266] Dreher zitiert Charles Taylor, Autor der Religions- und Kulturgeschichte *A Secular Age* (dt.: *Ein säkulares Zeitalter*): „Die gesamte ethische Haltung des modernen Menschen beruht auf und folgt aus dem Tod Gottes (und damit natürlich auch dem Tod eines bedeutungsvollen Kosmos)."[267] Um das Wesen dieser „neuen" Kosmologie zu erhellen, fügt Dreher hinzu: „Modern zu sein bedeutet, an die eigenen Wünsche als Quelle der Autorität und der Selbstdefinition zu glauben."[268] Genau dieses zeitgenössische Selbstverständnis ist die Grundlage der psychologischen Theorien von C. G. Jung, die in der ersten Hälfte des 20. Jahrhunderts für ein neues Menschsein warben. Diese Theorien, die auf vielversprechenden Vorstellungen von „Befreiung" beruhten, waren in Wirklichkeit von einem heidnischen Verständnis der Existenz abgeleitet, und ihre Umsetzung hat letztlich zum sozialen und persönlichen Zusammenbruch geführt.

Aus den Fugen geraten: Die soziologische Wirklichkeit

In seiner gut dokumentierten soziologischen Analyse mit dem Titel „Coming Apart: The State of White America 1960–2010" (dt. etwa: „Auseinanderdriften: Der Zustand des weißen Amerikas 1960–2010") zeigt der Harvard-Politologe Charles Murray – ohne Bezugnahme auf jüngste religiöse oder sexuelle Bewegungen, aber mit Hunderten von Diagrammen und einer immensen Menge an quantitativen Daten –, dass Amerika seit den 1960er-Jahren zutiefst gespalten ist. Eine neue Unterschicht hat vier Prinzipien des kulturellen Erfolgs der amerikanischen Gründerzeit – Ehrlichkeit, Fleiß, Ehe und Religion – nahezu aufgegeben, die Murray als „Tugenden" bezeichnet, über die sich alle Segmente der Gesellschaft einmal einig waren. Diese neue Unterschicht ist von der neuen Oberschicht getrennt, „einer hohlen Elite", die von den Gründerwerten profitiert hat, ohne sich auf diese Überzeugung zu berufen oder sie zu bewahren.

Nur ein paar Beispiele für den Verlust des klassischen Tugendbewusstseins:

- Die presbyterianische Kirche (USA) setzte sich auf ihrer Generalversammlung 2014 für die gleichgeschlechtliche Ehe und die Ordination von Homosexuellen ein, während sie die Unterstützung für „Pro Vita"-Leitsätze („Für das Leben") ablehnte und die Abtreibung befürwortete (sogar von lebenden Babys, die den Abtreibungsprozess überleben).[269]
- Die *National Cathedral* in Washington, D. C., hatte in einem Sonntagsgottesdienst anlässlich des *LGBT Pride Month* Rev. Dr. Cameron Partridge zu Gast, der als Frau geboren wurde, sich aber jetzt als Transmann versteht. Partridge wurde von dem homosexuellen Bischof Gene Robinson begleitet.[270]

Charles Murray erörtert die von ihm aufgeworfenen ethischen Fragen nicht weiter, aber seine Schlussfolgerung ist dennoch verheerend: „Alles ist verloren ... Das Projekt Amerika ist tot" – es sei denn, es käme zu einer bürgerlichen „großen Erweckung" unter der „hohlen Elite", bei der die Gründerprinzipien wiederentdeckt und neu in die Praxis umgesetzt werden."[271] Aber wenn das alles ist, was wir erwarten können, dann wäre wirklich alles verloren. In *Who Gets to Narrate the World?*[272] (dt. etwa: *Wer darf über die Welt sprechen?*) meint Robert Webber ebenfalls, dass „die edleren Züge der [amerikanischen] Geschichte – harte Arbeit, Selbstaufopferung, persönliche Integrität – der Faulheit, der Gier und dem Narzissmus gewichen sind ..., eine Abwärtsspirale der Selbstverliebtheit"[273].

Öffentliches Interesse oder Gemeinwohl sind bedeutungslos, wenn wir nicht über einen gemeinsamen Maßstab, einen allgemein akzeptieren Grundsatz von Gerechtigkeit und eine Vorstellung von menschlichem Glück und Wohlergehen verfügen. Pragmatismus kann uns hier nicht weiterhelfen. Wir brauchen Überzeugungen von moralischer Wahrheit – und die haben wir nicht mehr. Robert Reilly führt das Thema des Tugendverlusts noch weiter aus. In den jüngsten Gerichtsurteilen, die die gleichgeschlechtliche Ehe rechtfertigen, sieht er „die fortschreitende Abkehr von der Idee der Moral, die bisher für ein freies Volk als notwendig angesehen wurde“[274], indem die juristischen Autoritäten der Nation den Gedanken des Naturrechts und der vom Schöpfer verliehenen Rechten und Pflichten ablehnen. Amerika ist in seinem tiefsten Inneren aus den Fugen geraten.

Aber nicht nur Amerika, sondern auch der alte christliche Konsens ist zerbrochen. John Adams sagte einmal, zum Leidwesen der Progressiven aller Zeiten: „Unsere Verfassung wurde nur für ein moralisches und religiöses Volk geschaffen. Für die Regierung jedes anderen Volkes ist sie völlig ungeeignet.“[275] Am 9. April 1967 sagte Martin Luther King Jr. in seiner Rede mit dem Titel „Der Straßenfeger“:

> *Ich bin heute hier, um Ihnen zu sagen, dass wir Gott brauchen. Wenn ich an Gott denke, kenne ich seinen Namen. ‚Ich bin‘ hat dich gesandt. Das ist der Gott des Universums. Und wenn Sie an ihn glauben und ihm dienen, wird in Ihrem Leben etwas geschehen. Sie werden lächeln, wenn andere um Sie herum weinen. Das ist die Macht Gottes.*[276]

Professor Walter E. Williams von der *George Mason University* stellt fest: „Bräuche, Traditionen, ethische Werte und Benimmregeln machen eine zivilisierte Gesellschaft aus, nicht nur Gesetze und staatliche Verordnungen ... Die Menschen benehmen sich auch dann noch so, wenn niemand zuschaut. Polizei und Gesetze können diese persönliche Zurückhaltung im Verhalten niemals ersetzen, um eine zivilisierte Gesellschaft zu schaffen.“[277]

Camille Paglia, die sich selbst als „Amazonenfeministin“ beschreibt, sagte über die Abschaffung der Geschlechterunterschiede: „Sie sehen, wie eine Zivilisation Selbstmord begeht.“[278] Die britische Journalistin Melanie Phillips stellt fest, dass der Angriff auf die zeitgenössische Kultur „im Tiefsten ein Angriff auf das Glaubensbekenntnis ist, das die Grundlage der westlichen Zivilisation bildet“[279]. Und ich würde hinzufügen, dass das Glaubensbekenntnis lautet (oder lauten sollte): „Ich glaube an Gott, den allmächtigen Vater, den Schöpfer des Himmels und der Erde.“

Am 3. Juni 1953, also vor mehr als 70 Jahren, beobachtete ich als junger Teenager, wie Elizabeth II., die Königin von England, den Krönungseid ablegte, den der Erzbischof von Canterbury vollzog. Die Fragen, die sie unter Eid bejahte, lauteten:

> *Werden Sie mit allen Ihren Kräften die Gesetze Gottes und das wahre Bekenntnis des Evangeliums aufrechterhalten? Werden Sie mit allen Ihren Kräften im Vereinigten Königreich den gesetzlich verankerten evangelisch-reformierten Glauben aufrechterhalten?*

Im Juli 2013, fast genau 60 Jahre später, drückte Königin Elisabeth II. ihren königlichen Stempel auf ein Gesetz der Regierung, das die Eheschließung Homosexueller legalisierte. Politik verpflichtet. Obwohl es sich bei ihrer Zustimmung nur um eine juristische Formalität handelte (und ich habe nicht die Absicht, den Glauben der Königin infrage zu stellen), hat ihr Handeln eine starke Symbolik. Ein verfassungsmäßiges Bollwerk des christlichen Glaubens gab kleinlaut nach und legalisierte eine Beziehung, die das Bild Gottes im Menschen, wie es in 1. Mose offenbart wird, auf bedauerliche Weise verleugnet: „Gott schuf den Menschen als sein Bild, ... als Mann und Frau schuf er sie.“ Etwa zur selben Zeit wurde in Frankreich und in Neuseeland die gleiche Entscheidung getroffen. Es ist kaum vorstellbar, welche globalen kulturellen Auswirkungen diese Umkehrung des grundlegenden Wesenszuges des menschlichen Lebens nach sich ziehen wird.

Ein führender britischer Theologe schrieb mir am 2. April 2014, als das Parlament die gleichgeschlechtliche Ehe formalisierte, die folgende Nachricht:

> *Am vergangenen Wochenende wehte die Regenbogenflagge über* Whitehall, *und unser stellvertretender Premierminister drängte uns, das Glas zu erheben und zu feiern. Die* Times *brachte einen Artikel über die bevorstehende Hochzeit zweier Frauen, die als „Frau und Frau …" bekannt sein werden … Römer 1,32 ist jetzt anscheinend offizielle Regierungspolitik. Doch auch wenn die Wassermassen der* Einsheit, *die seit vielen Jahren gegen die Küstenlinie schlagen, voll eindringen, stürzt das Haus auf der Klippe scheinbar aber doch nicht unvermittelt ein.*

Die Sprengung der Polaritäten

Diese alte „christliche" Welt gerät tatsächlich aus den Fugen. Hinter der multisexuellen Befreiung stehen die wirklich systematische Förderung des ideologischen *Einsheitsdenkens* und die entschlossene Beseitigung der polaren Struktur des theistischen *Zweiheitsdenkens,* in der nach der Heiligen Schrift die Welt geschaffen wurde. Erinnern Sie sich: Der *Einsheitsglaube* ist der Glaube, dass alles eins ist und dass der Unterschied zwischen Schöpfer und Geschöpf zusammen mit allen Unterscheidungen, die der Schöpfer in seine Schöpfung gelegt hat, beseitigt werden muss. Was ich *Zweiheit* nenne, ist der Glaube, dass es zwei Arten von Existenz gibt: Gott – und alles andere, also alles, was erschaffen wurde. Diese beiden sind die einzigen zwei möglichen religiösen Optionen.

Vertreter der *Einsheit* bringen Themen zur Sprache, die scheinbar bloß bürgerliche oder politische Themen sind, hinter denen sich aber ein tiefes spirituelles Programm verbirgt. Hier sind einige der Wendungen, die Ihnen vielleicht schon im öffentlichen Leben begegnet sind und die Aspekte der *Einsheit* beschreiben:

- Überschreiten oder Leugnen von Grenzen
- Leugnung der Unterscheidung von Subjekt und Objekt
- Tabus brechen
- Abschaffung des „Entweder-Oder"
- Wie oben, so unten (keine Unterscheidung zwischen dem Göttlichen und dem Menschlichen)
- Nicht-Dualität
- Einssein – alles ist eins

Vertreter der *Einsheit* fühlen eine Notwendigkeit, die von Gott in die Schöpfung hineingelegten dualen Unterscheidungen zu verwischen, und sie tun dies zum Teil durch die Verwendung von Begriffen, welche die Menschenrechte oder die globale Einheit beschwören. Die theistische Sicht der Realität wird im Kern auf allen entscheidenden Ebenen menschlicher Erfahrung aus dem öffentlichen Bewusstsein getilgt.

Die Vernichtung spiritueller Polaritäten

Am Rande der evangelikalen Rechtgläubigkeit hat Brian McLaren, der einen interreligiösen Ansatz für die Religion verteidigt, erklärt: „Wir müssen unsere Blockierung, unsere Polarisierung, unser binäres Entweder-oder-Denken überwinden."[280] Die Kirchenhistorikerin Diana Butler Bass fordert ein „religionsloses" und „bekenntnisloses" Christentum[281] und kündigt die Ankunft eines Zeitalters reiner innerer Erfahrung an, in dem die Gottheit „in weniger dualistischen Begriffen definiert wird"[282]. Bass plädiert dafür, zu Gott zu beten als „unserer Mutter ... dem nährenden Geist von Mutter Erde"[283].

Ein deutliches Beispiel für das zeitgenössische *einsheitliche* Denken ist die Weigerung, den Begriff „böse" zu verwenden. Professor Michael Boyle von der *La Salle University* hat in der *New York Times* jede Bezeichnung von ISIS oder dem Islamischen Staat als „böse" oder „Krebsgeschwür" verurteilt.[284] Boyle möchte die groben Vereinfachungen einer moralisierenden Sprache bei der Beschreibung der Taten von Dschihadisten vermeiden, die vor laufender Kamera achtjährige christliche Mädchen und säkulare amerikanische Journalisten enthaupten, gefangene Frauen als Sexsklaven verkaufen und die Ausrottung aller Christen und Juden planen. Wenn das nicht böse ist, dann gibt es kein Böses – und genau das wollen die Vertreter der *Einsheit*. Den Begriff „böse" zu verwenden würde sie zwingen zuzugeben, dass einige Dinge nicht in die Einheit aller Dinge einbezogen werden können. Moralische Klarheit hat also keinen Platz in dieser Utopie.

Jung verknüpfte die beiden Pole von Gut und Böse zu einer zutiefst relativierenden Auffassung von Ethik, die es dem Einzelnen überlässt, zu entscheiden, was gut oder böse ist. Entscheidungen wie der Genuss von Pornografie oder die Abtreibung eines Babys werden relativiert, weil es keine klaren Grenzen für sexuelle Stimulation oder zwischen einer Mutter und ihrem Baby mehr gibt. Unendlich viele sexuelle Variationen sind berechtigt; ein Baby und die Mutter haben dieselben Bedürfnisse, und alles wird von dem *Einen* absorbiert. Wie das *Center for American Progress* es ausdrückt: „Kinder gehören zu uns allen."[285]

Für viele, auch unter den Evangelikalen, gibt es heute weder Paradies noch Sündenfall, weder Himmel noch Hölle. Niemand wird wirklich ausgegrenzt, wie Rob Bell in seinem Buch *Love Wins* (dt.: *Das letzte Wort hat die Liebe*) feststellt.[286] Durch die Abschaffung einer endgültigen Hölle wird auch der absolute Richter beseitigt, sodass die Menschheit ihre eigene Ethik schaffen und durchzusetzen muss. Dies führt zur Hölle auf Erden. Es gibt keine letztendliche Gerechtigkeit oder Rechenschaftspflicht in Bezug auf das wirklich Böse mehr, sondern nur die von menschlicher Macht gesetzten Werte.[287]

Die naturalistische Evolution erkennt weder eine qualitative Unterscheidung zwischen Mensch und Tier noch die letztendliche Unterscheidung zwischen Schöpfer und Schöpfung an. Der Transhumanismus sieht das Ende der biologischen Evolution zugunsten der Evolution des Geistes, da Mensch und Maschine miteinander vereinigt werden.[288] Wissenschaftliche Teams und Labore auf der ganzen Welt befassen sich mit der Logistik, Wissenschaft und Moral zur Verschmelzung von Technologie und Biologie. Dass Studenten der Ingenieurwissenschaften und der Medizin die Prinzipien der *Einsheit* verinnerlicht haben, wird sich mit Sicherheit auf künftige Entscheidungen in diesem Bereich auswirken.

Die Zerstörung kultureller Polaritäten

Die *Political Correctness* leugnet jegliche Unterscheidung zwischen Kulturen, Religionen oder Wertesystemen. So beherrscht der „politisch korrekte“ Multikulturalismus den öffentlichen Raum und den Universitätscampus und beeinflusst die Innen- und Außenpolitik. Christiana Figueres, Exekutivsekretärin des Rahmenübereinkommens der Vereinten Nationen über Klimawandel, eröffnete das Treffen in Cancun 2011 mit einem Gebet zur heidnischen Maya-Göttin Ixchel.[289]

Die Zerstörung des polaren Geschlechterverhältnisses begann mit der radikalen Ablehnung des Patriarchats und des eigentlichen Patriarchen, Gott, dem Vater, durch den Feminismus. Und wir haben so weitergemacht. „M“ und „W“ werden aus Geburtsurkunden und Passanträgen gestrichen, ebenso wie die Begriffe „Mutter“, „Vater“, „Ehemann“ und „Ehefrau“. Stattdessen haben wir „Elternteil A“ und „Elternteil B“. Während sogar einige Evangelikale sagen, dass es keine festen Geschlechterkategorien gibt, weil wir alle Menschen sind, die Gott liebt,[290] ist Gottes Vatersein ein wesentliches Element in Gottes Offenbarung seiner Liebe zu den Geschöpfen und ein wichtiger Teil der Botschaft Jesu.

Führende Homosexuelle fordern die Dekonstruktion der geschlechtlichen Polarität, und diese Zerstörung wird oft in den Universitäten angestoßen, die als eine Art Labor für das zukünftige gesellschaftliche Leben fungieren. Die Hochschulpädagogen Genny Beemyn und Sue Rankin fragen: „Können wir der polaren

Geschlechtlichkeit ein Ende setzen?" Sie argumentieren, dass „es nicht nur eine einzige Art und Weise gibt, wie eine Person sein sollte"[291]. Auf seiner Website erklärt das *Dartmouth College*, dass es „ein Lebensumfeld bieten möchte, das alle Geschlechtsidentitäten willkommen heißt; ein Umfeld, das nicht durch die traditionelle Geschlechterpolarität begrenzt ist"[292]. Das *Oberlin College*, das von zwei presbyterianischen Geistlichen gegründet wurde und von Charles Finney geleitet wurde, beschreibt die von ihnen geförderte „Transgeschlechtlichkeit als die Überschreitung von Geschlechternormen ..., um einen Raum zu finden, der ... sich der Polarität in unserer Gesellschaft ... widersetzt, die einem zugewiesen wurde."[293]

Die Schilder auf Schwulen-Kundgebungen sagen alles: „Bist du ein Junge oder ein Mädchen? Nein." Und: „Kleinkinder toben gegen die Geschlechterpolarität." Am 8. November 2012 erschien in der *New York Times* ein Artikel mit dem Titel „Can a Boy Wear a Skirt to School?" (dt.: „Darf ein Junge in der Schule einen Rock tragen?"), in dem diese Generation als die „zukunftsorientierte Kohorte" der Bevölkerung beschrieben wurde, für die „Geschlechterfluidität ... ein kreatives Spielfeld ist". Die Zeitschrift *Elle* stellte ein Model vor, das sich öffentlich als transgeschlechtlich bezeichnete. Dies wurde als „Sprengung der Grenzen der Geschlechterrollen für Models" beschrieben. Das Model selbst, Andreja Pejic, bittet allgemeines Verständnis dafür, dass diese massive Umwandlung keine große Sache sei: „Meine kürzliche Geschlechtsumwandlung hat mich nicht zu einer anderen Person gemacht. Ich bin dieselbe Person, überhaupt kein Unterschied, nur ein anderes Geschlecht ... Ich hoffe, ihr könnt das alle verstehen."[294]

Die individuelle sexuelle Identität wird durch den radikalen Feminismus und die LGBT-Prinzipien untergraben. Die Polarität der heterosexuellen Ehe wurde durch die Ablehnung der Ehe selbst seitens des Feminismus im Namen radikaler Gleichberechtigung stark untergraben. Die unterschiedlichen Rollen von Mann und Frau lösen sich auf, da die Frauen aus der Knechtschaft ihrer traditionellen Rollen befreit werden und die Männer frei werden, ihre sensiblere, fürsorgliche und weibliche Seite zum Ausdruck zu bringen. Dies zeigt sich auch deutlich in der wachsenden Akzeptanz der gleichgeschlechtlichen Ehe, in der die polaren Unterscheidungen zwischen den Geschlechtern beseitigt werden. David Kupelian bemerkt dazu: „Man hat erwartet, dass sich die Gesellschaft in diesem verschwommenen Zukunftstraum zu einem großen, glücklichen, androgynen Paradies entwickelt, in dem jeder in jeder Hinsicht gleich ist.“[295]

Ironischerweise begeht ein solcher Ansatz geradezu Verrat an der *einsheitlichen* Weltanschauung, die versucht hat, einen reibungslos funktionierenden Motor für die Gesellschaft in allen Bereichen des menschlichen Lebens zu schaffen. Aber manche sind nicht gleich; statt utopischer Harmonie kommen die Räder ins Trudeln.

Schlussfolgerung

Charles Murray setzte auf eine bürgerliche „große Erweckung“ der „hohlen Elite“, von der er erwartete, dass sie die auf Tugend basierenden „Gründerprinzipien wiederentdeckt und in die Praxis umsetzt“. In seinem Buch *On Character*[296] (dt. etwa: *Über den Charakter*) definierte der Sozialwissenschaftler James Q. Wilson Tugend als „Gewohnheiten maßvollen Handelns, genauer gesagt, des Handelns mit gebührender Zurückhaltung gegenüber den eigenen Impulsen, mit gebührender Rücksicht auf die Rechte anderer und mit angemessener Sorge um spätere Folgen“[297]. Die heutige Elite hat diese Gründerprinzipien aufgegeben, diese Traditionen, die so tief mit der Kosmologie des Polaren verbunden sind, und hat sich einer zutiefst spirituellen Zivilisation ohne Gott verschrieben, die auf Lüge beruht. Damit das Neue kommen kann, muss das Alte „aus den Fugen geraten“. Wie bei allen erfolgreichen Revolutionen muss das Alte zerstört werden, damit der neue Tag kommen kann. In der Französischen Revolution mussten Köpfe rollen, bevor die neue Gesellschaft der „Freiheit, Gleichheit und Brüderlichkeit“ *(Liberté, Egalité, Fraternité)* verwirklicht werden konnte. So waren im Westen die Zerstörung der Polaritäten und die systematische Beseitigung des christlichen Einflusses im öffentlichen Raum ein notwendiges Vorspiel für die Schaffung einer transformierten, neuen Gesellschaft.

Aber nichts hat sich wirklich verändert. Das Neue ist nicht neu. Der Alttestamentler John N. Oswalt macht in *The Bible among the Myths* (dt. etwa: *Die Bibel inmitten der Mythen*) eine wichtige Aussage über das antike Heidentum. In einem Abschnitt mit dem Titel „Verleugnung von Grenzen" stellt er fest, dass in der antiken Welt die Grenzen zwischen den Bereichen – Menschen und Götter, Götter und Natur – aufgehoben waren. Alle grenzüberschreitenden Verhaltensweisen der antiken Welt, wie z. B. Kultprostitution, Inzest und Homosexualität, sind keine „primitiven Verhaltensweisen ... oder unglückliche Verirrungen ... Sie sind theologische Aussagen, notwendige Ausdrucksweisen der Weltanschauung, zu der sie gehören"[298].

Die neue „umfassende Kosmologie" wird auf jeden angewandt. In ihrem Kern macht sie den Menschen zu einem Gott, verbindet Gegensätze, lehnt die moralische Ordnung von Gut und Böse ab und verwirft die objektive Wirklichkeit der geschöpflichen menschlichen Natur. Ihre gegenwärtige Wirkung besteht darin, die alte Menschheit aus der (zugegebenermaßen unvollkommenen) christlichen Zivilisation, die in der Tat im Begriff ist, aus den Fugen zu geraten, zu untergraben. Die neue Menschheit, die uns retten soll, beruht aber auf einer Lüge. Diesem verführerischen Irrglauben ist unsere moderne Kultur verfallen, was ihr unweigerlich zum Verhängnis wird, sowohl in der Gegenwart als auch in der Zukunft.

> *Weil sie es nicht für gut hielten, Gott anzuerkennen,* lieferte *Gott* sie *einem verworfenen Denken* aus, *so dass sie tun, was man nicht tun darf ... [Denen] gilt sein grimmiger Zorn. Bedrängende Angst wird über die Menschen kommen, die Böses tun. (Röm 1,28; 2,8-9; NeÜ; Hervorhebung durch den Autor).*

Schon jetzt werden die beruhigenden Piktogramme von Männern und Frauen an getrennten Toilettentüren an öffentlichen Orten wie Flughäfen durch „Gender Open"-Schilder ersetzt.[299] Kurz nachdem das Manuskript abgeschlossen war, hat der Oberste Gerichtshof der Vereinigten Staaten am 26. Juni 2015 die gleichgeschlechtliche Ehe für verfassungsgemäß erklärt. Die schöne neue Welt der neuen Menschheit steht vor der Tür!

TEIL 2

DAHINGEGEBEN

Warum ein Hochgeschwindigkeitszug 300 Kilometer pro Stunde schnell fahren kann, leuchtet ein, wenn man die physikalischen Prinzipien hinter seiner Geschwindigkeit versteht. All die anderen Details – seine Form, sein Komfort, seine Linienführung, sogar die Farben – scheinen zu passen, wenn man erst das Prinzip der Antriebsquelle entdeckt und verstanden hat. In ähnlicher Weise versteht man etwas von der Kraft der spirituellen Bewegung in unserer Zeit, wenn man sich mit der Quelle dieser Kraft auseinandersetzt, wie wir es in Teil 1 dieses Buches getan haben. Wir haben den Motor unserer Kultur untersucht, der einmal auf einem weitgehend christlichen Konsens aufbaute und durch Säkularismus, jungsche Psychologie, die kulturellen Veränderungen der Sechzigerjahre und das Auftreten östlicher Religionen im Westen aus den Fugen geraten ist. Wir haben festgestellt, dass es Bestrebungen gibt, die polaren Prinzipien einer Kultur zu untergraben, die zutiefst von biblischen Werten und lebensbewahrenden Unterschieden geprägt ist. Wir haben uns eingestanden, dass dieses destruktive Denken weithin erfolgreich war. Aus großem Optimismus ist großer Pessimismus geworden. Die alte Kultur ist aus den Fugen geraten. Sie ist entgleist – und wer wird sie wieder aufs Gleis setzen?

Wir müssen nun das System derjenigen Weltanschauung untersuchen, die jene Auswirkungen vollkommen bejaht, die der Apostel Paulus „verworfenes Denken“ nennt und die Robert Reilly als „umfassende Rationalisierung“[300] bezeichnet. Reilly geht davon aus, dass wir einen Wendepunkt erreicht haben:

Die Macht der Rationalisierung treibt den Kulturkampf an, verleiht ihm seinen besonders revolutionären Charakter und macht seine Verfechter unermüdlich. Er mag seine Energie aus der Verzweiflung schöpfen, aber dafür ist er umso mächtiger. Da gescheiterte Rationalisierung Selbstanklage bedeutet, muss dies um jeden Preis vermieden werden. Deshalb ist die Rationalisierung von so einem starken Gefühl der Selbstgerechtigkeit und Empörung beseelt ... Dies wird notwendigerweise zu einer gemeinsamen Anstrengung. Damit es gelingt, müssen sich alle der Rationalisierung anschließen ... Da das Bedürfnis nach Selbstrechtfertigung die Komplizenschaft der gesamten Kultur erfordert, kann Verweigerung nicht geduldet werden, denn sie wäre ein potenzieller Vorwurf.[301]

Zwar verorten wir diese problematische Weltanschauung im ideologischen *Denken*, aber Ideologie wirkt sich immer auch auf das *Verhalten* aus. Das Thema ist so umfangreich, dass es eigentlich eine eigene große Studie erfordert, aber wir möchten, wenn auch nur am Rande, auf die Tatsache und den Tiefgang der von Reilly beschriebenen „Rationalisierung" hinweisen, die eine Erklärung oder Rechtfertigung ist. Der Mensch besteht aus Geist, Körper und Seele, die untrennbar miteinander verwoben sind. Die Ausformung einer heidnischen Kosmologie geht notwendigerweise mit einer bedeutsamen Veränderung auf der Tiefenebene des Sexualverhaltens einher, die sich in die Funktionsweise des Gehirns einprägt.

Das ist nur ein Beispiel dafür, wie unsere Kultur einer Kosmologie „dahingegeben" (Römer 1,24) wird, die alle Handlungen rechtfertigt, alle nachforschenden Fragen beantwortet und alle Einwände zum Schweigen bringt. Bewusster und willentlicher ethischer Widerstand ist ein trauriger Ausdruck der Auflehnung gegen Gott, den Schöpfer, und wird von ihm zur Rechenschaft gezogen. Diese Kultur hat in einer planvollen und schlüssigen Darstellung der Lüge eine umfassende Begründung für Ungehorsam geschaffen und ist dem folgerichtigen Ende der Rebellion nahegekommen. Das ist sicherlich die Stunde von Römer 1,32: „Obwohl sie Gottes Rechtsforderung erkennen, dass die, die so etwas tun, des Todes würdig sind, üben sie es nicht allein aus, sondern haben auch Wohlgefallen an denen, die es tun."

KAPITEL 7

EINE KOSMOLOGIE RADIKALER GLEICHMACHEREI

Eine neue Weisheitstradition?

In Kapitel 6 haben wir über Charles Murrays Hoffnung auf eine „große Erweckung" des amerikanischen Geistes nachgedacht, um die amerikanische Kultur zu den Tugenden ihrer Gründer zurückzubringen; und wir haben den Versuch wahrgenommen, diese Kultur durch eine programmatische Zerstörung der Polaritäten zu untergraben. Tony Schwartz, der verschiedene New-Age-Gruppen untersuchte, stieß auf eine andere Art der „Erweckung" – eine freimachende Ablehnung der ursprünglichen Gründertugenden, wie er meint, eine neue Sichtweise, die auf heidnischer Spiritualität beruht. Triumphierend verkündete Schwartz seine Entdeckung einer, wie er sie nannte, „neuaufkommenden amerikanischen Weisheitstradition", die die Menschheit retten würde.[302]

Wie merkwürdig! Amerika war einst ein Land, das Missionare aussandte, die die Wahrheit der christlichen Botschaft in der modernen Welt verbreiteten. Doch jetzt erleben wir das Erwachen einer starken, gefährlich ansteckenden und durchgängig *einsheitlichen* Kosmologie. Amerika ist zum Schöpfer und Brutkasten einer Weltanschauung geworden, die östliche Spiritualität und westlichen Pragmatismus miteinander verbindet. Sie wird als eine neue Weisheitstradition westlicher Schamanen zur Rettung des gesamten Planeten angepriesen. Christen müssen das System dieser Weisheitstradition verstehen, um einerseits ihr gegenüber das Evangelium klar zu verkündigen und um andererseits subtilen Versuchungen zu Kompromissen aus dem Weg zu gehen.

Die christliche Gemeinde muss, wenn sie wachsen will, den gegenwärtigen heidnischen Einfluss erkennen und die bewussten Pläne dieser Bewegung hin zu einer systematischen Neuausrichtung des westlichen Geistes im 21. Jahrhunderts verstehen. Die christliche Welt braucht diese Einsicht, wenn sie den schlafenden Riesen der wahren christlichen Lehre jemals wecken will.

Mächtige heidnische Weltanschauungen sind nicht neu. Ein Autor sagt über das alte Babylon: „Die Babylonier machten die heidnischen Religionen salonfähig ... Sie nahmen Kunst, Theater und Musik in die Religion auf, bis die heidnischen Ideen in den höchsten Ausdrucksformen ihrer Kultur attraktiv dargestellt wurden.“[303]

Der Glanz des heidnischen Roms hatte die gleiche Wirkung. Man fühlt sich an das urkomische Gespräch zwischen zwei jüdischen Freiheitskämpfern gegen die römische Besetzung Israels in Monty Pythons „Das Leben des Brian“ erinnert. Ein Freiheitskämpfer fragt: „Also gut. Mal abgesehen von der Medizin, den sanitären Einrichtungen, dem Schulwesen, dem Wein, der öffentlichen Ordnung, der Bewässerung, den Straßen, der Wasseraufbereitung und den allgemeinen Krankenkassen: Was, frage ich Euch, haben die Römer je für uns getan?“ Eine Stimme aus der Menge schreit: „Den Frieden gebracht!“ Der Freiheitskämpfer antwortet: „Frieden? Ach, halt die Klappe!“[304]

Es stimmt, die *Pax Romana* des kaiserlichen Roms brachte Frieden, und die Versorgung mit *panis et circensis (Brot und Spielen)* war eine attraktive Kombination – es sei denn, man war ein Sklave, ein jüdischer Freiheitskämpfer oder ein Christ. Ein neues, globales Imperium des Friedens und des Wohlstands ist das verführerische Versprechen, das uns heute angeboten wird – nicht nur zwecks individueller mystischer Erfahrungen, sondern auch zwecks einer Neudefinition des Lebens auf einem friedlichen, vereinten Planeten. Der Hindu-Guru Deepak Chopra bietet jedem Skeptiker, der die Realität der Spiritualität in den „Weisheitslehren der Welt" widerlegen kann – die, wie er behauptet, „genauso wertvoll wie die Wissenschaft" sind –, eine Million Dollar an.[305] Hier werden die neue Spiritualität und seriöse Wissenschaft als zwei gleich wichtige Bereiche vorgeschlagen, durch die Menschen Befreiung erfahren können – hübsch verpackt in einer totalisierenden, heidnischen Kosmologie.

Das Neue Zeitalter wird erwachsen

In den Sechzigerjahren, während der postmodernen Dekonstruktion des säkularen Humanismus, tauchte ein merkwürdiges spirituelles Phänomen auf, das in der westlichen Geschichte keine wirklichen Vorläufer hatte und sich selbst „New Age" nannte. Ein Strom östlicher Spiritualität vermischte sich mit einem Fluss westlicher Esoterik (der Suche nach dem wahren göttlichen Selbst) und wurde in wenigen Jahren zu einer Flut, die das verschlang, was jahrhundertelang eine historisch gewachsene, theistische *zweiheitliche* Kultur gewesen war. In dieser Zeit gingen die Beatles in den Osten, und die Gurus kamen in den Westen, und Shirley MacLaine wurde zu einer „Göttin" in der Hauptsendezeit. Konservative christliche Apologeten waren in den 1980er-und 1990er-Jahren über das Auftauchen dieser ungewöhnlichen Spiritualität sehr besorgt, bezeichneten sie aber als den neuesten religiösen Kult, der zweifellos den Weg aller spirituellen Neuerungen gehen würde. Sie lagen falsch, wie ich in meinem ersten englischsprachigen Buch[306] *The Gnostic Empire Strikes Back*[307] (dt. etwa: *Das gnostische Imperium schlägt zurück*) zu zeigen versuchte.

Auch der Philosoph Steve Bruce lag falsch, als er 2002 ihren Untergang vorhersagte.[308] Er sah die New-Age-Spiritualität als eine „seichte ... diffuse Religion ... mit geringer gesellschaftlicher

Wirkung“ an. In gleicher Weise charakterisierte der Soziologe Paul Heelas das New Age als eine „Selbstspiritualität ..., der es an der typisch säkularen Grundlage einer kritischen Überprüfung mangelt“[309]. Christopher Partridge tat diese Spiritualität als exotische, egozentrische Fokussierung auf das spirituelle Wohlbefinden des Selbst ab und fragte 2004 pointiert: „Wo sind denn die New-Age-Schulen, -Kindergärten, -Kommunen, -Hochschulen, ökologischen Wohnungsbaugesellschaften, -Zentren für Bedarfslandwirtschaft, -Häuser für die Wiedereingliederung Krimineller, -Frauenhäuser, handfesten Antirassismusprojekte und -Stadterneuerungsprogramme?“[310] Seltsamerweise ist der Begriff „New Age“ zwar praktisch verschwunden, nicht aber die dahinterstehende Idee. Warum?

Erstens wurde die marginale New-Age-Bewegung zum Mainstream und tauchte hinter dem heutigen spirituellen Mantra „Ich bin spirituell, aber nicht religiös“ wieder auf. Wer das sagt, der lehnt verbindliche Ausdrucksformen der Religion zugunsten innerer Erleuchtung ab, genau wie damals die Vertreter des New Age. Viele wählen jetzt praktische, scheinbar harmlose Wege zur Spiritualität: ganzheitliche Gesundheit, Yoga und Techniken zum Stressabbau wie Achtsamkeitsmeditation.[311] Für viele geht das Interesse nicht über Fragen der pragmatischen Nützlichkeit hinaus.

Zweitens ist das New Age erwachsen geworden und hat sich zu einer Suche nach etwas entwickelt, das über die persönliche, individuelle Erleuchtung hinausgeht. Andrew Cohen, ein Pionier des New Age, sieht einen Wandel in der zeitgenössischen Spiritualität:

> *Dieser Übergang vom Narzissmus zur Demut und zum großen Selbst ist und war schon immer die Reise des Mystikers und des Erkennenden. Je größer unser Selbst wird, nachdem wir die lähmenden Auswirkungen des Narzissmus überwunden haben, desto kraftvoller und kreativer können wir unser wertvolles menschliches Leben leben.*

> *Weil wir über unser kleines Selbst hinweggekommen sind, werden wir für ein höheres Ziel leben. Und genau das ändert alles.*[312]

Die neue spirituelle Bewegung hat sich zu einer ganzheitlichen Weltanschauung entwickelt, die auf eine künftige, veränderte Menschheit ausgerichtet ist. Diese zweite Version des New Age, die Schaffung einer Kosmologie, die das Ganze erklärt, verdient unsere volle Aufmerksamkeit. Erinnern Sie sich an die Geschichte in *The Nation,* in der es hieß, dass die Homosexuellenbewegung (damals „eine kleine und verachtete sexuelle Minderheit"), wenn sie Erfolg haben wollte, „eine umfassende Kosmologie" erfinden müsste?[313] Das hat sie getan, und zwar „gerade deshalb, weil sich die christliche Kosmologie im Bewusstsein des Westens verflüchtigt hat"[314]. 1977 sprach June Singer von der Notwendigkeit, die Vision ihres Freundes C. G. Jung von einer „neuen Menschheit" am Leben zu erhalten:

> *Was uns auf dem Weg zur ersehnten Vereinigung der Gegensätze bevorsteht ... [ist die Frage,] ob die menschliche Psyche ihr eigenes schöpferisches Potenzial verwirklichen kann, indem sie* ihre eigene Kosmologie aufbaut *und* sie mit ihren eigenen Göttern ausstattet.[315]

Der Entwicklung einer ganzheitlichen Sichtweise der Existenz wird ernsthafte Aufmerksamkeit geschenkt. Bezeichnenderweise taucht der Begriff „Kosmologie" auch in der Arbeit einer Schülerin von Thomas Berry auf: Mary Evelyn Tucker, eine Professorin, die beabsichtigte, eine systematische heidnische Vision in ihre Umweltarbeit bei den Vereinten Nationen einzubringen. Als Mitglied des Entwurfskomitees der Erd-Charta – ein Dokument, von dem sich die Vereinten Nationen erhoffen, dass es das künftige Leben auf dem Planeten bestimmen wird – wiederholte sie dasselbe welterschütternde Motiv, als sie meinte, dass die Lösung in der Entwicklung „einer neuen Kosmologie" läge.[316] Sie versuchte, das Ziel ihres Mentors weiterzuentwickeln, „Lösungen ..., umfassend genug ..., um eine neue Form menschlichen Daseins auf dem Planeten zu fördern ..., unser großes Werk“ zu finden.[317]

Eine heidnische Kosmologie für alle

Ich bestehe auf dem Begriff „Kosmologie“, weil hier scheinbar unzusammenhängende Elemente in der modernen Kultur tatsächlich als organische Elemente einer in sich schlüssigen Weltanschauung betrachtet werden. In der Tat stellt die Entwicklung einer umfassenden heidnischen Kosmologie die zweite Geburt des New Age dar. Jetzt widmet sie sich dem „großen Werk“, einer klaren Ausdrucksform des Heidentums. Maßgeblich beteiligt an dieser neuen Geburt ist der Philosoph Ken Wilber.

Deepak Chopra bezeichnet Wilber als einen der wichtigsten Pioniere auf dem Gebiet des Bewusstseins in diesem Jahrhundert. Robert Kegan von der *Harvard Graduate School of Education* betrachtet ihn als einen echten Nationalschatz, und Leiter der *Emerging Church* wie Rob Bell und Brian McLaren sind begeisterte Wilber-Anhänger. Ken Wilber, der in einer konservativen christlichen Gemeinde aufwuchs und jetzt ein wichtiger Verfechter der buddhistischen Mystik ist, schlägt „eine Theorie von allem“ vor, wie schon der Titel seines Buches *A Theory of Everything*[318] (dt.: *Ganzheitlich handeln*) besagt. Natürlich beschränkt Wilber seine Forschung nicht auf New-Age-Seminare, Schwitzhütten-Trancen oder Hypnose-Sitzungen, die dem persönlichen spirituellen Wachstum dienen. Seine Vision ist eine weitreichende Kosmologie:

> *Eine „integrale Vision“ – oder eine echte Theorie von allem – versucht, Materie, Körper, Verstand, Seele und GEIST zu umfangen, so wie sie sich im Ich, in der Kultur und in der Natur manifestieren. Es ist eine Vision, die umfassend, ausgewogen und alles einschließend sein*

> *will. Sie muss daher Kunst, Moral und Ethik umfangen und zugleich wissenschaftliche Disziplinen einbeziehen – von der Physik bis zur Spiritualität, von der Biologie bis zur Ästhetik, von der Soziologie bis zum kontemplativen Gebet. Sie muss erkennbar werden in integraler Politik, integraler Medizin, integralem Geschäftsleben, integraler Spiritualität.*[319]

Hier sind all die Elemente im Ansatz vorhanden, die Partridge beim ersten Aufkommen des New Age so vermisste: „Schulen, Kindergärten, Kommunen, Hochschulen, ökologische Wohnungsbaugesellschaften, Zentren für Bedarfslandwirtschaft" usw. In dieser umfassenden kosmologischen Umklammerung weist Wilber die postmoderne Ablehnung von „Metanarrativen" als „gestrig" und trügerisch selbstreferenziell zurück.[320] Der Titel seines Buches weist auf seine Absicht hin, sich allem Denken aus einer „ganzheitlich integralen Vision" zu nähern, die alles – einschließlich aller Gegensätze – auf der Grundlage des buddhistischen Verständnisses der *Einsheit* miteinander verbindet. Wilber spricht von „einem starken Bedürfnis auf der ganzen Welt, eine ausgewogenere und flächendeckende ganzheitliche Politik zu finden"[321]. Sein ganzheitliches Paradigma wurde vom Weltwirtschaftsforum in Davos, den Vereinten Nationen und dem Kinderhilfswerk der Vereinten Nationen (UNICEF) übernommen. Es gibt auch viele ganzheitlich integrale Einrichtungen: ganzheitliche Wirtschaft, ganzheitliche Medizin, ganzheitliche Bildung, ganzheitliches Yoga oder ganzheitliche Psychologie. Wilber ist entschlossen, eine funktionierende, alles umfassende Weltanschauung zu schaffen, die die Stimme der *Zweiheit* in der Kultur ein für alle Mal beseitigen wird.

Übertreibe ich? Tatsächlich habe ich im Jahr 2000 beobachtet, wie sich dieser von Natur aus religiöse heidnische Zukunftstraum anbahnte. Ich nahm an einem Wochenendkongress in Berkeley mit dem Titel „Transforming World Views for the Planetary Era" teil (Dt. etwa: „Transformation der Weltanschauungen für das planetarische Zeitalter"). Er wurde vom *California Institute of*

Integral Studies zu Ehren von Thomas Berry und seinem Buch *The Great Work* veranstaltet, das unter dem beherrschenden Einfluss von C. G. Jung entstand.[322] Wie interessant: Begriffe wie „Weltanschauungen“ und „Kosmologie“ in unserer postmodernen Ära – jener Ära, die doch mit allen Weltanschauungen und Metanarrativen Schluss machen sollte! Einige der Redner hatten bereits dafür gesorgt, ihre Ideen in die oben erwähnte Erd-Charta einzubringen.

Einen weiteren Beleg für diese neuartige Spiritualität sah ich 2011 in einem Online-Forum mit dem Titel „Beyond Awakening: The Future of Spiritual Practice“ (dt. etwa: „Über die Erweckung hinaus: die Zukunft der spirituellen Praxis“). Mir war sofort klar, dass „über die Erweckung hinaus“ auch „über persönliche Erleuchtungserfahrungen hinaus“ heißen könnte. Innerhalb weniger Wochen verzeichnete dieses Forum 35 000 Teilnehmer. Gefeiert als „das wichtigste Gespräch für den heutigen Planeten“, bestand das Programm aus Interviews mit frühen Propheten des New Age: Jean Houston, Barbara Marx Hubbard, Surya Das, Ram Dass und Michael Murphy sowie jüngeren Vertretern wie Ken Wilber. „Beyond Awakening“ beabsichtigt, eine funktionierende Weltgemeinschaft zu schaffen, in der zweifellos ein sehr spiritueller, heidnischer Cäsar als Herrscher regieren wird.

Solche Visionäre sind bei vielen globalen Treffen und Organisationen vertreten und haben zunehmenden Einfluss auf die kulturellen und politischen Führer der Welt. Die heutigen Spiritualisten der zweiten Generation nennen sich selbst „kulturell Kreative“, „Progressive“, „Brights“ oder „ganzheitliche Spiritualisten“. Dem Internet zufolge gab es zur Zeit der Abfassung dieses Buches 50 Millionen kulturell Kreative in den Vereinigten Staaten und 80 bis 90 Millionen in der Europäischen Union, die vorhatten, bis 2020 mit ihrem klar definierten Plan für den „neuen Menschen“ die Führung in der westlichen Kultur zu übernehmen. Wesentlich für diese Übernahme ist eine Weltanschauung, die aufgrund ihrer Weite Kritiker zum Schweigen bringen und Unwahrheiten als vollkommen akzeptabel erscheinen lassen kann.

Eine Kosmologie der befreiten Politik

Moderne „Läuterung"

Der säkulare Soziologe Ernest Sternberg erkennt die Bedeutung dieser wachsenden kulturellen Bewegung und bezeichnet sie als „Weltläuterungsbewegung"[323]. Als Spezialist für Stadtplanung und Katastrophenschutz an der *University at Buffalo* konzentriert sich Sternberg ganz auf die soziologischen und politischen Aspekte dessen, was er als eine mächtige, weltverändernde Bewegung ansieht. Er kommt zu dem Schluss, dass „wir uns inmitten des weltweiten Aufstiegs einer nicht religiösen, chiliastischen [apokalyptischen] Bewegung befinden, die eine globale menschliche Erneuerung predigt und die Apokalypse als ihre schreckliche Alternative vorhersagt"[324].

Sternberg zufolge ist die Weltläuterungsbewegung ein breites Bündnis gesellschaftlicher Bewegungen, die eine neue Ära sozialer Gerechtigkeit und nachhaltiger Entwicklung anstreben, in der die verschiedenen Kulturen die Diskriminierung beenden und die Erde harmonisch aufteilen werden. Die Bewegung prophezeit eine Regierung durch Basisorganisationen *(grassroots organizations),* die reiner sind als frühere Demokratien, und hat eine ausgesprochen globale Vision: „Wenn die alten nationalstaatlichen Grenzen verschwinden, werden sich die Gemeinschaften weltweit durch sogenannte Nichtregierungsorganisationen miteinander abstimmen."[325] Als Beispiel für die Macht der Bewegung führt Sternberg das Weltsozialforum an, das im Januar 2009 in Belém, Brasilien, stattfand und 113 000 Teilnehmer aus 114 Ländern zählte, die 5800 Organisationen vertraten, sowie 2500 Journalisten.

Sternberg selbst glaubt jedoch nicht an die Läuterung der Welt und bezeichnet sie als einen Mythos, vergleichbar mit dem „neuen Menschen" des alten Marxismus. Der moderne Mythos glaubt, dass „es jetzt möglich ist, inmitten der gegenwärtigen Korruption und Zersetzung ein herrliches Neues Rom zu errichten"[326]. Sternberg vermutet, dass die gegenwärtige utopische

Ideologie zu einem neuen totalitären System werden wird, dessen aktueller Feind das vergiftete Imperium der untergehenden westlichen christlichen Zivilisation ist.[327]

Diese zeitgenössische Bewegung hat ihre Wurzeln in der Moderne. Der „geläuterte" Blick auf die Zukunft ist der Auffassung verpflichtet, dass der Staat eine perfekte Gesellschaft auf Erden schaffen kann. Während das alte „Imperium" sowohl den Menschen als auch den Staat als gefallen und fehlerhaft ansah – und deshalb Grenzen und Kontrollen benötigte –, stuft die neue Vision den Menschen und die menschlichen Institutionen als perfektionierbar ein. Sie setzt auf politische Macht als Mittel zur utopischen gesellschaftlichen Umgestaltung. Ziel ist, den mit dem Marxismus des 19. Jahrhunderts begonnenen Prozess der kollektivistischen Umgestaltung fortzusetzen, um zu einer gleichmäßigen Verteilung aller menschlichen Güter zu gelangen, wobei, wie Orwell schrieb, „einige gleicher sind als andere".

Nun hat die neue Linke seit Langem sowohl das Erotische als auch das Wirtschaftliche einbezogen, und die Befreiung umfasst sowohl das Gesellschaftliche als auch das Psychologische.

Politische und psychologische Befreiung

Im 20. Jahrhundert förderten die Frankfurter Schule und Denker wie Antonio Gramsci, Herbert Marcuse und Saul Alinsky eine überarbeitete Version der marxistischen Befreiungslehre des 19. Jahrhunderts für Westeuropa und die Vereinigten Staaten. Diese Männer führten die marxistische Theorie in logischen Schritten weiter.

Gramsci war einer der wichtigsten marxistischen Denker des 20. Jahrhunderts und eine Schlüsselfigur des westlichen Marxismus. Er befürwortete die Bildung von Arbeiterräten und lehnte eine gewaltsame Revolution ab. Stattdessen drängte er seine Mitmarxisten, die „ideologische Vormachtstellung" insgeheim durch einen „langen Marsch durch die Institutionen" wie die Medien, die Wissenschaft und die politischen Parteien zu erreichen. Er glaubte, dass eine marxistische Revolution friedlich erreicht werden könnte, indem man die Menschen dazu brächte, in marxistischen Bahnen zu denken und zu handeln, ohne die Begriffe zu benutzen. Der Staat würde dann in Form eines demokratischen Prozesses marxistisch werden. Seine Gedanken haben Marcuse und Alinsky stark beeinflusst.

In den Sechzigerjahren wurde Herbert Marcuse amerikanischer Staatsbürger und versuchte, den Marxismus für die neue Welt neu zu definieren. Er war der Ansicht, dass das neue Maß an wirtschaftlicher und gesellschaftlicher Freiheit, das der moderne Kapitalismus gebracht hatte, „den Arbeiter" in „freiwillige Knechtschaft" und selbst auferlegte Dummheit hineinversetzt habe. Wie bereits erwähnt, forderte Marcuse in Anlehnung an Jung und Freud eine „polymorphe Sexualität" und die Aktivierung „verdrängter oder gefangen gehaltener organischer, biologischer Bedürfnisse"[328], die er als „Lebenstriebe"[329] bezeichnete. Dieser neue Marxismus wollte nicht nur die Arbeitsbedingungen der Entrechteten verändern, sondern auch die menschliche Psyche, die in den Ketten göttlich geschaffener kosmischer Strukturen gefangen ist.

Auch wenn sie im Moment noch weitgehend unbemerkt agieren, haben die heutigen progressiven Amerikaner der harten Linken den politischen und kulturellen Wind in ihren Segeln. „Wir sind die Unterminierer, und das ist unsere Zeit", erklären die Radikalen, die daran arbeiten, „Amerika [in eine] neue Gesellschaft umzugestalten"[330]. So lautet die wichtige Definition ihrer unmittelbaren Ziele: „Etwas zu unterminieren bedeutet, sein Fundament zu schwächen, um seinen letztendlichen Zusammenbruch herbeizuführen."[331]

Das leitende Buch dieser neuen Bewegung ist *Imagine: Living in a Socialist USA*[332] (dt. etwa: *Stell dir vor: Leben in den sozialistischen USA*), das Paul Buhle, der Autor von *Marxism in the United States*[333], als „das beste, aufschlussreichste und lebendigste Werk über den Sozialismus, das seit Langem erschienen ist"[334], bezeichnete. Zu den Autoren gehört Frances Fox Piven, eine bekannte Theoretikerin des Sozialismus und der Gemeinwesenarbeit.

In den 1960er-Jahren entwickelte sie zusammen mit Richard Cloward einen Plan, um Chaos hervorzurufen: Indem man die Regierungssysteme absichtlich bis zum Zusammenbruch überfordert, ebnet man den Weg für staatliche Eingriffe und ein kollektivistisches System.

Piven war einst die Mentorin des jungen Barack Obama[335] und später seine Professorin an der *Columbia University*. Gemeinsam mit ihm war sie Mitglied der „sozialistischen" *New Party* in Chicago, die sich eng an die Vorgaben des Neomarxisten Saul Alinsky hielt, indem sie revolutionäre Schlagworte bewusst vermied.[336] *Imagine* stellt ganz klar fest, dass Sozialismus nicht bloß ein wirtschaftliches Programm zur Einkommensumverteilung ist, sondern eine radikal egalitäre Gesellschaft beabsichtigt.[337] Diese Version des Neomarxismus, die diesen Begriff selbst sorgfältig vermeidet, ist „neo", weil sie über die antikapitalistische Befreiung des Arbeiters, die immer noch dazugehört, hinausgeht in Richtung einer Befreiung der Psyche und der sexuellen Fantasien. Sie ist eine Kosmologie, und darum schließt sie auch Ansichten über die Sexualität mit ein. Wie ganz offen gesagt wird, ist sie ein umfassendes Programm menschlicher „Identitätspolitik"[338].

> *Unsere Vorstellung von Sozialismus beschränkt sich nicht auf die Umstrukturierung von Arbeit und Wirtschaftstätigkeit. Sie umfasst die Veränderung aller gesellschaftlichen, kulturellen, politischen und familiären Strukturen und Machtverhältnisse ..., aller institutionellen Kräfte, die unser Leben betreffen.*[339]

David Horowitz war der Sohn jüdischer Mitglieder der Kommunistischen Partei und in den Sechzigerjahren überzeugter Marxist in Berkeley. Allerdings sah er, dass die von den Radikalen eingesetzten gewaltsamen Mittel die Revolution nicht herbeigeführt hatten. Mit der „Reinheit" der Radikalen „wollten wir in den 1960er-Jahren nicht behaupten, dass wir Demokraten wären ... Deshalb sind wir wohl gescheitert ...Und deshalb haben [die heutigen Marxisten] jetzt Erfolg"[340]. Er stellt fest, dass die zeitgenössische neue Linke die „Technik der Tarnung" gelernt hat, was zu einem großen Teil auf die einflussreichen Lehren von Saul Alinsky zurückzuführen ist, einem zutiefst hingegebenen Marxisten aus Chicago und einem Experten für Tarnung und sprachliche Täuschung.

Eine Kosmologie der Naturverehrung

Die Sorge um die Umwelt ist gut und notwendig, aber sie kann auch als Sprungbrett für die Ausweitung radikal-utopischen Denkens dienen. Der Umweltschützer Paul Hawken behauptet in seinem Buch *Blessed Unrest* (dt. etwa: *Segensreiche Unruhe*), dass es mindestens eine oder möglicherweise sogar zwei Millionen Umweltorganisationen gibt,[341] welche „die größte gesellschaftliche Bewegung in der Geschichte der Menschheit"[342] darstellen und weitgehend von der Generation der Millennials getragen werden. Doch welchen ideologischen Charakter hat diese „größte gesellschaftliche Bewegung"? Sie neigt zu kollektivistischen politischen Lösungen, und ihre religiöse Inspiration ist die Anbetung der Natur.[343] Hawken bestätigt, dass das Herz und die Seele der Umweltbewegung spiritueller Natur sind. Es geht nicht um irgendeine Spiritualität, sondern um „die indigene Kultur und die spirituellen Praktiken Eingeborener"[344] sowie buddhistische Gedanken, die das Konzept einer externen göttlichen Autorität und „starrer Kategorien"[345] beseitigen wollen. Damit wird die biblische Offenbarung durch die klassische *Einsheit* ersetzt. Mit diesem verdeckten Ansatz scheint es gelungen zu sein, viele ahnungslose Glieder der heranwachsenden Generation für die neue Kosmologie zu gewinnen.

Die ökospirituelle Agenda wird an den Universitäten durch den Begriff „Nachhaltigkeit" eingeführt, der nun weiter als nur ökologisch gefasst ist und Elemente einer multikulturellen Nachhaltigkeit von Pansexualität, Sozialismus und Interreligiosität einschließt. Das Leben wird nur dann nachhaltig sein, wenn wir alle eins sind und alle Unterschiede beseitigt werden.

Für die große Zahl der jugendlichen Konvertiten, die bereits in die naturverehrende Spiritualität der zeitgenössischen Tiefenökologie eingeführt wurden, geht die Zusammenarbeit zweifellos in einen religiösen Synkretismus über. Wie Sie sich erinnern, wird dieser die „immerwährende Philosophie“[346] genannt, die die Erde retten wird. Die alternden Vertreter des New Age, die jetzt die kulturell Kreativen sind, haben eine Motivation, die die Entdeckung der „Erleuchtung“ in den Sechzigerjahren übertrifft, und ermahnen ihre Anhänger nun zu völliger Hingabe. Andrew Cohen, Gründer der Zeitschrift *EnlightenNext* und wichtiger Impulsgeber in der Bewusstseinsveränderungsbewegung, hat gesagt:

> *Wenn wir mit dem spirituellen Weg beginnen, geht es meistens nur um uns selbst. Aber wenn wir dranbleiben, überschreiten wir schließlich eine Schwelle, an der ... wir erkennen, dass unsere eigene Entwicklung immer nur der Evolution des Bewusstseins diente ... Ich glaube, dass von dort aus ein neuer ethischer Kontext entstehen wird.*[347]

Diese neue Entschlossenheit zu persönlicher Mystik, kollektiver sozialer Gerechtigkeit und egalitärer Politik ist vielleicht der Beginn einer neuen, allumfassenden und verführerischen religiösen Vision. Die Utopie wird den Menschen verwehrt bleiben, weil die Sünde unweigerlich zur Dystopie führt.[348] Aber unsere gottgegebene Sehnsucht nach Utopie kann nicht ausgelöscht werden, und wir werden wieder aus eigener Kraft versuchen, ihr noch eine Chance zu geben.

Eine Kosmologie der ganzheitlichen sexuellen Befreiung

In dem zeitgenössischen Streben nach einer klassenlosen, egalitären Gesellschaft, in der alle Privilegien beseitigt werden müssen, ist die Unterscheidung zwischen den Geschlechtern das letzte

Bollwerk von Unterschiedlichkeit und muss daher abgeschafft werden. Da die von uns untersuchte Weltanschauung heidnische Wurzeln hat, wird sie natürlich die Homosexualität idealisieren, wie das die heidnische Tradition schon immer getan hat.

Homosexualität ist nun das bestimmende Thema für ein allgemeines Programm zur Transformation der Menschheit in eine *einsheitliche* Wirklichkeit. Hinter dieser zunächst als Bürgerrechtssache dargestellten, scheinbar noblen Forderung verbarg sich die Absicht, die angenommene Heteronormativität infrage zu stellen und zu verändern und damit das Verständnis von Sexualität für alle neu zu definieren. Wie in Kapitel 5 bereits erwähnt wurde, hieß es im Manifest der *Gay Revolution Party* von 1970: „Die homosexuelle Revolution wird eine Welt hervorbringen, in der alle gesellschaftlichen und sinnlichen Beziehungen homosexuell sein werden und in der Homo- und Heterosexualität unverständliche Begriffe sein werden."

Ausgehend von einem *zweiheitlichen* Verständnis des Lebens ist leicht zu erkennen, dass sich die verschiedenen Aspekte dieser heidnischen Kosmologie als Aspekte derselben Weltanschauung gegenseitig ergänzen. Wenn der Sozialismus nicht nur ein wirtschaftliches Programm zur Einkommensumverteilung ist, sondern auch ein gesellschaftliches Programm der radikalen Gleichstellung (Egalitarismus), dann werden wir mit dem Fortschreiten des Programms folgende Veränderungen feststellen:

- Die traditionellen Normen des Männlichen und Weiblichen werden der Vergangenheit angehören;
- LGBTQ-Personen werden den gleichen Zugang zu „allen kulturellen, gesellschaftlichen, politischen und wirtschaftlichen Strukturen" haben; und
- die Ehe wird für alle gelten, ohne dass damit besondere Privilegien verbunden sind.

Diese sexuelle Agenda ist ein wesentliches Element einer apokalyptischen Umgestaltung der menschlichen Gesellschaft und einer utopischen Neugestaltung der menschlichen Identität, in der alle polaren Unterscheidungen und alle „-ismen" – z. B. Klassizismus, Rassismus, Sexismus, Heterosexismus und Ageismus (Altersdiskriminierung) – beseitigt wurden und in der alle sexuellen Ausdrucksformen üblich sind. Auf höchster staatlicher Ebene unterzeichnete Präsident Obama im Juli 2014 eine Anordnung, die die sexuellen Präferenzen aller Bundesbediensteten, die sich als LGBT bezeichnen, legitimiert. Es gibt keinen Grund zu der Annahme, dass diese Aufstellung nicht anwachsen wird oder diese vier Kategorien der erweiterten Aufstellung LGBTQQIAAP übergeordnet sind.[349] In der Tat scheint es keinen Grund zu geben, eine zukünftige Ausweitung zu unterbinden, die z. B. Zoophilie (Sex mit Tieren) und alle Formen des sexuellen Sadismus einschließt – alles im Namen der Bürgerrechte.

1997 umriss die Homosexuellenaktivistin Paula Ettelbrick klar die Ziele der Bewegung: „Queer zu sein ist mehr, als mit einer Person des gleichen Geschlechts zu schlafen ... Es bedcutet, die Struktur unserer Gesellschaft zu verändern ... Das Ziel [ist] die radikale Neuordnung der gesellschaftlichen Auffassung von Familie."[350]

Eine Kosmologie der vollkommenen Gleichheit

Der Vorstoß für die Rechte von Homosexuellen ist kein Zugeständnis, das wir einem winzigen Prozentsatz unserer Bevölkerung im Rahmen eines Kompromisses machen, der der Gesellschaft keinen wirklichen Schaden zufügen würde. Diese soziale Bewegung, die mit ethischer Inbrunst und unter Berufung auf Antidiskriminierung, Gleichberechtigung, Gleichstellungsgesetze und die Überprüfung von Privilegien vorangetrieben wird, dekonstruiert grundlegende gesellschaftliche Zusammenhänge wie Familie, Geschlecht und soziale Errungenschaften. Es gibt kein „leben und leben lassen", wenn man es mit den Verfechtern dieser Absichten zu tun hat. Der *Employment Non-Discrimination Act* (dt.: *Gesetz zur Nichtdiskriminierung in der Beschäftigung*), der verlangt, dass Homosexualität als normale Lebensweise behandelt wird, würde Zivilprozesse gegen Christen in den USA auf Bundesebene ausweiten und jeden Menschen, der gottgefällig lebt, mit teuren Zivilklagen bedrohen. Die Befürworter der hier erörterten Kosmologie werden so lange Druck ausüben, bis die Regierung Zwangsmaßnahmen gegen jeden verhängt, der die moralische Gutheit homosexueller Partnerschaften nicht bejaht.

Der amerikanische Geist, der aufgrund der nordamerikanischen Geschichte der Sklaverei von Natur aus sensibel für Rassismus ist, reagiert auf den gegenwärtigen Ruf nach Gleichberechtigung, indem er der Privilegierung der Weißen ein Ende setzt und den „nachhaltigen Rassismus“[351] anprangert. Rassismus wird jedoch sofort mit der Religion der weißen Gründer Amerikas, dem Christentum, in Verbindung gebracht. Die Progressiven sind sich darüber im Klaren, dass die Tiefe und die Macht der traditionellen christlichen Kultur untergraben und beseitigt werden müssen, wenn völlige Gleichheit erreicht werden soll. Der progressive Autor Paul Kivel beschreibt die alte Kultur als christliche Vorherrschaft, d. h. als „die alltägliche, allgegenwärtige, tief sitzende und institutionalisierte Dominanz christlicher Werte, christlicher Institutionen, Leiter und Christen als Gruppe, von der in erster Linie die christlichen Führungseliten profitieren“[352]. Aus dieser Sichtweise ist die gleichgeschlechtliche Ehe ein Thema von entscheidender politischer und ideologischer Bedeutung.

So wird die amerikanische Verfassung als männliches Dokument weißer Privilegierung, als böser Brutkasten des Kapitalismus und der Heteronormativität bezeichnet. Diese verfassungsfeindliche Ideologie wird zur Speerspitze künftiger sozialer Gerechtigkeit in einer kommenden klassenlosen Gesellschaft, in der alle Formen von Privilegierung – rassische, sexuelle, soziale, religiöse und wirtschaftliche – letztlich beseitigt werden.[353] Interessanterweise lehrte Alinsky, „dass es die Aufgabe der Radikalen ist, die Menschen der Mittelklasse gegen sich selbst aufzubringen, sie zu Instrumenten ihrer eigenen Zerstörung zu machen“[354]. Das ist die letzte Form der Multikulturalität, die die Verfassung dämonisiert und die schließlich durch den beschönigend „progressiver Konstitutionalismus“ genannten Prozess verändert wird. Diesem Ansatz zufolge ist die Verfassung ein dynamisches Dokument, das im Licht der progressiven Tradition interpretiert werden muss.[355]

Wir beginnen zu verstehen, warum die progressive Vision so radikal ist. Wie weit diese Nivellierung gehen könnte, zeigt die Klage von Studenten an amerikanischen Elitehochschulen gegen die Verwaltung dcs *Dartmouth College* wegen dessen institutioneller und struktureller „Mikro-Aggression“ und Gewalt. Sie prangerten dessen „rassistische, klassenbewusste, sexistische, heterosexistische, transphobe, fremdenfeindliche und behindertenfeindliche Strukturen“ an und forderten „mehr Frauen und Farbige [im] Lehrkörper; die Übernahme von Geschlechtsumwandlungsoperationen in die Krankenversicherung des Colleges; die Zensur des Bibliothekkatalogs wegen beleidigender Begriffe; und die Einrichtung ‚geschlechtsneutraler Toiletten‘ in allen Einrichtungen auf dem Campus, insbesondere auch in den Umkleideräumen für den Sport“ – und das alles im Namen der Gleichheit.[356]

Spirituelle Verflechtungen

Diese utopische Vision hat eine lange spirituelle Geschichte. Das Ideal der Alchemisten des Mittelalters beinhaltete „die Vereinigung von Gegensätzen ..., die Verschmelzung von Männlichem und Weiblichem, Gutem und Bösem, Leben und Tod, deren Vereinigung, so glaubten sie, schließlich die vervollkommnete und vollendete, ideale Persönlichkeit namens Selbst erschaffen würde“[357]. Die infrage stehende utopische Kosmologie weiß, wie tief der christliche Glaube die westliche Kultur geprägt hat, und sie beabsichtigt die Zerstörung der „bürgerlichen“ jüdisch-christlichen Kultur als ersten Schritt in Richtung einer besseren Welt. Um dies zu erreichen, müssen ihre Befürworter die Kultur im Bereich der Wirtschaft, des Militärs, der Psychologie und der Ethik systematisch schwächen. Sie wissen auch, was nötig ist, um eine wiederbelebte heidnische Kosmologie zu etablieren, und dulden keine halben Sachen. Sie wollen alles oder nichts. Das Ziel ist die vollständige Neugestaltung der menschlichen Identität.[358]

Wir können nicht in die Zukunft sehen, um zu wissen, ob der Plan aufgehen wird, aber wir müssen der Bewegung offen entgegentreten, die versucht, unserer Kultur die fragile Bindung an die *Zweiheit* zu entreißen. An diesem Punkt nimmt eine solch mächtige Kosmologie einen unverkennbar religiösen Charakter an. Man fühlt sich an das bereits in Kapitel 4 zitierte Ziel der okkulten Geheimgesellschaft des *Hermetic Order of the Golden Dawn* im 19. Jahrhundert erinnert: „Das *große Werk* ist vor allem die Schöpfung des Menschen durch sich selbst, d. h. die volle und ganze Übernahme seiner Fähigkeiten und seiner Zukunft; es ist vor allem die vollkommene Emanzipation seines Willens."[359]

Sternbergs Analyse der „Läuterung der Welt" ist richtig, geht aber nicht weit genug. Wie die bereits in Kapitel 6 erwähnte soziologische Analyse von Murray erfasst sie die wahre Kraft der Bewegung nicht: den Besitz einer neuen, emanzipatorisch-freizügigen Kosmologie, die nicht nur Politik und Wirtschaft, sondern auch Sexualität und Spiritualität umfasst. Die mit der Ideologie der revolutionären sexuellen und spirituellen Befreiung verbundene soziologische Analyse bildet eine mächtige und einflussreiche Bewegung, die entschlossen ist, die Welt neu zu erfinden. In dem Maß, wie die Politik allumfassender wird, wird sie auch religiöser und erhebt den Anspruch, alle physischen und spirituellen menschlichen Sehnsüchte zu stillen und eine bessere Welt herbeizuführen.

Um eine wirksame christliche Antwort zu formulieren, ist ein umfassendes Verständnis dessen, was auf uns zukommt, unerlässlich. Die Epoche, in die ein solches Denken die Geschichte des Westens hineinführt, ist nicht mehr nur postchristlich oder postmodern, sondern trägt einen anderen, überraschenden Namen: postsäkular.

KAPITEL 8

HEIDNISCHE KOSMOLOGIE DER SYNTHESE: DIE VEREINIGUNG VON VERNUNFT UND GEIST

Jede gute Geschichte hat ein Happy End. Das kommende Zeitalter, das uns bevorsteht, ist weder postchristlich noch postmodern, sondern postsäkular. Dieses neue Kapitel in der Spiritualität beinhaltet „eine erneuerte Offenheit für Fragen des Geistes, während die säkularen Gewohnheiten des kritischen Denkens beibehalten werden“[360]. Es signalisiert das Ende des materialistischen, säkularen Humanismus und eine endgültige Synthese von Verstand und Geist in der kulturellen Bejahung der *einsheitlichen* Unwahrheit.

Wir stehen vor der Erschaffung eines Weltbildes, das die Weltanschauung, die die westliche Zivilisation überhaupt hervorgebracht hat, als überholten intellektuellen und spirituellen Aberglauben verbannen will. Nachdem das christliche Erbe des Westens jahrzehntelang untergraben wurde, macht die neue utopische, totalitäre Vision, die von einem Eindruck historischer Bestimmung getragen wird, durch selektive Toleranz deutlich, dass es in Zukunft nur noch einen Weg – die Schnellstraße – geben wird.

Die große Synthese: Spiritualität und Wissenschaft

Im Jahr 2009 veröffentlichte Mike King, ein ehemaliger Forschungsstipendiat der *London Metropolitan University,* ein Buch mit dem spannenden Titel *Postsecularism: The Hidden Challenge to Extremism*[361] (dt. etwa: *Post-Säkularismus: Die verborgene Herausforderung des Extremismus*), in dem er die wichtigsten Merkmale einer neuen Denkweise skizziert.[362] Er erörtert, dass der Postsäkularismus einen mittleren Weg der Vernunft zwischen zwei heute nicht mehr existierenden Lebens- und Denkweisen verfolgt. King versucht zu zeigen, dass diese Denkweise „nicht gelten lässt, dass die Vernunft die Religion ausschließen muss", aber wie alle Multikulturelle, die etwas auf sich halten, wendet er sich gegen religiösen Extremismus. Unter „religiösem Extremismus" versteht er entweder den extremistischen Theismus, „die alte Religio" der Bibel, die als „Aberglaube" abgetan wird, oder den extremistischen Atheismus, der als selbstsicherer, dogmatischer Rationalismus abgetan wird. King bestätigt

1. den Untergang des säkularen Humanismus,
2. den Rückzug des Christentums als wichtigste kulturelle Kraft und
3. die explosionsartige Zunahme des Spirituellen.

Mit anderen Worten: Die postsäkulare Ära kann für sich in Anspruch nehmen, auf der richtigen Seite der Geschichte zu stehen, indem sie den Triumph einer heidnischen Kosmologie sowohl über den materialistischen, säkularen Humanismus als auch über den biblischen Glauben verkörpert. Sie entscheidet sich für einen spirituellen Cocktail aus Zutaten, die von der religiösen Linken über die neue Wissenschaft bis hin zu einer reifen New-Age-Spiritualität und einem intensiven Mystizismus reichen.[363] Diese Art des Denkens wird vom Dalai Lama befürwortet, der zu einer Wiederentdeckung der Spiritualität „jenseits der Religion" und zum Zusammengehen von Spiritualität und Wissenschaft aufruft.[364] Die spirituelle Mythologie mit einer entschieden nicht christlichen Ausrichtung wird heute als ein zulässiges Forschungsgebiet für ehemals kritische, intellektuelle säkulare Humanisten angesehen. Richard Tarnas versucht, die alten Rationalisten für sich zu gewinnen, indem er diese neue intellektuelle Offenheit gegenüber der Spiritualität als den Höhepunkt der menschlichen Entwicklung beschreibt, als den Moment, in dem „der menschliche Verstand ... ein entscheidendes Stadium der Transformation von höchster Bedeutung ... als authentischen Ausdruck der Entfaltung der Natur erreicht“[365].

Der Einfluss von C. G. Jung

Mit dieser zeitgenössischen Synthese zwischen Vernunft und Geist kehrt C. G. Jung von den Toten zurück. Seine psychologischen und wissenschaftlichen Theorien des Unbewussten sind für diese neue Konstruktion entscheidend, die als wesentliche Brücke in die postsäkulare Ära angesehen wird. Tarnas stellt fest:

> *In der Tat schien die moderne Psyche die Dienste der [jungschen] Tiefenpsychologie immer dringender zu benötigen, da sich ein tiefes Gefühl spiritueller Entfremdung und andere Symptome sozialer und psychischer Not immer weiter ausbreiteten. Da die traditionellen religiösen Sichtweisen keinen wirklichen Trost mehr boten, nahm die Tiefenpsychologie selbst, zusammen mit ihren zahlreichen Ablegern, Merkmale einer Religion an. Sie bot dem modernen Menschen einen neuen Glauben, innere Erneuerung und Wiedergeburt, Offenbarungen plötzlicher Erkenntnis und einen eine spirituelle Bekehrung verheißenden Weg zum seelischen Heil.*[366]

Mit „traditionellen religiösen Sichtweisen“ meint Tarnas das Christentum. Für ihn eröffnet die jungsche Tiefenpsychologie die Möglichkeit einer neuen Synthese, die die alte wissenschaftliche

Methodik mit einschließt, die nun „durch das Wiederaufleben und das weitverbreitete Interesse an verschiedenen archaischen und mystischen Auffassungen der Natur gestärkt und oft stimuliert wird“[367]. Tarnas lässt keinen Zweifel daran, was in der neuen Synthese enthalten sein wird: „Platonische und vorsokratische Philosophie, Hermetik, Mythologie, die Mysterienreligionen ..., Buddhismus und Hinduismus ..., Gnosis und die bedeutenden esoterischen Traditionen ..., neolithische europäische und indianische spirituelle Traditionen – *sie alle versammeln sich jetzt auf der geistigen Bühne, als ob sie zu einer Art sich zuspitzender Synthese zusammenkommen.*“[368] Man beachte das völlige Fehlen jeglicher Erwähnung von religiöser *Zweiheit.*

Dies geschieht sogar in den großen Kirchen. Im Zuge der Rechtfertigung der Durchführung eines islamischen Gebetsgottesdienstes in der *National Cathedral* in Washington am 14. November 2014 bezeichnete der Dekan der Kathedrale, Rev. Gary Hall, die biblischen Ansichten über Gott und Jesus als „extremistisches Christentum“ und erklärte: „Ich habe viel mehr mit progressiven Juden, Muslimen, Hindus und Buddhisten gemeinsam als mit bestimmten Leuten in meiner eigenen Tradition, den fundamentalistischen Christen.“[369] Auch Mike King betont ausdrücklich die postsäkulare Abhängigkeit von Jung, indem er auf das Beispiel des transpersonalen Psychologen Stanislav Grof hinweist, eines Postsäkularisten, der vom Atheismus, Szientismus, Marxismus und Sigmund Freud über die Psychologie von C. G. Jung zur Spiritualität fand.[370] Da von seiner Spiritualität behauptet wird, dass sie wissenschaftlich sei, wird Jung zu einem wesentlichen Faktor in der postsäkularen Verschmelzung der alten Feinde Wissenschaft und Spiritualität.[371] Im Postsäkularismus sehen wir wiederum die entstehenden Kennzeichen des neuen Menschen, der die östliche Spiritualität freiweg als wissenschaftliche Wahrheit annimmt. (Dieses Thema wird im folgenden Kapitel behandelt.)

Grof zeigt die fehlerhafte Logik des säkularen Denkens auf. Er wendet sich mit Empörung gegen die „gegenwärtige verächtliche Ablehnung" spiritueller, paranormaler Zustände durch den Säkularismus, die er als „Wahrnehmung der Numinosität" beschreibt, die „einer höheren Ordnung der Wirklichkeit" angehört. (Zu Recht bezeichnet Grof eine solche Ablehnung als „monistischen Materialismus"[372].) Er ist der Ansicht, dass solche Zustände „objektiv" oder „direkt erlebt" und somit rational beschrieben werden können.[373] Heute fordern einige Intellektuelle die Wiederentdeckung zusätzlicher Erkenntnismöglichkeiten, um sich mit dem Geheimnis des Universums auseinanderzusetzen.[374] Der menschliche Verstand hat mehr Karten, als er in der Vergangenheit ausgespielt hat, und muss nach diesen gleichermaßen berechtigten spirituellen Erkenntniswegen suchen.[375]

Wie bereits erwähnt, waren sowohl C. G. Jung als auch einige seiner zeitgenössischen Anhänger gezwungen, den außerwissenschaftlichen Charakter der jungschen Theorien zuzugeben. Erinnern wir uns daran, dass Jung sagte, dass seine Arbeit letztendlich nicht „wissenschaftlich bewiesen werden" könnte, denn sie ginge „über die Wissenschaft hinaus"[376]. Im *Roten Buch* erklärte er, dass die Erfahrungen mit paranormalen Phänomenen (das Okkulte) die „wichtigste Zeit meines Lebens darstellten ... Alles Spätere war nur die äußere Einordnung, die wissenschaftliche Ausarbeitung und die Integration ins Leben"[377]. Die postsäkularen Intellektuellen werden also „Wissenschaftler" wie Jung sein.

Wissenschaft trifft auf Spiritualität

Diese neue Wissenschaft[378] ist eine perfekte Einstimmung auf die neue Spiritualität. Die Quantenphysik mit ihren verwirrenden Vorstellungen von Quantenunschärfe, Quantenholismus und Quanten-Nichtlokalität, die in der subatomaren Welt zu finden sind, passen nicht gerade zum rationalistischen Entwurf der Aufklärung[379] mit ihrem überholten Bild eines „Uhrwerk-Universums" und des „Menschen als Maschine". In der Quantenphysik geht man davon aus, dass der Mensch unbewusst zum Betrieb der Maschine beiträgt und „freudig mit dem Kosmos mitwächst und ihn mitgestaltet“[380]. Der Physiker Fritjof Capra behauptet, die Wissenschaft beweise, dass „die lebendige Natur achtsam und denkfähig ist“[381]. Daher besteht kein Interesse an der alten kreationistischen Vorstellung eines Universums, das „mit übergreifender planvoller Gestaltung oder Zielsetzung“[382] geschaffenen wurde. Ein anderer Physiker, Amit Goswami, meint in *The Self-Aware Universe* (Dt.: *Das bewusste Universum*), dass „die Wissenschaft die Macht der monistischen Philosophie über den Dualismus, über den von der Materie getrennten Geist beweist“[383].

Nach dem Astrophysiker Dr. Frank Stootman neigten Heisenberg und Schrödinger (beide waren Nobelpreisträger und Väter der Quantenmechanik) dazu, die Quantenmechanik durch eine eher östliche, metaphysische Weltsicht zu verstehen. Wie viele seiner Zeitgenossen sprach Schrödinger „von einem Glauben an den hinduistischen Vedanta“, und Heisenberg glaubte an „eine zentrale Ordnung oder *Eines*, auf das alle Religionen hinweisen“[384]. Laut Stootman interpretierten sie die Quantenmechanik dadurch eher mithilfe östlicher Mystik als mit objektiver Wissenschaft. Stootman führt weiter aus, dass die Schwierigkeiten, die quantenmechanische Wirklichkeit angemessenen auszudrücken, „eher auf eine Begrenzung des Wissens und eines reduktionistischen Weltbildes hindeuten, als dass sie die Richtigkeit des Monismus bestätigten“[385].

Nichtsdestotrotz haben solche Schwierigkeiten die Verbindung von Wissenschaft und Geist als dem Wesen des Postsäkularismus ermöglicht. „Die Wissenschaft“, so Stootman, „hat sich in jüngster Zeit mit dem Aufkommen der neuen Romantik gut und gern in Richtung des Monismus hinbewegt.“[386] Diese Verbindung hat jüngst eine weitere Transformation erfahren, die Teil der postsäkularen Ära ist, nämlich „die Evolutionierung der Spiritualität“. Das ist der perfekte Ausdruck des Postsäkularen: Evolution als „wahre Wissenschaft, die sich mit tiefer Spiritualität verträgt ...; eine spirituelle neue Weltanschauung, die den Anforderungen des 21. Jahrhunderts gerecht werden kann“[387], die auf

„Tatsachen“[388] beruht und sich in Richtung höchster *Einsheit* zu einer Art endgültigen Synthese entwickelt. Westliche Romantik und östliche Mystik wurden durch die Evolutionsforschung belebt, und der Optimismus ist offensichtlich.[389]

Auf der Konferenz in Berkeley, die ich in Kapitel 5 erwähnte, stand unter anderem Richard Tarnas auf der Rednerliste, dessen Buch *The Passion of the Western Mind* (dt.: *Idee und Leidenschaft. Die Wege westlichen Denkens*) in den Fachbereichen Geschichte und Philosophic vieler westlicher Universitäten gelesen wird. John Sculley, ehemaliger CEO und Vorsitzender von *Apple Inc.*, erklärte, dass Tarnas' Werk „wirkmächtig [ist und] … uns gut dabei dienen wird, in das nächste Jahrtausend zu kommen“[390]. Tarnas glaubt, dass wir einen entscheidenden Wendepunkt in der Entwicklung der westlichen Kultur erreicht haben, sodass die Zukunft des Planeten und die Zukunft des menschlichen Geistes jetzt auf dem Spiel stehen. Die Intelligenz und die tiefe Spiritualität des modernen Menschen müssen sich endlich vereinen und – auch hier werden die Alternativen genannt – sowohl den Theismus als auch den Atheismus ablehnen, um sich den postsäkularen Pantheismus zu eigen zu machen. Die menschliche Geschichte gipfelt in einer großen Synthese der beiden Strömungen der westlichen Geschichte: dem autonomen Verstand des Szientismus und dem ungezügelten Geist der Romantiker (der Spiritualisten). Nach dieser Darstellung wird das Christentum aus der Geschichte verschwinden. Diese umfassende These gipfelt in einer letzten atemberaubenden Beschreibung unseres Ursprungs und unserer Bestimmung: „Die tiefste Leidenschaft des abendländischen Geistes war es, sich mit dem Grund seines Seins zu vereinen“, nämlich mit dem ihn gebärenden Schoß von Mutter Natur. In dieser abschließenden Synthese ist der Theismus vollständig eliminiert worden.

Die kollektive Psyche scheint sich im Griff einer mächtigen archetypischen Dynamik zu befinden, in die hinein der lange entfremdete moderne Geist aus den Wehen seines Geburtsprozesses durchbricht. Er will heraus aus dem, was Blake seine

„verstandesgeschmiedeten Fesseln“[391] nannte, um seine innige Beziehung zur Natur und zum weiteren Kosmos wiederzuentdecken.[392] Richard Tarnas spürt die Ankunft eines „mächtigen Crescendos“[393], da „viele Bewegungen *sich jetzt auf der geistigen Bühne versammeln, um in einer Art sich zuspitzender Synthese zusammenkommen*“[394]. Diese Vermählung des westlichen Verstandes mit dem östlichen, animistischen Geist ist die eigentliche Essenz des Großteils postsäkularer Spiritualität. Sie stellt die äußerste Vereinigung des Rationalen mit dem Mythischen, des Normalen mit dem Paranormalen, des Materiellen mit dem Immateriellen, des Menschlichen mit dem Göttlichen dar.

Neuer Pantheismus und säkularer Atheismus als Blutsbrüder

Ist diese Verbindung plausibel? Der Physiker Steven Hawking hat – wie Einstein – Gott mit den Naturgesetzen gleichgesetzt. Einstein selbst bekannte sich zum Gott von Spinoza, einem jüdischen Philosophen und Wissenschaftler aus dem 17. Jahrhundert, der an eine pantheistische *Einsheit* glaubte.[395] Sam Harris, der in *The End of Faith* (dt.: *Das Ende des Glaubens*) die organisierte Religion als gefährlich und absurd missbilligt, hat gesagt: „Wir brauchen eine positive Darstellung ... spiritueller Erfahrung ..., [allerdings ohne] jegliche Billigung umstrittenen Aberglaubens.“[396]

Diese tiefe Verbindung zwischen säkularem Humanismus und heidnischer Spiritualität wird durch die Ideen von Mitchell Silver, einem atheistischen Philosophen, der an der *University of Massachusetts Boston* lehrt, noch deutlicher. In seinem Buch *A Plausible God*[397] (dt. etwa: *Ein glaubwürdiger Gott*) sieht Silver eine tiefe Vereinbarkeit dieser beiden Ansätze. Er untersucht den klassischen Atheismus und die „neue“ jüdische Spiritualität, die in verschiedenen mystischen Techniken wie der Kabbala zum Ausdruck kommt. Silver meint, dass säkulare Atheisten und neu-spirituelle Glaubende zwei Gruppen moderner Menschen seien, die tatsächlich derselben Beschreibung der Wirklichkeit zustimmten. Der neue Gott der modernen Spiritualität, die auf der alten heidnischen Spiritualität beruht, „ist so durch und durch naturalistisch, dass von einer gottlosen Natur erwartet werden kann, dass sie genauso gut funktioniert wie eine göttliche“[398]. Beide sind gleichermaßen plausibel, weil sie im Wesentlichen dieselbe Sache – die Natur – mit unterschiedlichen Begriffen beschreiben. Er schlussfolgert: „Wenn der Messias kommt (bzw. nach der Revolution), wird es diejenigen geben, die das Lob Gottes singen, und andere, die ein weltliches Lied pfeifen, und keiner von beiden muss verstimmt sein.“[399]

Wie Silver zeigt, ist die Synthese nicht nur für Säkularisten und Spiritualisten, sondern durchaus auch zwischen allen Religionen und großen Teilen der Kirche möglich, wenn man auf den Zug der Interreligiosität und Interspiritualität aufspringt. Nach C. G. Jung würden Jesus, Mani, Buddha und Lao-Tse als „Säulen des Geistes“ ein „Loblied auf Gott“ singen. Wie Jung sagte: „Ich könnte keinem den Vorzug vor dem anderen geben.“[400]

Das postsäkulare Zeitalter ist also auch das interspirituelle Zeitalter. Der römisch-katholische Mystiker und Mönch Wayne Teasdale sagte eine kommende Synthese voraus, die die Kirchen einschließen würde: „Wir stehen am Beginn eines neuen Bewusstseins, einer radikal neuen Haltung gegenüber unserem Leben als Menschheitsfamilie in einer zerbrechlichen Welt ... Vielleicht ist der beste Name für diesen neuen Abschnitt der geschichtlichen Erfahrung das *interspirituelle Zeitalter*.“[401] Die ökumenische Bewegung war zunächst ein Versuch, die christlichen Konfessionen in Gemeinschaft und Weltevangelisation zusammenzubringen. Dann begann sie, interreligiöse Gespräche zu führen, um das gegenseitige Verständnis zu fördern. Als Nächstes ging man zum interreligiösen Pluralismus über, indem man gemeinsame Glaubensüberzeugungen aller Religionen feierte. Heute pflegen die großen Kirchen und die führenden nicht christlichen Religionen eine geistliche Gemeinschaft und feiern das interspirituelle Zeitalter.

The Coming Interspiritual Age (dt. etwa: *Das kommende interspirituelle Zeitalter*), eine Sammlung von Aufsätzen zu Ehren von Wayne Teasdale,[402] feiert dessen Vorhersage, dass „Spiritualität die globale geistliche Sichtweise unseres Zeitalters werden würde, ... [da] man sagen kann, dass die wahre Religion der Menschheit die Spiritualität selbst ist ..., eine weltweit erleuchtete Kultur“[403]. Viele christliche Großkirchen haben diese Vision übernommen und die Macht dieser neuen heidnischen Kosmologie einschließlich der Praxis der monistischen Spiritualität, des utopischen Globalismus, der relativierten Ethik und befreiten Sexualität entdeckt.[404] In vielen Fällen weisen diese „Kirchen“ keine Anzeichen mehr dafür auf, dass sie der biblischen *zweiheitlichen* Kosmologie folgen, sondern springen stattdessen auf den Zug der *Einsheit* auf. Sie stellen eine Art heidnisches Trojanisches Pferd in der größeren christlichen Bewegung dar.

Diese aufstrebende spirituelle Kosmologie schließt die Kirchen mit ein, da sie versucht, alles Existierende in den Blick zu nehmen. Andrew Cohen sagt:

> *Wir müssen dringend damit beginnen, einen neuen ethischen, philosophischen und spirituellen Kontext zu definieren, der ... die Vielschichtigkeit des menschlichen Problems in seiner ganzen Komplexität zu Beginn des 21. Jahrhunderts umfasst. ... Etwas in unserem Inneren ist freigesetzt worden ... Ein unaufhaltsames und unkontrollierbares neues Bewusstsein ... hat alles hinweggefegt.*[405]

Der Titel eines Vortrags, den Cohen 2012 hielt, fasst die Essenz der neuen, auf der *Einsheit* beruhenden Kosmologie zusammen: „The Significance of Non Duality: There is Only One, Not Two“. (Dt. etwa: „Die Bedeutung der Nicht-Dualität: Es gibt nur eins, nicht zwei“.) [406]

Jean Houston[407], eine weitere einflussreiche Visionärin, hat eine lange Karriere als Lehrerin und Autorin für menschliche

Entwicklung durch mythische Spiritualität hinter sich. Sie studierte Religionswissenschaften bei dem Theologen Paul Tillich. Houston sagt, dass sie „herausgefunden hat, dass wir alle unter der oberflächlichen Schale des Bewusstseins mit diesem riesigen mythischen und zeichenhaften Universum – der inneren imaginären Realität – verbunden zu sein scheinen“[408]. Sie hat auch die Nähe zwischen ihren Entdeckungen hinsichtlich der Erforschung der menschlichen Psyche mit denen von C. G. Jung, Joseph Campbell und Stanislav Grof erwähnt.[409] Ihre Vision einer kommenden perfekten Gesellschaft ist ein Ausdruck der Kosmologie, die wir bereits beschrieben haben – und sie würde C. G. Jung sehr stolz machen:

> *Ich glaube, dass die Erde selbst dabei ist, eine neue Spezies, eine neue Menschheit und ein neues Szenario für die Welt zu ersinnen. Die Zeichen des neuen Wachstums sind überall zu sehen. Es gibt drei Millionen Freiwilligenvereinigungen, die Ideen zur Ökologisierung des gesellschaftlichen Themenkatalogs und zur Förderung von größerer gemeinschaftlicher Verantwortung und Erfindungsgabe miteinander verbinden. Viele Millionen Menschen, die früher „Kulturschaffende“ genannt wurden, wählen freiwillig die Einfachheit und machen Wirtschaft wieder zu dem, was sie sein sollte: einem Satelliten der Seele der Kultur, statt dass die Kultur ein Satellit der Wirtschaft ist.*
>
> *In dieser neuen, ganzheitlichen Kultur entstehen eine neue Würdigung und eine Wertschätzung unserer Beziehung zur Natur. Ich denke, dass wir hier überall die Möglichkeit haben, alte Gewohnheiten und schädliche Einflüsse loszulassen, während wir uns darauf vorbereiten, an dieser nächsten Phase des ökologischen Regierens und des gesellschaftlichen Wohlergehens teilzuhaben ..., und deshalb haben wir die Möglichkeit, eine Rolle im größten Transformationsdrama zu spielen, das die Welt je gesehen hat“*[410]

Diese gewaltige Vision einer spirituell transformierten Welt, „die unsere Vorstellungskraft übersteigt“[411], schließt notwendigerweise die Transformation der Sexualität mit ein. Houston bemerkt: „Ich sehe mehr und mehr männliche und weibliche Homosexuelle mit einer tiefen und schönen Spiritualität. Ich verstehe meine Arbeit als einen Versuch, eine Brücke für das Bewusstsein der homosexuellen Gemeinschaft zu sein.“[412]

Schlussfolgerung

Wir erleben eine Rückbesinnung auf Prinzipien, die ursprünglich in der antiken Spiritualität der vorchristlichen, heidnischen Welt zu finden waren, und eine moderne Umarmung dieser Leitlinien. Das geschieht genau so, wie Richard Noll es beschrieben hat. Wie in Kapitel 3 beschrieben hat er gezeigt, dass C. G. Jung dort erfolgreich war, wo der römische Kaiser Julian der Abtrünnige versagt hat. Wir werden gerade dieser verführerischen, aber falschen Kosmologie „dahingegeben“ (Röm 1,24).

Diese kulturellen Veränderungen sind nicht einfach auf den Erfolg von Hollywood-Produzenten zurückzuführen, sondern sie sind das unvermeidliche Ergebnis einer Neuinterpretation des Wesens der menschlichen Existenz. Mit Fug und Recht können wir vom Aufkommen einer Weltanschauung sprechen, die den Anspruch erhebt, der geistige Höhepunkt der langen Geschichte des Westens zu sein. Und Christen müssen das grundlegende Wesen dieser Vision verstehen, die als übergreifende Kosmologie auf alle Bereiche des menschlichen Handelns bezogen wird. Der Optimismus dieser Kosmologie wird sich mit Sicherheit nicht bewahrheiten. Werden diejenigen, die versuchen, die Auffassung von Recht und Unrecht zu beseitigen, den Charakter und die Fähigkeit oder auch nur den Wunsch besitzen, eine wirklich gerechte und barmherzige Gesellschaft zu schaffen, die von Respekt und Toleranz geprägt ist?

Die Antwort wird offenbar; das Ziel des Zuges ist in Sicht. Josh Barro, der für die *New York Times* schreibt, twitterte, dass

„LGBT-feindliche Haltungen schrecklich sind ... Wir müssen sie rücksichtslos ausmerzen“[413]. Der auf diese Weise verwendete Begriff „rücksichtslos“ sollte jede realistische Hoffnung auf eine faire und gerechte utopische Gesellschaft zunichtemachen. Dennoch wird die Ideologie, die hinter der Meinung dieses Journalisten steht, als die neue Moral, als das Richtige hingestellt. Sie wird in die öffentliche Politik übernommen, weil sie nicht mehr als freier Ausdruck individuellen Verhaltens angesehen wird. Sie ist zu einer allgemeingültigen Kosmologie geworden, der alle folgen, die wollen, dass die Geschichte ihnen einmal recht gibt. Die zunehmende Marginalisierung und das Mundtotmachen des *zweiheitlichen* Denkens wird zu dessen Kriminalisierung führen; es wird im Zuge einer neuen Definition von Gerechtigkeit ausgemerzt werden. Dieser Prozess hat bereits begonnen.[414]

Innerhalb einer einzigen Generation haben sich die kulturellen Ausdrucksformen dieser Agenda bereits grundlegend verändert.[415] Ihr Ziel ist klar: Um Amerika neu zu gestalten, muss man es zunächst zunichtemachen. Tony Perkins vom *Family Research Council* ist der Ansicht, dass die religiösen Freiheiten angegriffen werden, „mehr als je zuvor in der Geschichte unserer Nation“[416]. Hier lohnt es sich, Melanie Phillips zu zitieren: „Der Angriff auf die tiefste Ebene der westlichen Zivilisation ist ein Angriff auf das Glaubensbekenntnis, das die Grundlage dieser Zivilisation bildet.“[417]

Dieses dem *einsheitlichen* Gegenentwurf diametral entgegengesetzte Glaubensbekenntnis ist der Gegenstand des nächsten Kapitels.

KAPITEL 9

RETTUNG DURCH SCHAMANEN

Eines Tages wird Ihr Kind Sie vielleicht fragen: „Was ist ein Schamane?" Ein Schamane ist ein Magier, ein Medium oder ein Heiler, oft mit uneindeutiger oder androgyner sexueller Orientierung, der seine Kräfte einer mystischen Verbindung mit der Geisterwelt verdankt. Schamanen, die manchmal auch als „Medizinmänner", „spirituelle Gurus" oder „Medien" bezeichnet werden, sind spirituell aufgeschlossene Menschen, die mit den Geistern der Verstorbenen oder den Geistern von Tieren in Kontakt treten und sie beherrschen können. Sie sind in der Lage, in die Vergangenheit zu sehen und die Zukunft vorherzusagen und können menschliche Leiden diagnostizieren, heilen oder sogar verursachen. Sie behaupten, in die oberen und unteren Welten reisen zu können, und sind somit Vermittler zwischen der natürlichen und der spirituellen Welt. Aus diesen Gründen haben sie in der heidnischen Religion stets große Autorität besessen.

Wege zum modernen Schamanismus

Diese Vorstellung mag alt und primitiv klingen und wenig Relevanz für die großen Fragen unserer Zeit haben. Aber nachdem die modernen Pilger durch die Wüste des säkularen Materialismus gewandert sind, dürstet es sie nach Spiritualität. Selbst nicht christliche Pilger sind begierig nach dem praktischen Nutzen, den Spiritualität bietet – wie Stressabbau, Entspannung und ein Gefühl der Zugehörigkeit und Ganzheit. Sie bietet auch tieferen Nutzen wie die scheinbare Erfahrung der Entdeckung des eigenen wahren Selbst und sogar die Möglichkeit, die Menschheit zu retten, indem man eine zukünftige, perfekte Gesellschaft gestaltet, die von Frieden und Solidarität geprägt ist. Tief im Herzen dieser optimistischen und utopischen Kosmologie steckt jedoch eine spirituelle Kraft, dic aus der dunklen Welt des Schamanismus stammt.

Die meisten von uns würden zustimmen, dass die Welt in einem ziemlichen Durcheinander steckt; und der Wunsch im Herzen des Menschen, eine bessere Kultur zu schaffen, ist unerschütterlich. Um etwas so Tiefgreifendes und Komplexes wie einen Zukunftstraum der Menschheit zu schaffen, ist ein langer Prozess erforderlich. Für die ersten Schritte in diesem Prozess stehen verschiedene Wege zur Auswahl, daher sind diese ersten Schritte entscheidend. Spirituelle Disziplinen wie Meditation oder Yoga scheinen Möglichkeiten zu bieten, die Welt zu verbessern; doch der Weg der zeitgenössischen Spiritualität führt bergab direkt ins Heidentum. Und ob Sie es glauben oder nicht: Einer der häufigsten Wege in die heidnische Spiritualität ist heutzutage Yoga.

Yoga: Ernsthafte Spiritualität

„Yoga ist harmlos!“, höre ich Sie protestieren. „Why should the devil have all the good moves?[418] (Warum sollten alle wohltuenden Bewegungen vom Teufel sein?) Außerdem macht es jeder, dann muss es doch in Ordnung sein.“ Vor ein paar Jahren sprach ein säkularer Journalist von einer „Welle beispielloser Yoga-Manie“ und erwähnte das Programm „Yoga in the Hood“ („Yoga im Ghetto“), das vom Bürgermeister von Los Angeles unterstützt wurde.[419] Yoga würde hoffentlich sogar die Bandenprobleme in der Innenstadt von Los Angeles lösen. In vielen Fällen werden Praktiken wie Meditation und Yoga nicht als religiöse Techniken beworben, sondern als neutrale Instrumente zur Selbstoptimierung. Wer möchte nicht schlank und locker werden und gleichzeitig seine Identität als Jude, Katholik, Buddhist oder evangelikaler Christ behalten?

Christliche Yogaprogramme erfreuen sich zunehmender Beliebtheit und Akzeptanz.[420] Solche Programme tragen oft Namen wie „Yahweh Yoga“, „Holy Yoga“ oder „Outstretched Inc.“.[421] Yoga ist oft einer der ersten, kleinen Schritte, die westliche Menschen in den weiten und aufregenden Kosmos eines veränderten Bewusstseins tun, wobei sie eine frische Sicht auf sich selbst bekommen. Der Bestseller *Eat, Pray, Love* der Journalistin Elizabeth Gilbert (und seine Verfilmung mit Julia Roberts in der Hauptrolle) zelebriert gutes italienisches Essen, aufregenden Sex und östliche Meditation, die zusammen den neuen, zufriedenen, ganzheitlichen westlichen Menschen hervorbringen.[422] Jetzt wird Yoga überall praktiziert und verbreitet stellvertretend den Hinduismus in der ganzen Welt.[423]

Diese Aktivität für einen trainierten Körper und einen stressfreien Geist scheint weit vom Schamanismus entfernt zu sein, und doch ist das Hauptprinzip des Yoga laut einem Journalisten der *Los Angeles Times* die „Vereinigung aller Lebewesen“[424]. In einem Artikel mit dem Titel „Inner Peace Movement“ (dt. etwa: „Bewegung des inneren Friedens“) heißt es weiter, dass einige, die Yoga praktizieren, „den nächsten Schritt machen: die spirituellen Grundlagen erforschen, buddhistische Tempel oder Rückzugsorte besuchen oder eine Beziehung zu einem Swami aufbauen“[425]. Yoga führt über einen gesunden Körper hinaus.[426] Schließlich bedeutet „Yoga“ im Sanskrit „Vereinigung mit Gott“ oder „mit Gott verbunden“. Das Ziel von Yoga ist es, die Vereinigung von Atman (der individuellen Seele) mit Brahman (der größeren Seele) zu fördern, das kein persönliches Wesen, sondern eine geistige Kraft ist, welche die Hindus „Gottheiten“ nennen.

Vom Schamanismus sind wir aber noch weit entfernt, oder? Nicht wirklich. Es gibt verschiedene Formen von Yoga, ein

Dutzend oder mehr. C. G. Jung war besonders vom Kundalini-Yoga fasziniert. „Kundalini“ bedeutet „Schlangenkraft“; ihre Erfahrung wird „das Erwachen der Kundalini“ genannt. Es handelt sich um eine sexuell-spirituelle Energie, die durch die sieben Chakren oder Energiezentren im Körper aufsteigt, um die Seele über den Körper hinaus an den Punkt maximaler Konzentration zu erheben. Im Hinduismus wird dieser Punkt *Bindu* genannt: Die Dualität wird zur Singularität verdichtet, es ist ein Zustand von Advaita („nicht zwei“). Damit ist Kundalini eine direkte Erfahrung (Gnosis) einer nicht dualen oder einigenden Realität – was das Ziel aller Yogatechniken ist: die Befreiung von den Gegensätzen. C. G. Jung, der Yoga als einen wesentlichen Teil seiner Therapie ansah, bemerkte: „Yoga ist eine Methode, durch welche die Libido systematisch ‚hereingezogen‘ und dadurch von den Fesseln der Gegensätze befreit wird.“[427] Diese Vereinigung der Gegensätze ist auch das spirituelle Ziel der Schamanen.[428] Ich behaupte natürlich nicht, dass jeder, der Yoga praktiziert, ein Schamane ist, aber ich mache darauf aufmerksam, dass Yoga der erste Schritt in eine alternative Spiritualität sein kann. Das gilt auch für die „Achtsamkeitsmeditation“.

Gedankenlose Meditation

Meditation ist eine weitere Technik des Heiligen, die wie Yoga im einst „christlichen“ Westen Teil der Spiritualität unserer Tage geworden ist.[429] Achtsamkeitsmeditation ist eine buddhistische Technik zur Unterdrückung von Verlangen. Das Ziel besteht angeblich darin, den Praktizierenden zu helfen, auf jedes Detail ihrer Umgebung zu achten, doch das tatsächliche Ziel ist, dass sie auf keines dieser Ereignisse mehr reagieren. Im echten buddhistischen Denken ist das Eingebundensein ins wirkliche Leben eine Falle, die den wahren Sinn für das Sein jenseits des Materiellen zerstört. In welcher Welt leben wir, wenn wir jenseits des Materiellen sind? In einer Welt eines anderen Bewusstseins. So werden veränderte Bewusstseinszustände zum gewünschten Erfolg, wie es allgemein in der heidnischen Spiritualität üblich ist. Achtsamkeit wird so zu einer heidnischen Art von Gedankenleere.

Bei allen östlichen Meditationstechniken geht es darum, den Geist zum Schweigen zu bringen – im Gegensatz zur christlichen Meditation, die den Geist vollständig einbezieht und anregt.[430] Den Ausdruck „den Geist zum Schweigen bringen" findet man auch in der antiken Gnosis, in der die Meditation ein wesentliches Element war. Im Hinduismus gilt das Gleiche. Swami Vivekananda, ein Schüler Ramakrishnas, erklärt, dass wir durch Yoga „über die Sinne hinauskommen. Unser Geist wird überbewusst, wir kommen über den Intellekt hinaus ... dorthin, wo die Vernunft nicht hinkommt"[431]. In *Bliss Divine* (dt. etwa: *Göttliche Glückseligkeit*) erklärt Swami Sivananda: „Wir müssen den Verstand bewusst zerstören ... Halte deinen Intellekt in respektvollem Abstand, wenn du Mythologie studierst ... Das, was dich von Gott [Brahma] trennt, ist der Verstand."[432] Der Verstand ist ein Hindernis. Ein moderner Lehrer des New Age hat es so formuliert: „Der Feind der Meditation ist der Verstand."[433]

Der Sanskrit-Begriff „Mantra" setzt sich aus zwei Wörtern zusammen: *man*, „denken", und *tra*, „befreit von". Wenn das große Ziel von Yoga und Meditation „die Vereinigung der Gegensätze" ist, dann muss der Verstand notwendigerweise zum Schweigen gebracht werden; der menschliche Verstand kann nur mit der Vorstellung von Gegensätzen wirklich funktionieren: Dies, nicht das; „A", nicht „Nicht-A". Ein Mantra hilft, der Wirklichkeit der Welt zu entkommen, um den mystischen Zustand der Körperlosigkeit oder Gedankenleere zu entdecken. In diesem Zustand erfährt man Befreiung, Stressabbau und inneren Frieden.[434] Das Ziel dieser Spiritualität ist es, polare Gegensätze durch selbst herbeigeführte, veränderte Bewusstseinszustände zu überwinden. Das ist der Bereich des Paranormalen. Aber laut Thomas Berry besteht das letzte Ziel darin, durch transpersonale jungsche Psychologie ein Schamane zu werden.[435]

Moderne „Schamanen“

Schamanische Praktiken, die uns in uralte oder obskure religiöse Erfahrungen führen, kommen Ihnen zweifellos weit weg vor. Aber die Franzosen haben eine Redensart: „reculer pour mieux sauter“[436] („zurückweichen, um dann weiter zu springen“), und genau das tun unsere spirituellen Führer. Der Schamane der Vergangenheit wird nun als das perfekte Modell der Spiritualität für die Weltbürger des 21. Jahrhunderts vorgestellt.

C. G. Jung

Sie werden sich daran erinnern, dass C. G. Jung sich intensiv mit dem Paranormalen beschäftigte und einen Geistführer, Philemon, hatte. Jung betrachtete den Schamanen als Vorbild für spirituelle Reife, und er selbst nahm für seine Anhänger die Funktionen eines primitiven Schamanen wahr, indem er psychologische Wissenschaft und Religion miteinander vereinte. Oder anders gesagt, indem er das Rationale und das Irrationale in einer psychologisch-religiösen Synthese verschmolz, die Intellektuelle, Seelsorger und Geistliche der letzten zwei oder drei Generationen in der gesamten westlichen Welt in den Bann gezogen hat.

Der LSD-Forscher und Mystiker Timothy Leary stellte viele Ähnlichkeiten zwischen Jungs Beschreibung der Psyche und dem schamanischen Glauben an die Seele fest.[437] Damit war Leary nicht allein. In seinem aufschlussreichen Buch *Jung and Shamanism in Dialogue*[438] (dt. etwa: *Jung und der Schamanismus im Dialog*) untersucht Michael Smith die auffälligen Ähnlichkeiten zwischen jungscher Psychologie und Schamanismus und stellt fest, dass Jung im klassischen Schamanen die Verkörperung wahrer psychologischer Reife sah.[439] In seiner persönlichen Biografie stellt Smith sich außer mit seinem Doktortitel in christlicher Theologie auch als „schamanischer Begleiter“ vor. Er ist der Meinung, dass „sowohl Jung als auch der Schamanismus beträchtliche Möglichkeiten bieten, den modernen westlichen Medizinern und dem Pflegepersonal verstehen zu helfen, wie man das Heilige zu Heilungszwecken heranzieht“[440].

Jung war davon überzeugt, dass der einzige Weg zur Heilung von Neurosen in dem bestehe, was er vorsichtig als Erfahrungen des Numinosen bezeichnete.[441] Wie das *Rote Buch* deutlich macht, stecken hinter diesem Begriff die okkulten Erfahrungen des Schamanen, der sich in der Gegenwart einer Gottheit oder eines geistigen Wesens befindet.[442]

Moderne Jungianer, die die Tiefen- oder Transpersonale Psychologie weiterentwickelt haben, sind ihrem schamanischen Meister darin gefolgt, für den weiteren Weg der menschlichen Spiritualität in der neuen Welt die spirituellen Geheimnisse des Unbewussten zu erschließen. Für sie ist das schamanische Konzept nicht nur ein Symbol für effektive Führung. Es ist auch beunruhigend real, wie die Arbeit von Stanislav Grof zeigt.

Stanislav Grof

Beim Tod eines regierenden Königs oder einer Königin muss nach britischer Tradition die folgende Erklärung an den hinterbliebenen Nachfolger gerichtet werden: „Der König ist tot. Lang lebe der König." Als leicht zu beeindruckender elfjähriger Junge hörte ich diese feierlichen Sätze, als König George VI. im Schlaf starb und seiner zarten, jungen Tochter Elizabeth gesagt wurde: „Der König ist tot. Lang lebe die Königin." Auf dem Gebiet der Psychologie könnte man mit Fug und Recht sagen: „Jung ist tot. Lang lebe Grof."[443]

Hier betreten wir das tiefgründige spirituelle Herz und den endgültigen Zielpunkt der heidnischen Kosmologie, die ich in den vorherigen Kapiteln beschrieben habe. Erinnern Sie sich an meine These: Wenn C. G. Jung einer der mächtigen Schöpfer der modernen Welt war, dann sind sein und Grofs Denken die Motoren, die den heidnischen Hochgeschwindigkeitszug in unsere globale Zukunft antreiben werden. In seiner Beschreibung der „Neuen Psychologie" für das postsäkulare Zeitalter hat Mike King (eine andere Art von König!) Grof sowohl als den führenden Nachfolger der jungschen Methodologie als auch als den Inbegriff des Postsäkularisten bezeichnet. Stanislav Grof, 1931 in Prag geboren, war ein Schüler von Jung und ein führender Begründer

der Transpersonalen Psychologie. Seine bahnbrechenden Forschungen über die Nutzung veränderter Bewusstseinszustände für die menschliche Heilkunst und ein weises Leben bilden den Kern dieser transformierten Kosmologie. Tarnas beschreibt Grofs Arbeit als „die erkenntnistheoretisch bedeutendste Entwicklung in der jüngeren Geschichte der Tiefenpsychologie"[444]. Grofs Ansatz wird in seinem gut belegten, akademischen Buch *Psychology of the Future* [445] (dt.: *Die Psychologie der Zukunft*) entwickelt. Für die Neue Psychologie sind Gesprächstherapie und Analyse out. Freud ist ein alter Hut. Hinter dem neuen Ansatz stehen Jung und die transformierende Kraft von praktisch unaussprechlichen höheren Bewusstseinszuständen. Woody Allen hätte nicht prophetischer sein können, als er in einem seiner oft zitierten Witze sagte: „Ich bin seit dreizehn Jahren in der [freudschen] Analyse. Ich gebe ihr noch ein Jahr, und wenn es dann immer noch nicht klappt, gehe ich nach Lourdes."[446]

Grof ist das heidnische Pendant zu Lourdes. Seine Arbeit trägt Jungs Vision der magischen Transformation ins 21. Jahrhundert. Er glaubt, dass der entscheidende Zukunftsimpuls durch ein verändertes Bewusstsein geschehen wird, geprägt durch tiefe paranormale Erfahrungen im transpersonalen Bereich (die Jung das kollektive Unbewusste genannt hätte).[447] Bedenken Sie die Methoden, die er als „Technologien des Heiligen"[448] bezeichnet:

- Atemtechniken, genannt „holotropes Atmen" (*holos* + *trepein* = auf Ganzheit ausrichten)
- Klangtechniken (Trommeln, Rasseln, Verwendung von Stöcken, Glocken und Gongs; Musik, Singen, Mantras)
- Tanzen (wirbelnde Derwische, Trancetanz der Medizinmänner)
- Soziale Isolation und Reizentzug (indianische Visionssuchen, Wüsten- oder Höhlenisolation)
- Reizüberflutung (hyperphysische Reize, extreme Schmerzen)
- Physiologische Mittel (Schlaf- oder Nahrungsentzug, Abführmittel, Aderlass)

- Meditation, Gebet (verschiedene Yogaschulen, z. B. Hatha, Kundalini, Tantra; christliche Mystik, Exerzitien des Ignatius von Loyola)
- Bewusstseinserweiternde Stimulation (Haschisch, Peyote, LSD)

In treuer Übereinstimmung mit seinem Mentor C. G. Jung besteht Grof darauf, dass alle diese heiligen Techniken aus dem uralten und weltweiten Heidentum stammen und für den Schamanismus wesentlich sind.[449] Die alte heidnische Magie wird zur Hoffnung für unsere zukünftige Welt. Grof sieht in der schamanischen Spiritualität die einzige Hoffnung, „den psycho-spirituellen Wurzeln von bösartiger Aggression und unersättlicher Gier entgegenzutreten und sie umzuwandeln“[450]. Haben Sie das bewusst wahrgenommen? Aus Grofs Sicht können die grundlegenden menschlichen Probleme der Aggression und Gier nur gelöst werden, indem man Schamane wird – ein Mensch, der in direktem Kontakt mit heidnischen Gottheiten steht. Für Grof sind diese grundlegenden menschlichen Probleme nicht moralischer Natur, wie die Bibel es lehrt, sondern das Ergebnis eines mangelnden Umgangs mit seinem höheren oder wahren, schamanischen Selbst. Anstelle der Vergebung der Sünden durch Gott plädiert Grof für eine „radikale innere Transformation der Menschheit“ und ihren „Aufstieg auf eine höhere Bewusstseinsebene“ als „unsere einzige wirkliche Hoffnung für die Zukunft“[451]. Kurz gesagt, nur okkulte schamanische Spiritualität kann unseren Planeten retten.[452]

Insgesamt gibt es wenig Neues in Grofs Rezepten. Jungsche und westliche neuheidnische Techniken sind vergleichbar mit alten Praktiken, die überall auf der Welt bekannt sind. In einer breit gefächerten Überblicksdarstellung heidnischer Kulte zeigt Michael York, dass ...

> *... trotz der großen geografischen Verbreitung schamanischer Praktiken die Initiationserfahrung eine überraschende Einheitlichkeit aufweist ... Der Einsatz von Ritualen, Schlafentzug [und] verschiedenen Formen der Askese, einschließlich Fasten, sowie von auf die Psyche wirkenden Substanzen hilft, den gewünschten alternativen Bewusstseinszustand herbeizuführen, in dem der Schamane arbeitet.*[453]

Mein Verständnis dessen, was moderne Jungianer vorschlagen, erweiterte sich erheblich, als ich im Frühjahr 2006 nach Afrika kam. Bei einer Konferenz in Johannesburg hörte ich einen faszinierenden Vortrag von Dr. Yusufu Turaki, einem kenianischen christlichen Gelehrten, der sich mit der afrikanischen Ahnenverehrung befasste.[454] Er hatte weder York noch Grof oder Jung gelesen, kannte aber die Spiritualität seines Stammes aus erster Hand. Er sprach von der „direkten Kommunikation seitens der Geistwesen", die „durch Träume, Visionen, Visionssuchen und Wahrsagerei"[455] ermöglicht wurde. Außerdem berichtete er von den Mitteln zur Herbeiführung von Geistbesessenheit, zu denen „meditative und kontemplative Übungen, selbst zugefügte Martern (einschließlich Springen aus großer Höhe, Laufen auf glühenden Kohlen, Stechen von Spießen in Wangen und Zunge), die Einnahme von Drogen, Tanzen, Trommeln, Chanting [und] sich in Ekstase singen"[456] gehörten. Mir wurde glasklar, dass sich die spirituellen Techniken, die von den ausgefeilten Theorien der Transpersonalen Psychologie vorgeschlagen werden, im Wesentlichen kaum von denen unterscheiden, die seit Urzeiten im afrikanischen Busch angewendet werden.

Das Gleiche könnte man von einer ganz anderen Quelle, dem Hinduismus, sagen, in dem die Annäherung an veränderte Bewusstseinszustände – wenn auch weniger spektakulär – sehr ähnlich sein kann. Der Guru Paramahansa Yogananda, Gründer der *Self-Realization Fellowship* in Los Angeles in den 1920er-Jahren, lehrte die Erlangung von Glückseligkeit durch Meditation.

Sein Meditationssystem beinhaltete die Atemkontrolle[457], eines der Elemente auf Grofs Liste, und sollte dieselben paranormalen Zustände hervorrufen.

Einige Leser mögen denken, dass diese okkulte Spiritualität und deren Praxis immer am Rande des normalen Lebens bleiben werden. Ich bin jedoch zu der Überzeugung gelangt, dass sie nicht so einfach abgetan werden können. Denn sie trägt ein attraktives ideologisches Gewand und beansprucht, die gegenwärtigen Krisen des Glaubens, der sozialen Gerechtigkeit, der psychischen Gesundheit, des letzten Sinns und des planetarischen Überlebens lösen zu können.

Zwei weitere Jung-Schüler, Thomas Berry und Jean Houston, die in diesem Buch bereits zu Wort gekommen sind, ziehen eine für westliche Intellektuelle verblüffende Schlussfolgerung und sind bei den Vereinten Nationen sehr einflussreich. Um auf eine bessere Welt zuzugehen, meinen sie, müssen wir in eine Zeit vor dem Aufkommen des Christentums zurückgehen: zum Animismus und Polytheismus alter Zeiten.

Thomas Berry

Thomas Berry vergleicht die kommende Spiritualität ausdrücklich mit „schamanischen Zeiten"[458]. Er glaubt, dass unsere heutige Berufung darin besteht, „das große Werk der ersten Völker fortzuführen ..., [die] eine innige Beziehung zu den Mächten aufbauten, die diesen Kontinent [Amerika] ins Leben riefen"[459], lange bevor das Christentum kam. Wir müssen zurückgehen in die Zeit, „als die Erde die Große Mutter war, in das Zeitalter der Götter". „Trotz aller Veränderungen", räumt Berry ein, „vertritt dieses Zeitalter immer noch viele unserer maßgebenden Werte aus alter Zeit."[460]

Ein solcher Verweis auf die Vergangenheit ist also kein Fehler. Berry hält die animistische Geisterbeschwörung für eine unverzichtbare gegenwärtige Quelle spiritueller Kraft. Wenn moderne Heiden erklären, dass „das Universum die primäre heilige Wirklichkeit ist"[461], sagen sie das, was auch die Alten glaubten, und suchen nach deren Weisheit. Von diesen modernen Gelehrten erfahren wir, dass die „tiefe Vertrautheit der Alten mit der natürlichen Welt“ nicht einfach die „Ortskenntnis“ der Jäger und Sammler war; für sie waren „die Flüsse und die Berge ... geistige Mächte, mit denen man rechnen musste“[462]. Ihre Vertrautheit mit der Natur schloss das Wissen ein, dass „Tiere und Menschen miteinander verwandt sind“[463] – eine Wahrheit, die „in ihren totemistischen Schnitzereien“ [464] zum Ausdruck kam.

Am Anfang dieses Buches haben wir festgestellt, dass zu Beginn des 20. Jahrhunderts im Westen heidnische Mythen im Wesentlichen unbekannt waren und dass C. G. Jung zum Ziel hatte, eine solche Mythologie zur psychologischen Heilung und spirituellen Erfüllung in die westliche Kultur einzuführen. Dieses theoretische Vorhaben ist in unserer Zeit eindeutig Wirklichkeit geworden: Thomas Berry war bis zu seinem Tod im Alter von 94 Jahren im Jahr 2009 ein beliebter Redner bei von den Vereinten Nationen geförderten Veranstaltungen.[465] Er war auch der Mentor von Mary Evelyn Tucker, die sich in meiner Gegenwart einmal damit brüstete, Elemente heidnischer Spiritualität in die Erd-Charta der Vereinten Nationen eingebracht zu haben.

Jean Houston

Jean Houston gilt weithin als eine der zehn besten New-Age-Rednerinnen Nordamerikas. Houston gründete ihre *Mystery School*, um Mystik und psychophysische Zustände der Ekstase und des spirituellen Erwachens durch die Praxis des Labyrinthgehens zu lehren, das sie als Symbol für ihre Arbeit übernahm.[466] Wie Richard Noll scharfsinnig feststellte, „war Jung auch ein starker Befürworter des okkulten Mandalas, eines kreisförmigen Bildes mit gewöhnlich einer Sonne oder einem Stern im Zentrum. Die Sonnenanbetung, wie sie im Mandala verkörpert wird, ist vielleicht der Schlüssel zum vollständigen Verständnis von Jung.“[467] Die von C. G. Jung inspirierte Houston arbeitet für die Vereinten Nationen sowohl als Beraterin von UNICEF als auch im Rahmen des UN-Entwicklungsprogramms, bei dem sie junge Führungskräfte „in menschlicher und kultureller Entwicklung sowie in *Social Artistry*“[468] ausbildet. Sie stellt klar, was das bedeutet: Sie lehrt junge Führungskräfte in wenig entwickelten Ländern, wie sie sich wieder mit ihren alten heidnischen Mythen identifizieren können. Sie möchte andere coachen, um „sowohl individuelles als auch soziales Kapital auf die Schaffung besserer Gesellschaften und Völker auszurichten ... und Strategien anzubieten, die in einer vernetzten Welt funktionieren können“[469].

Jean Houston ist Schamanin, ein Medium, ein Kanal für die Geisterwelt, die ihre Künste in der ganzen Welt und einmal sogar im Weißen Haus praktiziert hat. Sie diente einmal der damaligen First Lady Hillary Clinton als Medium, die spirituellen Kontakt mit Eleanor Roosevelt aufnehmen wollte.[470] Houston half beim Schreiben von Clintons Buch *It Takes a Village* (dt.: *Eine Welt für Kinder*). Sie hatte auch Einfluss auf Dr. Lauren Artress von der *Episcopal Grace Cathedral* in San Francisco, die, nachdem sie das Labyrinth in Jean Houstons *Mystery School* kennengelernt hatte, diese Praxis in die *Grace Cathedral* einführte und zur führenden Verfechterin der Labyrinthspiritualität in vielen Kirchen wurde, einschließlich evangelikaler Gemeinden in Nordamerika.[471]

Houston glaubt, dass unsere zerbrochene Gesellschaft nur durch den Mythos gerettet werden kann.[472] Sie sagt deutlich: „Nie war dieses mythische Wissen nötiger als heute.“[473] Welchen rettenden Mythos stellt Houston sich für die globale Kultur des dritten Jahrtausends vor? In ihrem Buch *The Passion of Isis and Osiris: A Gateway to Transcendent Love* (dt. etwa: *Die Leidenschaft von Isis und Osiris: Ein Tor zur transzendenten Liebe*), das während ihrer Tätigkeit im Weißen Haus erschien, regt sie eine persönliche und kulturelle Erneuerung durch Isis, die ägyptische Göttin der Magie und der Unterwelt, an – ironischerweise dieselbe Göttin, deren Verehrung Julian der Abtrünnige im gerade christianisierten Rom nicht wieder einführen konnte.

Houston zeigt auch, wie die sexuelle Revolution untrennbar mit dieser Spiritualität verbunden ist. Als Historikerin weiß Houston, dass Homosexuelle seit jeher eine spirituelle Rolle als

Schamanen gespielt haben.[474] Solche Lehren sind keine frivolen Gesellschaftsspiele, Märchen oder bloße Mythen. Wie Grof feststellt, beinhalten sie „transpersonale Erfahrungen", die „Begegnungen mit verschiedenen glückseligen und zornigen archetypischen Gottheiten"[475] einschließen. Er macht darauf aufmerksam, dass diese Erfahrungen auch „Visionen göttlichen Lichts ..., Kommunikation mit Geistführern und übermenschlichen Wesenheiten, Kontakt mit schamanischen Krafttieren,[476] direktes Erfassen universeller Symbole und Episoden religiöser und kreativer Inspiration"[477] umfassen. Diese Wesen sind „ontologisch real ..., keine Produkte metaphysischer Spekulationen oder pathologischer Prozesse im Gehirn"[478]. Sie sind da draußen und warten darauf, dass der Mensch in mystischen Trancezuständen mit ihnen kommuniziert.

Schamanen für eine weltweite perfekte Gesellschaft

Diese Ankunft des alten Schamanismus im Westen ist zweifellos Teil dessen, was Berry meinte, als er von der Notwendigkeit einer Transformation des zukünftigen Menschen „auf der Ebene der Spezies"[479] sprach. Er setzte eine radikale spirituelle Umkehr zu einer anderen Auffassung des menschlichen Selbst als göttlich voraus; nur dies werde eine Art Himmel auf Erden bringen und erhalten. Doch die transpersonalen Techniken von Jung sind nicht einfach nur ausgefeilte Heiltechniken moderner Psychologen. Vielmehr sind sie identisch mit den Methoden der spirituellen Stimulierung, die in modernen, neuheidnischen Kulten angewandt werden, mit demselben Ziel, lebensverändernde „paranormale Erfahrungen" zu erzeugen.[480] Eine zeitgenössische soziologische Studie über westliche Neuheiden und Hexen stellt fest:

> *Neuheiden suchen mystische Erfahrungen durch Rituale wie Trommeln, Tanzen, Chanten und Meditieren, durch*

> *Schwitzhütten oder andere Techniken. Dadurch erhoffen sich die Neuheiden eine direkte Erfahrung des Göttlichen oder der Unendlichkeit. Manche sprechen davon, in der Gegenwart der Göttin oder eines bestimmten Gottes zu sein; andere sprechen von einer starken Präsenz oder einem Gefühl des Unendlichen, während sie in veränderten Bewusstseinszuständen sind.*[481]

In unserer hoch entwickelten Welt der Raumfahrt, des Internets und der Quantenphysik mag man das für unvorstellbar halten. Aber es ist sehr wohl vorstellbar, denn es geschieht bereits. Beispielsweise kampieren Tausende von Fachleuten aus dem *Silicon Valley* jedes Jahr eine Woche lang in der Wüste von Nevada anlässlich des *Burning-Man*-Treffens. Zwischen Orgien und Kunstausstellungen bauen sie eine provisorische Stadt um eine 20 bis 30 Meter hohe Totemstatue eines Mannes herum auf und zerstören sie anschließend. Die *Burning-Man*-Webseite fragt:

> *Existieren wir als bewusste Wesen außerhalb des Einflusses der Natur, oder treibt uns ihre Kraft an und beseelt die zentrale Wurzel dessen, wer und was wir sind? ... Nur durch unmittelbare Erfahrung, nicht durch* Ideologien, die außerhalb der geschaffenen Welt stehen *[also Zweiheit], können wir einen Sinn für die Natur, die sich in uns bewegt und uns durchströmt, wiedererlangen.*[482]

Das ist die Botschaft, die Technologiefachleute von z. B. Google oder Amazon aus der Wüste in die normale Welt der Wissenschaft und Hochfinanz des *Silicon Valley* mitnehmen.

Daraus kann man nur eines schließen: In neuem Gewand und mit neuer Terminologie wird der ursprüngliche Schamanismus mit seinen vielen Totempfählen das Programm der globalen Transformation vorantreiben. Ken Wilber, ein moderner Theoretiker heidnischer Spiritualität, behauptet, dass „die Erfahrung der zeitlosen Einheit mit dem Geist keine Idee oder Wunsch ist; sie ist ein direktes Erfassen ... Echter Mystizismus, im Gegensatz zu dogmatischer Religion, ... beruht auf direkten experimentellen Beweisen ... Die Mystiker bitten dich, nichts auf bloßen Glauben zu stützen".[483] „Direktes Erfassen" beschreibt die zutiefst überzeugende, lebensverändernde Erfahrung, die dem Schamanen vorbehalten ist, der in die außerkörperlichen Mysterien des monistischen Einsseins eingeweiht worden ist. Im Unterschied dazu bestehen die Neo-Jungianer darauf, dass in der zukünftigen Gesellschaft jeder ein reifer, vom Geist besessener Schamane ist, was das Überleben der Menschheit auf dem Planeten sichert.

Gnostische Vereinigung zu globaler Einheit

In den Lobreden auf John Lennon, den großen schamanistischen Befreier der zeitgenössischen Kultur, wird „Imagine" als „Inbegriff des schamanischen Liedes" beschrieben, das alle Schranken beseitigt: keine Länder, keine Religion, keinen Himmel und keine Hölle.[484] Das Lied verkörpert die tiefe gnostische Erfahrung der Befreiung von den Gegensätzen. Man wird nicht mehr von der begrenzenden Vorstellung eingeengt, dass die Dinge ursprünglich getrennt geschaffen wurden. Man kennt sich selbst als sowohl männlich als auch weiblich und weiß, dass die Wirklichkeit sowohl Richtig als auch Falsch, Wahr und Unwahr, Gut und Böse umfasst. In primitiven Kulturen wurde dies als die Macht jenseits der weißen und schwarzen Magie bezeichnet. Die gnostische Spiritualität wird manchmal mit der ägyptischen Göttin Isis identifiziert. In dem gnostischen Manuskript „Donner – Vollkommener Verstand" („Die Bronte") beschreibt sie sich selbst als „die Hure und die Heilige ..., die Frau und die Jungfrau ..., diejenige, deren Abbild in Ägypten (Isis) groß ist ... Ich, ich bin ohne Sünde, und die Wurzel der Sünde stammt aus mir ... Ich bin diejenige, die ‚die Wahrheit' genannt wird, und das Unrecht"[485]. Isis verbindet die Gegensätze zur Verwirklichung eines „nicht dualen" spirituellen Zustands. Das gnostische „Evangelium der

Wahrheit“ beschreibt diese Erkenntnis als Verschlucktwerden in der Einheit aller Dinge.[486] Die Verbindung der Gegensätze bedeutet, dass wir uns über alle Unterscheidungen erheben, die als *maya,* als bloßer Schein, abgetan werden.[487]

Erinnern wir uns daran, dass für C. G. Jung alle Archetypen oder mythischen Kräfte schließlich vereint sind und auf „die Sphäre des *unus mundus,* der einheitlichen Welt ... den letzten Grund des Universums“[488] verweisen. Das Erleben dieser Einheit sei der Schlüssel zur psychischen Gesundheit. Jungs analytische Psychologie sah die Aufgabe des Selbst darin, alle Polaritäten zu einem psychischen Ganzen zu vereinen. Das Selbst ist die Gesamtheit unbewusster Archetypen (d. h. unserer Instinkte), deren bewusste Integration zur Ganzheit führt. Damit Ganzheit entstehen kann, muss das Gute mit dem Bösen, das Männliche mit dem Weiblichen, die Dunkelheit mit dem Licht in Einklang gebracht werden. Von besonderer Bedeutung war, was Jung den Schatten nannte, die abgelehnten oder negativen Aspekte des Selbst. Wenn diese ignoriert und nicht in die Ganzheit integriert werden, brechen sie sich in Verzerrungen, Projektionen und Gewalt Bahn.[489]

Sieg über die Schuld

Diese Verbindung der Gegensätze bedeutet, dass zu einem spirituellen Hoch mehr gehört als nur tranceartige Ekstase. Über die Grenzen des Verstandes hinauszugehen, heißt auch, über rationale Definitionen von Richtig und Falsch hinauszugehen. Alles an Ihnen ist in Ordnung. Alle Ihre Instinkte sind gültig. Im Pantheismus sind Gut und Böse ein Teil des Ganzen. In der Innenwelt verschwinden Vorstellungen wie Richtig und Falsch, Schuld und schlechtes Gewissen. C. G. Jung spricht davon, Kraft aus der dunklen oder Schatten-Seite des Selbst zu schöpfen, das Böse als Partner des Guten zu akzeptieren und beides anzunehmen, um Selbstwerdung oder Individuation zu erreichen.[490] In der Alchemie und in der Psychotherapie, sagt June Singer, „begegnen wir unseren Scham- und Schuldgefühlen und den bösen Aspekten unserer eigenen Natur und erkennen sie als unser Eigenes an“[491]. Bruce Davis von der Manson Family[492], jetzt ein wiedergeborener Christ, sagt über LSD, dass es seinen „Sinn für das Erlaubte erweitert hat ... Das Undenkbare wurde denkbar, und das Denkbare wurde machbar“[493]. Richard Noll sagt augenzwinkernd, dass C. G. Jung mit seinem Begriff der Individuation „Generationen seiner Anhänger von der Last der Erbsünde erlöst hat“[494].

Noll hat genau verstanden, wohin uns diese Sichtweise führt – in den Schoß Nietzsches, der bekanntermaßen erklärte, dass Gott tot sei. Nietzsche charakterisierte das Bewusstsein des „Übermenschen“ als ungehemmt von theistischer Moral:

> *Und wer ein Schöpfer sein muss im Guten und Bösen: wahrlich, der muss ein Vernichter erst sein und Werte zerbrechen. Also gehört das höchste Böse zur höchsten Güte ... Denn das Böse ist des Menschen beste Kraft. Der Mensch muss besser und böser werden ... Das Böseste ist nötig zu des Übermenschen Bestem.*[495]

Über dem Leichnam Gottes erhob sich der befreite Mensch, der „Übermensch“. Noll sagt dazu: „Jung stellte sich den individuierten [psychologisch reifen] Menschen als einen vor, der als Genie [Übermensch] wiedergeboren wurde, als einen, der das Universelle in den speziellen Umständen des Lebens direkt wahrnehmen kann ... vom göttlichen Genius im Innern besessen.“[496]

Der Untertitel von Nietzsches Buch *Jenseits von Gut und Böse* hat einen prophetischen Klang: *Vorspiel einer Philosophie der Zukunft*[497]. In Jungs Philosophie, die Gut und Böse miteinander verbindet, sehen wir eine Erfüllung von Nietzsches Vision. Unter Jungs anhaltendem Einfluss entdecken Menschen ihre göttliche, schuldfreie Identität. So ist die individuierte (reife) Person diejenige, die die Erfahrung der Ganzheit verwirklicht und die „Macht der Gottheit und des Teufels gleichermaßen“[498] zusammenhält.

Al Mohler schreibt in einem Aufsatz über die Leugnung von Schuld im Zusammenhang mit der therapeutischen Revolution:

> *Unsere postchristliche Gesellschaft hat über ein Jahrhundert lang hart daran gearbeitet, Schuld in den kulturellen Hinterhof zu verbannen und zu leugnen, dass Schuld ethisch bedeutsam sein kann. Im Gefolge von Sigmund Freud und der therapeutischen Revolution besteht die moderne säkulare Weltanschauung darauf, dass Schuld als verbleibender Rest des christlichen Gewissens verstanden wird, als eine Erfahrung, die uns lediglich von einer Gesellschaft aufgezwungen wird, welche uns unterdrückerische ethische Urteile auferlegt. Sie soll überwunden und verleugnet werden, aber niemals Gehör finden.*[499]

Auf der Grundlage des Glaubens an eine innere Göttlichkeit hat C. G. Jung unsere westliche Kultur bereits in eine erschreckende Abwesenheit von Schuld geführt. Eine junge Frau ließ sich bei ihrer Abtreibung filmen, um sie auf Facebook zu veröffentlichen. (Das war der Anlass für den Artikel von Al Mohler.) Diese selbstbewusste junge Frau zeigt, dass diese Gedanken nicht bloße Theorie sind. Sie beendet ihr Video mit den Worten: „Ich habe Ehrfurcht vor der Tatsache, dass ich ein Baby machen kann. Ich kann ein Leben erschaffen. Ich wusste, dass das, was ich tun würde [es zu töten], richtig war, weil es für mich richtig war, und für niemanden sonst."[500]

Dieses Denken ist das Zeichen einer „absolut gottlosen Weltanschauung", wie Mohler feststellt. Sein Kommentar ist tiefgründig: „[Diese junge Frau] schreibt sich selbst die Macht zu, Leben zu geben, ‚ein Leben zu machen'. Was sie macht, kann sie auch zerstören. Emily hat's gegeben, Emily hat's genommen."[501] Es gibt keine Schuld.

Das behauptet auch Thomas Berry, allerdings mit einer anderen Terminologie. „Wir selbst sind eine mystische Eigenschaft der Erde, ein vereinigendes Prinzip, eine Integration der verschiedenen Polaritäten ... Wenn der Mensch *Mikrokosmos* ist, ist der Kosmos *Makroanthropos*. Jeder von uns ist die kosmische Person ..., die Große Person des hinduistischen Indiens."[502] Er fährt fort: „Eine solche Teilhabe am Traum der Erde haben wir wahrscheinlich seit den früheren schamanischen Zeiten nicht mehr gehabt."[503] Jetzt ist eine solche Teilhabe leicht verfügbar – online. Ein Schamane beschreibt die Ekstase, die den Suchenden erwartet:

> *Die schamanische Ekstase ist die wahre* Old Time Religion *(Religion aus alter Zeit), von der die modernen Kirchen nur blasse Anspielungen sind. Schamanische, visionäre Ekstase, das* mysterium tremendum, *die* unio mystica, *die ewig beglückende Erfahrung des Universums als Energie, ist eine* conditio sine qua non *der Religion; sie ist das, wofür Religion da ist! Glaube ist nicht notwendig; es ist die ekstatische Erfahrung selbst, die uns den Glauben an die innere Einheit und Ganzheit des Universums und an uns selbst als integrale Teile des Ganzen gibt. Sie offenbart uns die ehrfurchtgebietende Majestät unseres Universums und das schwankende, funkelnde, alchemistische Wunder, welches das alltägliche Bewusstsein ist. Jede Religion, die Glauben verlangt und keinen erzeugt ... die nicht die klaffende Wunde zwischen Körper und Seele heilt, sondern die beiden entzweireißen will ..., ist überhaupt keine Religion!*[504]

Ist das der letzte Fluch der jungschen Schüler über den modernen Westen? C. G. Jung erkannte die Bedeutung dessen, was er tat. Er beobachtete

> *... eine Stimmung universeller Zerstörung und Erneuerung ... was die Griechen den kairos nannten – den richtigen Moment – für eine „Metamorphose der Götter" ... Es ist der unbewusste Mensch in uns, der sich verändert.*

> *Kommende Generationen werden dieser bedeutsamen Transformation Rechnung tragen müssen.*[505]

Berry lässt es sich nicht entgehen, die Dinge beim Namen zu nennen, indem er uns sagt, wer dieser unbewusste Mensch ist: „Es ist die Rolle der schamanischen Persönlichkeit ..., die in die weiten Regionen des kosmischen Mysteriums reist und die Vision und die Kraft zurückbringt, die die menschliche Gemeinschaft auf der grundlegenden Ebene braucht."[506] Nur diese Art Mensch kann im zukünftigen Zeitalter Weisheit aussprechen.[507]

Das ist die Vision von Richard Tarnas, der wie Berry seine römisch-katholische Vergangenheit bewusst ablehnt. Die Ankunft des Schamanischen korrespondiert mit einer Zeit des spirituellen, apokalyptischen Hochgefühls, das sich in einem „mächtigen Crescendo"[508] äußert, wie in der verführerischen Vision von Richard Tarnas: „Sie alle *versammeln sich jetzt auf der geistigen Bühne, als ob sie zu einer Art krönender Synthese zusammenkommen.*"[509] Tarnas' Grundlage für die Synthese ist die Wiederentdeckung der alten babylonischen Astrologie, und er verteidigt sie in seinem Werk *Cosmos and Psyche: Intimations of a New World* (dt. etwa: *Kosmos und Psyche: Andeutungen einer Neuen Welt*),[510] einem Werk, das den astrologischen Spekulationen von Jung folgt.[511] Wir sind zurück im alten Babylon, Griechenland und Rom. John Oswalt, ein Spezialist für antike Religionen, stellt fest:

> *Sobald ein Mensch oder eine Kultur die Vorstellung annimmt, dass diese Welt alles ist, was es gibt – wie es für den heidnischen Mythos typisch ist –, treten bestimmte Folgen ein – unabhängig von der Primitivität oder der Modernität des Menschen oder der Kultur. Dazu gehören die Abwertung der einzelnen Person, der Verlust des Interesses an der Geschichte, die Faszination für Magie und Okkultismus und die Leugnung der individuellen Verantwortung. Das Gegenteil hiervon, zu dem auch das gehört, was wir für den Ruhm der modernen westlichen Kultur*

> *gehalten haben, sind Begleiterscheinungen der biblischen Weltanschauung. So wie diese Weltanschauung bei uns zunehmend verloren geht, verlieren wir auch die Begleiterscheinungen. Weil wir nicht erkennen, dass es sich um Begleiterscheinungen handelt, sind wir überrascht, sie verschwinden zu sehen, ohne eine wirkliche Erklärung dafür zu haben.*[512]

Da unsere Kultur die biblische Weltanschauung verloren hat, verfügt sie nicht mehr über die mentalen Mechanismen, um sich gegen die abwegigen Äußerungen von Radikalen zu wehren, die entschlossen bis an die Grenzen gehen. Wie der Apostel Paulus sagte: „Obwohl sie Gottes Rechtsforderung erkennen, dass die, die so etwas tun, des Todes würdig sind, üben sie es nicht allein aus, sondern haben auch Wohlgefallen an denen, die es tun" (Röm 1,32).

Wenn das Licht der Welt systematisch ausgelöscht wird, wird die Welt in moralische und geistige Finsternis gehüllt. Und wie viele Christen werden auf diese Täuschung hereinfallen?

Wir haben zweifellos einen Wendepunkt erreicht. Wie Judas 7 deutlich zeigt, ist Sodom ein Beispiel für eine Stadt, die wegen ihrer Gottlosigkeit und sexuellen Perversion von Gott verurteilt wurde. Ein weiteres Beispiel ist das alte Volk Israel, das selbst als Volk Gottes trotzig behauptete: „Wir haben einen Bund mit dem Tod geschlossen und mit dem Scheol einen Vertrag gemacht. Wenn die einherflutende Geißel hindurchfährt, wird sie uns nicht erreichen, denn wir haben Lüge zu unserer Zuflucht gemacht und in Trug uns geborgen" (Jes 28,15). In der Anfangszeit der christlichen Gemeinde sprach Paulus davon, dass „das Geheimnis der Gesetzlosigkeit wirksam" ist (2Thes 2,7), prophezeite dann aber, dass sich die Dinge noch verschlimmern würden, wenn der „Gesetzlose offenbart werden" (2,8) wird, der „mit Satans Hilfe" (2,9; NeÜ) und „mit seinen Verführungskünsten" an denen wirkt, die „es abgelehnt haben, die Wahrheit zu lieben, die sie gerettet hätte" (2,10; NeÜ). Auf geheimnisvolle Weise ist auch Gott daran beteiligt, denn er „liefert … sie der Macht der Täuschung aus, dass sie der Lüge glauben“ (2,11; NeÜ). Der kulturelle Zusammenbruch ist unvermeidlich, wenn die Menschen Gott und seine geoffenbarte Weisheit entschieden ablehnen.

TEIL 3

NICHT AUFGEBEN

Unsere Welt mag vielleicht meinen, dass sie im richtigen Zug sitzt, aber wir haben uns schon lange geweigert, der Spur zu folgen. Angesichts des dramatischen Zusammenbruchs der jahrhundertealten christlichen Kultur und der Verführungskraft dieser neuen heidnischen Auffassung einer „neuen Menschheit", die auf der *Einsheit* basiert, brauchen Christen große Weisheit – wir können uns keine Fehler leisten; wir können nicht einfach später die Richtung ändern, ohne dass Schaden entstanden ist. In diesem letzten Teil werden wir untersuchen, was der weise und von Gott inspirierte Apostel Paulus den zahlenmäßig so deutlich unterlegenen Christen vorschlug, die im Herzen der antiken, griechisch-römischen heidnischen Kultur lebten. Seine Anweisungen sind auch heute noch für Christen gültig.

Im Römerbrief schreibt Paulus über die rebellischen Völker, die sich von Gott wegbewegen, dass Gott sie „entehrenden Leidenschaften" (Römer 1,26; NeÜ) und „einem verworfenen Denken" (1,28; NeÜ) „dahingegeben" hat (*parédoken;* 1,24.26.28). Mit demselben Begriff wiederholt Paulus im Epheserbrief die gleiche Warnung. Das Denken der Heiden „ist von Nichtigkeiten bestimmt, und in ihrem Verstand ist es finster, weil sie vom Leben mit Gott ausgeschlossen sind. Das kommt von der Unwissenheit, in der sie befangen sind, und von ihrem verstockten Herzen. So sind sie in ihrem Gewissen abgestumpft und haben sich ungezügelten Lüsten hingegeben *[parédokan],* sind unersättlich in sexueller Unmoral und Habgier" (Eph 4,17-19; NeÜ). Das ist die Phase, in der sich Theorie und Praxis gegenseitig ergänzen, in der die ganzheitliche Rechtfertigung des heidnischen Denkens zu sündiger, den Geist betäubender Praxis anregt, sodass Geist und Körper ohne Scham zu Sklaven des Bösen werden. Der schottische Theologe John Murray aus dem 20. Jahrhundert liefert in seiner Erklärung dessen, was Paulus im heidnischen Rom des 1. Jahrhunderts beschrieb, eine erstaunlich genaue, vorausschauende Beschreibung unserer heutigen Kultur. Zu Paulus' letzter Aussage im 1. Kapitel des Römerbriefs („Obwohl sie Gottes Rechtsforderung erkennen, dass die, die so etwas tun, des Todes würdig sind, üben sie es nicht allein aus, sondern haben auch Wohlgefallen an denen, die es tun" [Römer 1,32]) bemerkt Murray:

> *Das Verhängnisvollste ist nicht die Ausübung der Ungerechtigkeit, so sehr dies auch ein Beweis dafür sein mag, dass wir uns von Gott abgewandt haben und der Sünde ausgeliefert sind; es ist die Tatsache, dass zusammen mit der Praxis auch die Unterstützung und Ermutigung anderer bei der Ausübung derselben vorhanden ist ... Die Ungerechtigkeit ist am schlimmsten, wenn sie durch die Missbilligung anderer nicht gehemmt und übereinstimmend kollektiv befürwortet wird.*[513]

Nach dem, was wir in Teil 2 dieses Buches beobachtet haben, müssen wir uns fragen: Sind wir in unserer ehemals christlich-abendländischen Kultur an einem Punkt angelangt, an dem die „übereinstimmende kollektive Befürwortung" eine umfassende rebellische Kosmologie geschaffen hat? Reilly sieht mit seiner Begrifflichkeit unsere Situation ganz ähnlich. Er spricht von der „Macht der Rationalisierung", die auftritt, wenn Menschen, die das ethische Gesetz instinktiv kennen und es bewusst unterdrücken, ihre Haltung rechtfertigen müssen. Dieses unvermeidliche Gefühl des „moralischen Versagens" ist „schwer zu ertragen" und kann nur „toleriert werden ..., indem man eine Rationalisierung schafft, um es zu rechtfertigen"[514]. Er fährt fort: „Wir reden uns selbst ein, dass bisher verbotene Wünsche zulässig sind ..., indem wir das Gewissen durch eine dauerhafte Rationalisierung, eine anhaltende Umkehrung der Moral, auslöschen."[515] Dies wird zu einem gesamtkulturellen

Phänomen: „Verfestigte moralische Entgleisungen [durch bestimmte kulturelle Leiter] bringen die Menschen dann dazu, das Laster nicht nur sich selbst, sondern auch anderen gegenüber zu rationalisieren ..., sodass es zu einem Antrieb für revolutionäre Veränderungen wird, welche die Gesellschaft als Ganzes beeinflussen.“[516] Diese Rationalisierung wird jetzt an den Schulen gelehrt, in Ehen hochgehalten, in Gesetzen und der öffentlichen Politik legalisiert und durch die höchsten öffentlichen Amtsträger normalisiert. Da dies eine Lüge ist, kann sie Wahrheit gegen sich nicht ertragen, und von daher müssen ihre Vertreter selbst friedliche und rationale Gegnerschaft als hasserfüllt verteufeln, Schweigen fordern und alle ächten, die sich dagegen aussprechen. Mit der gegenwärtigen Dominanz der Ideologie der *Einsheit* erleben wir den entschlossenen Aufbau einer Gesellschaft, die Gott und seine Gebote ablehnt und sich auf persönliche, erotische Fantasie stützt. Das ist der Gott im Innern, was bereits im Titel des Buches des Neomarxisten Herbert Marcuse aus der vorigen Generation, *Eros and Civilization* (dt.: *Triebstruktur und Gesellschaft*), zum Ausdruck kommt.[517]

Als Entgegnung auf die ähnlichen Umstände zu seiner Zeit spricht Paulus eine Warnung und zwei Antworten aus. Erstens warnt er vor der großen Versuchung für Christen, sich den Denk- und Lebensgewohnheiten der gefallenen Welt anzupassen: „Richtet euch nicht nach den Maßstäben dieser Welt!“ (Röm 12,2; NeÜ). Und er legt dar, dass die beiden grundlegenden christlichen Antworten in christlichem *Leben* (12,1) und christlichem *Denken* (12,2) bestehen müssen.

Angesichts dieser schönen neuen Welt können wir nicht sagen, wir wüssten nicht, was wir tun sollen. Und doch scheint der kulturelle Zug zum Entgleisen bestimmt zu sein. Hat uns das betrügerische Treiben Satans so sehr überrollt, ist es bereits so im System verankert und als soziale, moralische und spirituelle Theorie normalisiert worden, dass Gott uns den katastrophalen Auswirkungen unserer teuflischen, von Schamanen geleiteten Umklammerung der Lüge überlassen muss? Wir müssen beten, dass uns Gottes „Güte, Nachsicht und Geduld … zur Umkehr“ bringen (Röm 2,4; NeÜ), uns aber auch realistisch auf einen geistlichen Kampf mit einer Kultur vorbereiten, die unter der mächtigen Herrschaft des

Satans steht. In einer solchen vom christlichen Glauben abgefallenen Gesellschaft sind die Menschen nicht mehr mit der biblischen Vorstellung konfrontiert: dass sich das Bild Gottes in der Realität des „Naturrechtes"[518] widerspiegelt, im Bewusstsein eines Schöpfers und im Menschen als Verantwortlichem für den Schöpfungsauftrag, in der geschlechtlichen Unterscheidung von Mann und Frau und im Funktionieren des moralischen Gewissens. Das Gewissen ist verbrannt; alles wird rationalisiert. Wenn das wahr ist, müssen wir zum Abschluss der Teile 1 und 2 zugeben, dass C. G. Jung tatsächlich gelungen ist, was dem heidnischen Kaiser Julian dem Abtrünnigen nicht gelang.

Der Zug der *Einsheit* ist auf dem Weg ins Verderben. Aber wir können auch nicht einfach vom Zug der Kultur abspringen; wir müssen weiter auf *irgendeine* Zukunft zusteuern. Und Paulus hat uns dafür seine Leitlinien gegeben. Also: Wie sieht eine christliche Antwort aus?

KAPITEL 10

CHRISTLICHE KOMPROMISSE MIT DER KULTUR

„Seid nicht gleichförmig dieser Welt." (Röm 12,2)

Sie werden sich vielleicht fragen, warum ein so großer Teil dieses Buches dem heutigen Zustand der westlichen Welt (und insbesondere Amerikas) gewidmet ist. Das liegt zum Teil daran, dass ich selbst überrascht war, als ich 1991 nach 18 Jahren in Frankreich in die Vereinigten Staaten zurückkehrte. Vor dem französischen Kapitel meiner Geschichte hatte ich während der Beatles-Zeit neun Jahre lang in den Vereinigten Staaten studiert. Ich stellte fest, dass ich in ein ganz anderes, weit weniger christlich geprägtes Amerika zurückgekehrt bin.

Viele unbekümmerte Christen, die sich des Ausmaßes der kulturellen Flutwelle nicht bewusst sind, die seit den Sechzigerjahren nicht nur die Vereinigten Staaten überrollt hat, sind schlecht gerüstet, um dem Widerstand der neuen Kosmologie zu begegnen. Sicherlich haben die meisten Christen ein Gespür dafür, dass hier nicht alles in Ordnung ist. Ich spreche oft vor christlichen Zuhörern und höre sie sagen, dass die Dinge „schrecklich" seien, aber ein solch vages Gefühl ist keine große Hilfe. Wie können wir „Schreckliches" angehen? Wir müssen zu den weltanschaulichen Grundlagen zurückkehren, um auf die neue Situation reagieren zu können. Ohne eine solche Analyse könnten sich Christen sogar auf wesentliche Elemente dieser Kosmologie einlassen, von der sie nicht erkennen, wie unbiblisch sie ist. Und das Dumme ist: Wenn man erst einmal ein Stück des heidnischen Kuchens genommen hat, verlangt man nach mehr.

Ein altes Problem

In Psalm 11 beklagt König David das Unheil des religiösen und kulturellen Zusammenbruchs und stellt dann leidenschaftlich eine Frage, die in der Geschichte der Kirche oft zitiert worden ist: „Wenn die Grundpfeiler umgerissen werden, was richtet da der Gerechte aus?“ (11,3). Wenn Christen wie David beobachten: „Die Gottlosen spannen den Bogen, haben ihren Pfeil auf der Sehne gerichtet, im Finstern zu schießen auf die von Herzen Aufrichtigen“ (11,2), dann sind sie geneigt, dem falschen Rat von Davids Feinden zu folgen: „Flieh in die Berge wie ein Vogel“ (11,1). Einige Christen sind dieser Versuchung bereits erlegen und haben geschlossene Gemeinschaften gebildet, die Vorräte horten. Und diejenigen, die nicht so weit gehen, stehen immer noch in der Versuchung, sich zurückzuziehen.

Wir dürfen jedoch nicht aufgeben. Zwar sind die geistigen und ethischen Grundlagen der westlichen Zivilisation erschüttert, zwar sind so viele der neuen Weltanschauung verfallen – aber wir haben eine bleibende Hoffnung, denn es gibt eine Grundlage, die Bestand hat. Sie besteht nicht im christliche Amerika, der westlichen Christenheit oder einer zukünftigen utopischen Erde. Es gibt einen sicheren Zufluchtsort:

> *Der HERR ist in seinem heiligen Palast, der HERR – im Himmel ist sein Thron. Seine Augen schauen, seine Blicke prüfen die Menschenkinder. Der HERR prüft den Gerechten; aber den Gottlosen und den, der Gewalttat liebt, hasst seine Seele … Denn gerecht ist der HERR. Gerechte Taten liebt er. Aufrichtige schauen sein Angesicht. (Ps 11,4-5.7)*

Gott ist unsere Zuflucht, er hat die Berge geschaffen und wird eines Tages seine Schöpfung zu einem wahrhaft *neuen* und *erneuerten* Kosmos umgestalten, in dem Gerechtigkeit wohnt. Wir wissen aus der Sicht des Glaubens, dass wir, mit seiner Gerechtigkeit bekleidet, „sein Angesicht schauen" werden (11,7). Was müssen die Gerechten tun, bis es so weit ist? Im Wissen, dass unser Vater uns läutert und prüft und dass er „gerechte Taten" liebt, auch wenn die Fundamente bröckeln, versuchen wir, der Welt, die uns beobachtet, Gerechtigkeit zu zeigen. Natürlich dürfen wir nicht aufgeben oder nachgeben. Doch das ist die ständige Versuchung, wenn die Dinge schwierig werden.

Angesichts des massiven Widerstands gegen den christlichen Glauben – einen Glauben, der in der westlichen Kultur einst die vorherrschende Quelle für gesellschaftliche und moralische Normen war – ist die Reaktion der Christen entscheidend für das Überleben des Evangeliums in unserer Zeit. Seit Beginn der Kirchengeschichte, als religiöses Heidentum die Kultur beherrschte, hat es so eine Zeit nicht wieder gegeben. Wird die christliche Gemeinde heute den wahren Charakter dieser Situation erkennen und so reagieren, dass sie Christus und sein Evangelium ehrt, wie es damals die frühe Kirche tat?

Konformität mit der Art von Welt, die wir oben beschrieben haben, ist die schlimmstmögliche Reaktion. Denn Konformität schafft einen lähmenden Geist der Verwirrung bei allen und jedem. Der Apostel Petrus schrieb in seiner Warnung an die Christen in Kleinasien, im heidnischen Römischen Reich: „An die von Gott Erwählten, die wie Fremde unter ihren Landsleuten leben, und zwar in Pontus, Galatien, Kappadozien, der Asia und in Bithynien … Weil ihr jetzt vom Gehorsam bestimmt seid, lasst euch nicht mehr von den Begierden beherrschen, wie ihr das früher getan habt, als ihr noch unwissend wart" (1Petr 1,1.14; NeÜ). Paulus wiederholte diese Warnung an die Christen, die im Herzen von Neros Hauptstadt lebten: „Seid nicht gleichförmig dieser Welt!" (Röm 12,2).

Die Christen im 1. Jahrhundert lebten unter einem Regime, das sie ständig dazu verführte, ihre Überzeugungen zu ändern und ihr Verhalten an eine Kultur anzupassen, die ihren Glauben im Wesentlichen nicht teilte. Christen haben im Laufe der Geschichte in ähnlichen gesellschaftlichen Verhältnissen gelebt, in Kulturen und unter Regierungen, die die christlichen Grundsätze nicht beachteten. Christen sind nicht nur im Westen, sondern überall von Gott in seinem Wort dazu aufgerufen, die Ideen zu durchschauen, die das Denk- und Glaubensmuster der Welt ausmachen. Auf diese Weise können wir sowohl der Lüge widerstehen als auch die Wahrheit darstellen, die die Lüge erkennt, sie entlarvt und die einzige wahre Hoffnung im Evangelium anbietet. Unwissenheit in diesem Bereich führt zu glaubenszerstörender Anpassung und zu Kompromissen.

Die Angst vor unserer Kultur

Christen passen sich heute oft aus Angst an oder gehen Kompromisse ein. Wir fürchten vielleicht verbale Angriffe, Anklagen wegen Hassrede oder den Verlust von Freunden, Arbeitsplätzen oder Ansehen. Manchmal wird Christen sogar körperliche Gewalt angedroht.[519]

Die Angst vor Repressalien von Seiten der Studentenschaft oder der Universitätsverwaltung beeinträchtigt die evangelikale Arbeit unter Studenten am Anfang des 21. Jahrhunderts. Während Studentengruppen einst für kompromisslose Verkündigung des Evangeliums und offene Evangelisation bekannt waren, sind viele nun gezwungen, sich zurückzuhalten und sich eher als „geistliches Krankenhaus“ oder als „Heimat fern von zu Hause“ darzustellen. Für christliche Gruppen wird es immer schwieriger, Veranstaltungen wie öffentliche Debatten zu veranstalten, ganz zu schweigen von fakultätsübergreifenden Vorträgen. Wie können Christen an der Universität ein Außenposten zur Verkündigung der Wahrheit des Evangeliums sein, wenn es ihnen zunehmend verboten wird, überhaupt zu sprechen? Eine unauffällige Präsenz scheint die einzige Alternative zu sein. Die Versuchung für Christen besteht darin, entweder die Zugbrücken hochzuziehen, die Fenster zu verriegeln und nicht mehr in Erscheinung zu treten oder nur noch durch kulturell anerkannte Dienstleistungen einen positiven Beitrag zum Leben der Gemeinschaft zu leisten. Dienen ist natürlich großartig, aber beachten Sie, dass in jedem dieser Szenarien das Wort der Wahrheit zum Schweigen gebracht wird.

Offensichtlich erfordert die neue Situation Takt, Weisheit und Sanftmut – für die christliche Arbeit an Hochschulen wie auch für alle Christen. Wir müssen füreinander beten, insbesondere für die christlichen Millennials und diejenigen, die nach ihnen kommen werden. Ich selbst gehöre zu denen, die es immer wieder nötig haben, sich an das Gebetsanliegen des Apostels Paulus zu erinnern, als er angekettet an einen gut bewaffneten Soldaten in einem römischen Gefängnis saß:

> *Betet auch für mich, dass Gott mir die richtigen Worte gibt, damit ich dann, wenn ich rede, das Geheimnis des Evangeliums unerschrocken bekannt mache – ich bin ja auch in Ketten ein Gesandter des Evangeliums. Betet, dass ich so offen und frei davon rede, wie ich reden soll. (Eph 6,19-20; NeÜ)*

Das Streben nach Anerkennung durch unsere Kultur

Einige moderne Christen glauben, dass die Schwierigkeiten der christlichen Gemeinde, mit der Kultur zurechtzukommen, weitgehend selbst verschuldet und vermeidbar sind. Die Kultur verachte uns, weil sich Christen gesellschaftlich anstößig verhalten und das christliche Zeugnis völlig falsch angehen. Manche glauben, dass die kulturelle Opposition verschwinden wird, wenn die Christen ihre Verkündigungstechniken optimieren, ihre Botschaft aktualisieren und sich von Herzen mehr für die Erde und ihre Bewohner engagieren würden. Beinahe wird so die Förderung des diesseitigen „menschlichen Wohlergehens“ – wie es von der uns umgebenden Kultur definiert wird – zum Ziel christlicher Gemeinden.

In ihrem Buch *UnChristian*[520] haben Gabe Lyons und David Kinnaman herausgefunden, dass junge Amerikaner eine überwältigend negative Einstellung zum Christentum haben.[521] Die Autoren neigen dazu, dieser negativen Sicht auf die Gemeinde zuzustimmen. Zwar kann man in der Kirche, im Glauben und in der Praxis einzelner Christen immer Schwachstellen finden, aber die Methodik von Lyons und Kinnaman erscheint fragwürdig. Zwar räumen sie ein, dass „die Welt dieser Generation wie keine andere aus den Fugen gerät"[522] und dass junge Amerikaner „die Welt ganz anders wahrnehmen als die Menschen zuvor"[523], doch scheinen die Autoren diese Wahrnehmungen als grundsätzlich wahr anzusehen. Aus dieser Annahme heraus ziehen Kinnaman und Lyons den Schluss, dass das Christentum heute etwas Peinliches und Gescheitertes sei. Anstatt jedoch nach einer stimmigen Darstellung des wahren christlichen Glaubens und der wahren christlichen Weltanschauung zu suchen, versuchen sie herauszufinden, welche Aspekte der christlichen Werte der Welt gefallen könnten – z. B. Umweltschutz, soziale Gerechtigkeit, bestimmte Formen des Mystizismus, Toleranz gegenüber abweichenden Wahrheitsauffassungen –, und präsentieren diese Themen dann als die Mitte des Evangeliums. Doch warum ist so klar, dass sich das Christentum ändern muss, nur weil die heutige Generation es nicht unbedingt schmackhaft findet?

In einer Situation wie der unseren dürfen Christen nicht in erster Linie danach streben, beliebt zu sein, sondern müssen dem Evangelium in Liebe treu sein. Anderenfalls können die Zugeständnisse zwar tugendhaft aussehen, sind aber eine ernsthafte Gefahr. So scheint beispielsweise *Lyons' Q*, eine Veranstaltungsreihe hochkarätiger Konferenzen, zu denen Kulturschaffende vieler verschiedener religiöser Überzeugungen eingeladen werden, eine Entgegnung auf das Hauptproblem der Kirche zu sein, nämlich dass das Christentum kulturell unbeliebt ist. Allerdings fehlt es Q an einer klaren biblischen Kosmologie, die ihre

Überzeugungen und ihre Engagements untermauern würde. So wurden nicht christliche kulturelle Avantgardisten wie Soledad O'Brien, eine bekannte amerikanische Rundfunkjournalistin, und Eboo Patel, ein muslimisches Mitglied des *Advisory Council on Faith-Based Neighborhood Partnerships,* als Redner eingeladen. Auch Rachel Held Evans wurde eingeladen, eine beliebte, progressive evangelikale Bloggerin und Autorin mit höchst umstrittenen Ansichten über die Bibel, Gender und Sexualität. Sie scheinen einen coolen, intelligenten, kultivierten und aufgeschlossenen evangelikalen Pluralismus vorzuschlagen. Und wer möchte nicht cool, intelligent, kultiviert und aufgeschlossen sein? Aber kann dieser spezielle Weg *evangelikal* bleiben?

Der Kultur zu gefallen, indem man sich ihren Vorstellungen anpasst, ist für einige progressive Evangelikale zu einer Neuauflage alles Christlichen geworden. Das erste Ziel der *CANA Initiative* mit „emergenten, progressiven, missionalen Christen" wie Brian McLaren, Stephanie Spellers, Doug Pagitt, Tony Jones und Diana Butler Bass ist es, „ein attraktiveres öffentliches Bild des Christentums zu schaffen"[524]. Am radikalsten ist vielleicht das *Wild Goose Festival,* das 2014 eine „Old Time Gospel Hour" unter der Leitung eines (oder einer) Dragqueen-Geistlichen veranstaltete. Auf einem Schild am Eingang stand:

> *Sie müssen nicht gut sein.*
> *Sie müssen nicht auf Knien hundert Meilen durch die Wüste gehen, um Buße zu tun.*
> *Sie müssen nur zulassen, dass das sanfte Tier Ihres Körpers liebt, was es liebt.*[525]

Eine ähnliche, wenn auch weitaus weniger wilde Versuchung droht anderen evangelikalen Gruppen, die sich auf Millennials ausrichten. *Catalyst* ist eine große evangelikale Konferenz, die von einem Team von Millennial-Christen organisiert wird. 2013 konzentrierte sich *Catalyst* neben den Ansprachen von Plenarrednern wie Pastor John Piper auf Fragen der sozialen

Gerechtigkeit wie Armut und Sexhandel. Doch auch Cory Booker, ein Politiker, der uneingeschränkte und vom Steuerzahler finanzierte Abtreibungen befürwortet, trat als Plenarredner auf. Wie bei *Lyons' Q* war die Botschaft verwirrend, aber die Veranstaltung war sicherlich cool.[526]

Viele Gemeinden werden zweifelsohne eine ähnliche, die Mehrheitskultur begrüßende Haltung einnehmen, insbesondere in der Frage der Ehe für Homosexuelle. Derartige kulturelle Einflüsse gibt es im Überfluss: von Präsident Obama, der 2015 in seiner Rede zur Lage der Nation den Obersten Gerichtshof aufforderte, die gleichgeschlechtliche Ehe zu legalisieren, bis hin zu kapitalkräftigen angeblich christlichen Gruppen, die systematisch versuchen, evangelikale Gemeinden mit ihrer Lehre der integrativen Akzeptanz zu beeinflussen.[527]

Dies ist eine Warnung vor einem Tsunami, der die Gemeinden in Zukunft zweifellos treffen wird. Ein gutes Beispiel ist die *EastLake Community Church*, eine evangelikale Megakirche mit sechs Standorten im Großraum Seattle, die sich „als eine der ersten offen LGBT-bejahenden evangelikalen Kirchen in den USA geoutet hat“[528]. Eine andere, die *New Heart Community* außerhalb von Los Angeles, gehörte bis vor Kurzem zur *Southern Baptist Convention,* bezeichnet sich jetzt aber als eine „Kirche des dritten Weges, in der die Leiter eine Bandbreite von Ansichten über Sexualität anerkennen“[529]. Einer der Pastoren von *EastLake,* Ryan Meeks, 36, rechtfertigt die Entscheidung seiner Kirche aus emotionalen und subjektiven Gründen: „Ich weigere mich, in eine Kirche zu gehen, in der meine homosexuellen Freunde vom Abendmahl, vom Ehebund oder von der Schönheit der christlichen Gemeinschaft ausgeschlossen sind ... Es ist für mich ein Schritt der Wahrhaftigkeit. Die Botschaft Jesu war eine Botschaft breiter Inklusion.“ Er empfindet es so, dass seine evangelikalen Mitchristen ihre Reaktion in „*D-Day*-Begriffen“[530] formulieren. „So viele andere Pastoren haben Angst ... Vielleicht besteht *[EastLakes]* Beitrag darin, am Strand zu sterben.“[531] Aber das ist kein Heldentum, sondern eine unwissentliche Kompromittierung seines Zeugnisses für das Evangelium durch das *einsheitliche* Bekämpfen der Polaritäten, das jeden Glauben an einen Gott, der von seiner Schöpfung getrennt ist, zu Fall bringt. Meeks verneint damit die kosmologische Bedeutung der *Zweiheit* sowohl für die Theologie (bezüglich des Wesens Gottes) als auch für die Sexualität (bezüglich des Wesens des Menschen, der als Bild Gottes geschaffen ist, wie die *Zweiheit* bezeugt).

Laufen Evangelikale in dem Bemühen, Jesus näherzukommen und die Menschen um sie herum zu lieben, unwissentlich in die Arme einer zunehmenden *einsheitlichen* Weltanschauung und deren integrierenden Ansichten über Spiritualität und Sexualität? Eine fundierte biblische Kosmologie fasst diese Elemente zu einer stimmigen Weltanschauung zusammen, die es mit der Kultur aufnehmen kann. Ein an dieser Stelle reduzierender Diskurs hingegen verdreht unweigerlich das Evangelium. Wir brauchen ein umfassendes Verständnis davon, wohin sich unsere Welt entwickelt und wie das Evangelium zu allen Fragen, die den Menschen betreffen, etwas zu sagen hat.

Progressiver Evangelikalismus

Kehren wir zum progressiven Evangelikalismus zurück und beginnen mit Rachel Held Evans. In einem kürzlich erschienenen Kommentar für *CNN* mit dem Titel „Why Millennials Are Leaving the Church“ (dt. etwa: „Warum Millennials die Kirche verlassen“) behauptet Evans wie Kinnaman und Lyons, dass junge Christen deshalb aus der Kirche austreten, weil das Christentum „zu politisch, zu exklusiv, altmodisch, uninteressiert an sozialer Gerechtigkeit und feindselig gegenüber Homosexuellen, Bisexuellen und Transpersonen“ geworden sei. Dabei plädiert sie dafür, dass die Kirche sich weniger mit Sexualität (Abtreibung und Verhütung) und mehr mit der Beseitigung von Armut und der Akzeptanz der gleichgeschlechtlichen Ehe beschäftigen solle.[532] Brian McLaren stellt sich für seine oben erwähnte *CANA Initiative* vor, dass sie eine „attraktivere öffentliche Meinung über das

Christentum, die Spiritualität und den Glauben“[533] formt, indem sie „neue Wege des Christseins, ... *neue Wege, Theologie zu betreiben*“[534], entwirft.

Das Vorbild dafür ist Diana Butler Bass, Kirchenhistorikerin und führende Stimme des progressiven Christentums.[535] Sie ist die Autorin von *Christianity After Religion: The End of Church and the Birth of a New Spiritual Awakening*[536] (dt. etwa: *Das Christentum nach der Religion: Das Ende der Kirche und die Geburt eines neuen spirituellen Erwachens*). Ihre Art von Progressivität hält Einzug in die evangelikalen Gemeinden. Bass' Buch wird von Liberalen wie Marcus Borg, Mitglied des *Jesus Seminar*, empfohlen, aber auch von Evangelikalen wie Shane Claiborne, der ihre Analyse als „neues Leben, das aus dem Kompost der Christenheit sprießt“[537], begrüßt. Für Brian McLaren ist Bass' Werk „provokativ, inspirierend ..., eine weise Anleitung für die Zukunft“[538].

In *Christianity After Religion* kündigt Bass die *Vierte Große Erweckung* an.[539] Aber diese Erweckung hat wenig mit dem geschichtlichen Christentum und noch weniger mit dem traditionellen Evangelikalismus zu tun.[540] Bass spricht von einem „religionslosen Christentum“, eigentlich aber eher von einer christuslosen Religion, die ohne Glaubensbekenntnisse, Dogmen, Autoritätsstrukturen, unveränderliche Moralvorstellungen und eine autoritativ geoffenbarte Bibel auskommt.

Bass stellt fest, dass „Katholiken, Juden, Muslime, Hindus und Buddhisten ähnliche Wiedergeburtserfahrungen erlebt haben“[541], und kommt zu dem Schluss, dass „die nächste große Erweckung eine interreligiöse Erweckung sein muss“[542]. Sie behauptet, dass es in den 1970er-Jahren „die ersten Anfänge einer neuen spirituellen Erweckung“ gab, die aus „einer riesigen, interreligiösen Bewegung“[543] besteht, welche die Praktiken anderer Religionen einbezieht. Sie macht sich damit die Wahrheit des interspirituellen Zeitalters zu eigen und übernimmt die heidnische Kosmologie, die ihr zugrunde liegt. Ihre Bemerkungen über die Anfänge der *Vierten Großen Erweckung*[544] in den 1960er-Jahren passen zu der von mir dargelegten Entwicklungslinie: die gewachsene Verbindung zwischen jungscher heidnischer Spiritualität, der aus dem Osten nach Westen gekommenen Erleuchtung der 1960er-Jahre und dem heutigen interreligiösen Mystizismus. Bass sagt, dass Gott jetzt „in weniger dualistischen Begriffen definiert wird“[545] – mit anderen Worten: weniger *zweiheitlich*. Der Gedanke der „Unterwerfung unter einen transzendenten und oft fernen Gott“ wird zugunsten eines „Findens des eigenen Selbst in Gott und Gottes im eigenen Selbst“ verworfen. Dazu gehört, zu Gott als „unserer Mutter“ zu beten und Gott „weniger im Sinne eines absolutistischen, sündenhassenden, todbringenden ‚allmächtigen Vaters im Himmel‘ und mehr im Sinne ... des nährenden Geistes von Mutter Erde“ zu verstehen“[546].

Eine neue Gnosis

Eine solche Vereinigung mit der Natur im Schoß der „Muttergöttin“ macht einen göttlichen Erlöser überflüssig (außer vielleicht als Vorbild oder Guru); Bass’ Christologie ist also, genauso wie die von C. G. Jung, gnostisch. In dieser Hinsicht ist Bass eine große Bewunderin des Mystikers Meister Eckhart[547] aus dem 14. Jahrhundert, so wie auch von Jung[548]. In den biblischen Evangelien führt die Frage Jesu „Was sagt ihr, wer ich bin?“ zur himmlischen Offenbarung der göttlichen Natur Christi. In Bass’ Darstellung stürzt diese Frage „die Freunde Jesu in die entsprechende Selbstanfrage ‚Und wer bin ich?‘“ Doch wo findet Bass diese Frage? Nicht in den kanonischen Evangelien, sondern in den gnostischen Evangelien. Im gnostischen Thomasevangelium sagt Jesus zu Thomas, er solle ihn nicht „Herr“ nennen, denn er und Thomas seien gleichberechtigt.[549] Bass zitiert ein anderes gnostisches Evangelium, das „Buch des Thomas“, um zu beweisen, dass Selbsterkenntnis die wahre Erlösung sei: „Derjenige, der sich selbst erkannt hat, hat bereits die Tiefe aller Dinge begriffen.“[550] Dies gibt Bass’ allgemeiner *einsheitlicher* Haltung zur Spiritualität einen Sinn, der sich in Aussagen wie „Sich selbst in

Gott zu finden bedeutet auch, Gott in sich selbst zu finden"[551] ausdrückt. Das ist es, was die Gnostiker mit „Gnosis" meinten: eine Erfahrung des Göttlichen im Inneren.[552] Um diesen Sinn zu entwickeln, empfiehlt sie „Glaubenspraktiken" wie „Gebet, Yoga oder Meditation"[553].

Ferner empfiehlt Bass die Arbeit von Phyllis Tickle, einer führenden Vertreterin der evangelikalen *Emergent-Bewegung*. Dieser Entwurf liegt für sie auf einer Linie mit ihrer eigenen Forschung über die religiösen Veränderungen in der westlichen Welt seit den Sechzigerjahren.[554] In *The Great Emergence: How Christianity is Changing and Why*[555] (dt. etwa: *Der große Aufbruch: Wie sich das Christentum verändert und warum*) würdigt Tickle die Bedeutung von Jungs Vermächtnis, insbesondere in dessen Infragestellung „der althergebrachten Definitionen des ‚Selbst'"[556]. Außerdem würdigt Tickle die Bedeutung von Joseph Campbell:

> *Jung ... war eine anregende Kraft für Joseph Campbell ... Was das Aufkommen des* Großen Aufbruchs *betrifft, wäre es sehr schwierig, die Macht Campbells bei der Abschaffung dessen, was als ‚christliches Dogma der Verschiedenheit' und ‚christlicher Absolutheitsanspruch' bezeichnet wird, zu überschätzen.*[557]

Tickle nennt den „Großen Aufbruch" *(„Great Emergence")* und das weitverbreitete Wiederaufleben der Spiritualität eine „neue Reformation", die diesmal auf *solo spiritu* (allein der Geist) beruht, im Gegensatz zu *sola scriptura* (allein die Schrift) – wobei sich die ursprünglichen Reformatoren nie gegen die Heilige Schrift wandten, um den Heiligen Geist zu bestätigen, der die Schrift inspiriert hat. Tickle meint, der Führer der Emergenten, Brian McLaren, könne als der Martin Luther dieser neuen Reformation angesehen werden.[558]

McLaren wiederum sieht, dass seine „transformierende Rahmengeschichte" „anderen Religionen und Ideologien"[559] zugutekommt. Indem McLaren nämlich die Bewegung der modernen

Kultur und den Verlauf der Geschichte sowie der verschiedenen Religionen und Spiritualitäten betrachtet, sieht er

> *das schöne Ganze, das so groß ist wie der Kosmos und noch größer, in dem jedes Teilchen bekannt, benannt und geliebt ist. Sollen wir vielleicht etwas Absurdes sagen? Können wir sagen, dass dieses schöne Ganze sogar größer ist als Gott, weil es mit Gott in seiner ganzen unendlichen Fülle beginnt und dann die Schöpfung hinzufügt? Ist das nicht das schönste Ganze, das man sich vorstellen kann?*[560]

Dieser Offenheit gegenüber anderen Religionen steht eine entschiedene Ablehnung der traditionellen christlichen Lehre gegenüber. In einem Radiointerview erklärte McLaren 2006 ganz offen: „Das Kreuz ist fast eine Ablenkung von und falsche Werbung für Gott."[561]

Ein letztes Beispiel: Der Franziskanerpater Richard Rohr sprach vor evangelischen Pfarrern über das „Dritte Auge, nicht duales Denken" und Spiritualität.[562] An anderer Stelle sagte Rohr: „Die Inkarnation hat in Wirklichkeit vor 13,7 Milliarden Jahren in einem Moment stattgefunden, den wir heute ‚Urknall' nennen. Das ist der Moment, in dem Gott tatsächlich beschloss, sich zu materialisieren und sich selbst zu offenbaren ... als der kosmische Christus."[563] Für Rohr ist die Welt der „Leib Gottes"[564].

Evangelikale Zustimmung

Dass liberale Theologen in der integrierenden Spiritualität und Sexualität des Neuheidentums, die heute als progressive oder evolutionäre Spiritualität bekannt ist, eine Heimat suchen, hätte man erwarten können. Ein mystischer, suprarationaler Staat verspricht den Sündern Befreiung von den Ansprüchen des mythologischen Himmelsgottes eines angeblich überholten biblischen Theismus und befriedigt zugleich das Bedürfnis nach mehr – mehr als rationalistische, nicht übernatürliche Formen des

Christentums zu bieten vermögen. Man hätte ein solches Denken von esoterischen „*Einheits*"-Spiritualisten erwarten können, die eine Form des Christentums fordern, wie sie in *Can Christians Be Saved? A Mystical Path to Oneness* (dt. etwa: *Können Christen gerettet werden? Ein mystischer Weg zum Einssein*) von Virginia T. Stephenson und Buck Rhodes dargestellt ist. Diese schlagen „eine neue Reformation des Christentums" vor, „eine Abkehr vom Dualismus, der Trennung schafft ... hin zum Prinzip des Einsseins oder Nicht-Dualismus"[565]. Aber wir hätten nicht erwartet, dass ein solches Denken im Wesentlichen von Evangelikalen gutgeheißen wird.

Sicherlich hat sich die christliche Gemeinde aller möglichen Sünden schuldig gemacht. Aber diese tiefgreifende Kritik am Glauben und an der Praxis der heutigen Gemeinde kommt nicht aus ihrer großen Tradition der prophetischen Aufforderungen zur Umkehr und zur Rückkehr zu den „alten Wegen". Diese Kritik kommt von außen, aus dem Blickwinkel einer bibelfeindlichen Weltanschauung. Christen können nicht einfach hoffen, sie könnten durch Zugeständnisse mit dieser Weltanschauung Frieden schließen und gleichzeitig Gott treu bleiben.

Wohlmeinende Christen haben oft den Fehler gemacht zu denken, dass die sie umgebende Kultur im schlimmsten Fall neutral und im besten Fall ein erlösendes Werk des Geistes sei, das die Autorität mit der Heiligen Schrift teilt. So ist beispielsweise Kester Brewin, ein Leiter der *Emerging Church*, der Meinung, dass wir uns „unsere Abhängigkeit von [unserer] Gastkultur"[566] eingestehen und uns „für sie öffnen ... und uns an sie anpassen"[567] müssen, indem wir ihr „wesenhaftes Gutsein"[568] anerkennen. Wenn wir Brewins Analyse zustimmen, wird die Anpassung an die Kultur natürlich und loyal erscheinen.

Aber die Grundlage der Gemeinde und die der Kultur sind nicht dieselbe. Die biblische Lehre ist ganz klar:

> *Lasst euch nicht mit Ungläubigen in dasselbe Joch spannen. Wie passen denn Gerechtigkeit und Gesetzlosigkeit*

> *zusammen? Oder was haben Licht und Finsternis gemeinsam? Welche Übereinstimmung gibt es zwischen Christus und dem Teufel? Was verbindet einen Gläubigen mit einem Ungläubigen? Und wie verträgt sich der Tempel Gottes mit Götzen? Wir sind doch der Tempel des lebendigen Gottes, wie Gott gesagt hat: „Ich werde in ihnen wohnen und unter ihnen sein. Ich bin dann ihr Gott und sie sind mein Volk." Darum „zieht weg und trennt euch von ihnen", spricht der Herr, „und rührt nichts Unreines an, dann werde ich euch aufnehmen. Ich werde euer Vater und ihr sollt meine Söhne und Töchter sein", spricht der Herr, der Allmächtige. (2Kor 6,14-18; NeÜ)*

Paulus ermahnt alle Christen: „Diese Zusagen gelten uns, liebe Geschwister. Darum wollen wir uns von allem rein halten, was Körper und Geist beschmutzt, und in Ehrfurcht vor Gott die Heiligung verwirklichen" (2Kor 7,1; NeÜ). Hier zeigt sich sowohl ein gesundes Misstrauen gegenüber der Kultur als auch eine Liebe zu den Sündern.

Lassen wir uns nicht täuschen. Die Kultur hat ihren eigenen Kopf: eine Weltanschauung, die „Weisheit dieser Welt" ist, eine Kosmologie der Lüge, welche die Menschen dazu bringt, eher die Schöpfung als den Schöpfer zu verehren. Es steht viel auf dem Spiel, denn die zeitgenössischen christlichen Ausdrucksformen der Konformität mit der Kultur – insofern sie Kompromisse mit den religiösen Überzeugungen der Kultur eingehen und vom biblischen Zeugnis abweichen – sind auf verschiedene Weise der Lüge verpflichtet. Die Welt braucht nicht mehr Konformität, sie braucht Umgestaltung. Die Welt muss das Wort von Gott hören, das von außerhalb ihrer selbst stammt. Sie muss die Wahrheit hören und sehen.

KAPITEL 11

EIN GANZHEITLICHER ODER EIN HEILIGER KOSMOS?

... dass ihr euch mit Leib und Leben Gott als lebendiges und heiliges Opfer zur Verfügung stellt. An solchen Opfern hat er Freude. (Röm 12,1; NeÜ)

Die *Zweiheit* beschreibt nicht nur die Struktur der biblischen Kosmologie, sondern sie ist auch eine Weltanschauung, die sich aus einem Lebensstil ergibt: dem der Heiligkeit. Wie wir gesehen haben, erkennen heutige Christen, die versucht sind, sich der *einsheitlichen* Welt um sie herum anzupassen, nicht, dass Heiligkeit eine Möglichkeit ist, von der kosmologischen polaren Zweiheit zu sprechen, die natürliche, geschaffene Unterschiede beibehält, um den *zweiheitlichen* Schöpfergott zu bezeugen. Indem diese Christen das nicht erkennen, unterstützen sie unweigerlich das gegenwärtige heidnische Eindringen der als *einsheitlich* empfundenen Existenzordnung in unsere Kultur, um die Rolle des Schöpfers zu untergraben.

In diesem Kapitel werden wir das zutiefst biblische Prinzip der Abgrenzung bzw. der Trennung als Schlüssel zum Verständnis der Beschaffenheit der Wirklichkeit untersuchen. Heiligkeit ist keine veraltete Lehre, die in der heutigen Welt nur für diejenigen interessant ist, die an Prüderie Gefallen haben. Vielmehr ist sie der Kern des gegenwärtigen religiösen Konflikts zwischen dem *Einsheitsdenken* und dem *Zweiheitsdenken.*

Mein ganzes Leben lang habe ich die Bibel studiert, aber meine Untersuchungen des Wortes „heilig" in den griechischen und hebräischen Texten brachte immer noch Erstaunliches zutage. Ich brauchte zwei volle Tage, weil der Begriff in der einen oder anderen Form 1097-mal vorkommt![569] Heiligkeit ist einer der am häufigsten beschriebenen und wichtigsten Prinzipien sowohl im Alten als auch im Neuen Testament. Im Neuen Testament wird Heiligkeit am meisten vom Apostel Paulus erwähnt. Nachdem er in Römer 1 die Merkmale des heidnischen Denkens beschrieben und in Römer 2–11 das Wesen des Evangeliums entwickelt hat, steht zu Beginn von Römer 12 das kleine Wörtchen „nun", das in diesem Fall vier Kapitel zur Anwendung des Evangeliums einleitet. Angesichts des heidnischen Charakters der Welt und des Heilshandelns Gottes in Jesus ruft Paulus die Christen auf, auf zwei Arten zu reagieren:

1. „Dass ihr euch mit Leib und Leben Gott als lebendiges und heiliges Opfer zur Verfügung stellt. An solchen Opfern hat er Freude, und das ist der wahre Gottesdienst" (Röm 12,1; NeÜ), d. h., sie sollen ihre Körper aufopferungsvoll als heilig für Gott zur Verfügung stellen.
2. „Und richtet euch nicht nach den Maßstäben dieser Welt, sondern lasst die Art und Weise, wie ihr denkt, von Gott erneuern und euch dadurch umgestalten" (12,2; NeÜ), d. h., sie sollen die biblische Kosmologie (die wir im nächsten Kapitel behandeln werden) verstehen und danach trachten, Gottes Gedanken nach-zu-denken.

Christen sind nicht nur dazu aufgerufen, eine Anpassung an die Kosmologie der Welt abzulehnen, sondern auch eine Kosmologie der Heiligkeit anzunehmen. Die Ermahnung zur Heiligkeit findet sich überall in den Schriften des Paulus. Hier einige Beispiele:

- „Wie ihr eure Glieder früher der Unreinheit und der Gesetzlosigkeit zur Gesetzlosigkeit als Sklaven zur Verfügung gestellt habt, so stellt eure Glieder jetzt der Gerechtigkeit zur Heiligkeit als Sklaven zur Verfügung!“ (Röm 6,19)
- „Jetzt aber, von der Sünde frei gemacht und Gottes Sklaven geworden, habt ihr eure Frucht zur Heiligkeit, als das Ende aber ewiges Leben.“ (Röm 6,22)
- „Denn dies ist Gottes Wille: eure Heiligung, dass ihr euch von der Unzucht fernhaltet, dass jeder von euch sich sein eigenes Gefäß in Heiligung und Ehrbarkeit zu gewinnen weiß“ (1Thes 4,3-4). Mit „Gefäß“ ist der eigene Körper oder der des Ehepartners gemeint.
- „Denn Gott hat uns nicht zur Unreinheit berufen, sondern in Heiligung.“ (1Thes 4,7)
- „Darum wollen wir uns von allem rein halten, was Körper und Geist beschmutzt, und in Ehrfurcht vor Gott die Heiligung verwirklichen.“ (2Kor 7,1; NeÜ)
- „Der Tempel Gottes ist heilig, und der seid ihr.“ (1Kor 3,17)

Wir werden nun untersuchen, was Heiligkeit ist und warum sie in einer Welt, die der Lüge ausgeliefert ist, so wichtig ist. Der Begriff „Heiligkeit“ mag manchen altmodisch und moralistisch erscheinen, aber in der gegenwärtigen Situation könnte er nicht besser auf das ausgerichtet sein, was von Christen als Antwort auf die Zeiten, in denen wir leben, verlangt wird. So wie die Kosmologien des *Einsheits-* und des *Zweiheitsdenkens* letztlich unvereinbar sind, so ist das biblische Verständnis eines gerechten Lebens in Beziehung zu Gott und zu anderen – *Heiligkeit (holiness)* – das polare Gegenteil dessen, was die heutige Spiritualität vorschlägt – *Ganzheit* oder *Ganzheitlichkeit (wholeness).*

Begriffsdefinitionen

Weil „Ganzheit“ und „Heiligkeit“ im Englischen so ähnlich klingen und zu sein scheinen, wird beides manchmal auch für dasselbe gehalten. David Tacey, ein zeitgenössischer Jungianer, verwechselt sie, indem er behauptet, dass „ganzheitlich und heilig dieselbe Etymologie haben“[570]. Huston Smith tut dasselbe, indem er behauptet, dass „Heiligkeit“ von „ganz“ kommt und „vollständig“[571] bedeute. Der Evangelikale Mark Foreman, der in seinen tatsächlichen Schlussfolgerungen der Bibel treu ist, behauptet ebenfalls, dass „heilig“ und „ganz“ „etymologisch verbunden“ seien und dass „Heiligkeit die Manifestation von Ganzheit ist“[572]. Verwirrung in diesem entscheidenden Bereich kann für die geistige Gesundheit gefährlich sein. Wie wir bereits gesehen haben, kritisierte C. G. Jung Gott selbst, dass er keine „Ganzheit“ in Form einer „dunklen Seite“[573] habe. Wir müssen also ganz klar denken und sprechen. Hinter den beiden englischen Begriffen *holiness (Heiligkeit)* und *wholeness (Ganzheit)* stehen zwei griechische Wörter, die nicht miteinander verbunden sind: *hágios* (heilig) und *hólos* (ganz).

Im klassischen Griechisch leitet sich das Adjektiv *hágios* vom Substantiv *hágos* (Objekt der Ehrfurcht) ab. Mit *hágios* wurden Heiligtümer oder Götter bezeichnet, also etwas, das „der Öffentlichkeit nicht zugänglich“ war, das für einen besonderen Zweck beiseitegesetzt oder unverwechselbar und einzigartig war.[574] Mit diesem griechischen Begriff wurde das hebräische *qodesch* wiedergegeben, das von dem Verb *qod* (trennen, teilen) abstammt.[575] Heilige Dinge, wie der „heilige Boden“ (2Mo 3,5) oder der Sabbat, sind getrennt, abgesondert und unterschieden von gewöhnlichen Dingen. „Gott segnete den siebten Tag und heiligte ihn“ (1Mo 2,3) als einen besonderen Tag. (So haben auch wir heute „heilige Tage“ – besondere Tage, die abgesondert oder getrennt von den anderen sind, wie freie Sonntage und Feiertage. Im Englischen erinnert das Wort *holidays – Ferien* oder *Feiertage* – an diese Herkunft.) Etwas zu „heiligen“ bedeutet, es Gott zum Eigentum zu weihen, „als etwas, das ausschließlich ihm gehört“[576].

Das griechische Wort *hólos* dagegen wird oft mit „ganz“ oder „universal“ übersetzt, woraus sich Begriffe wie „holistisch“

(ganzheitlich) ergeben. In gewissem Sinne sind *hágios* und *hólos* in ihrer Bedeutung einander entgegengesetzt. Der Begriff *hólos* bedeutet, dass nichts als „anders" bezeichnet oder als besonders hervorgehoben wird, wie es bei „*hágios*" der Fall wäre. *Alles* ist eingeschlossen. Hinter dem Sinn dieser beiden Wörter verbirgt sich ein himmelweiter Unterschied. In gewissem Sinne könnten sie sogar zwei gegensätzliche Weltanschauungen darstellen, nämlich *Einsheit* und *Zweiheit*. Wenn die moderne Spiritualität etwas als ganzheitlich bezeichnet, meint sie in etwa dasselbe, was C. G. Jung über die Verbindung der Gegensätze auf dem Weg zur Selbstverwirklichung lehrte. Jeffrey Satinover, ein ehemaliger Jungianer, meint, dass diese Art von Holismus eine grundlegende Ablehnung der moralischen Ordnung impliziert:

> *Für Jung entwickelten sich Gut und Böse zu zwei gleichberechtigten, ausgewogenen, kosmischen Prinzipien, die in einer übergreifenden Synthese zusammengehören. Diese Relativierung von Gut und Böse durch ihre Versöhnung ist der Kern der alten gnostischen Lehre, die auch die Spiritualität und damit die Ethik im Menschen selbst verortete. Daher „die Vereinigung der Gegensätze".*[577]

Wir müssen erkennen, dass diese Suche nach einer ganzheitlichen „Relativierung von Gut und Böse" zur letztendlichen Auslöschung dieser Unterscheidung führt. Das gehört zum Kern der heidnischen Kosmologie. Und es gibt keine inhärenten ethischen oder logischen Schranken, an denen diese Relativierung aufhören sollte.

Ein Beispiel stammt von einem der philosophischen Verfechter dieser modernen Kosmologie, dem französischen Philosophen Michel Foucault. Dieser vertrat die Ansicht, dass er ein moderner Friedrich Nietzsche sei, der alle ethischen Absolutheiten umstürze, insbesondere die sexuellen. Einer seiner Biografen beschreibt mit verblüffender Offenheit, wie diese Suche Foucault in den Sadomasochismus führte:

> *[Foucault] akzeptierte das erhöhte Risiko und nahm wieder an den Orgien der Marter teil, wobei er ‚the most exquisite agonies' [‚die köstlichsten Todesqualen'] durchmachte, sich selbst freiwillig austilgte, Bewusstseinsgrenzen sprengte und realen, körperlichen Schmerz durch die Alchemie der Erotik unmerklich in Lust verwandelte … Durch Trunkenheit, Traumvorstellungen, dionysisches Sich-gehen-Lassen des Künstlers, quälende asketische Praktiken und ungezügelte Erforschung sado-masochistischer Erotik schien es, wenn auch nur kurzfristig, möglich, die Grenze zwischen Bewusstem und Unbewusstem, Vernunft und Unvernunft, Lust und Schmerz sowie, an der äußersten Grenze, Leben und Tod, zu durchbrechen. Durch diese Praktiken würde dann klar, wie leicht beeinflussbar, unsicher und ungewiss die für das Spiel von Wahr und Falsch so zentralen Unterscheidungen sind.*[578]

Diese Verbindung der Gegensätze wird zwar selten so extrem verfolgt, doch das ist es, was Jung und viele andere Spiritualisten mit „Ganzheit" bezeichnet haben. Ist aber ein solch zerrüttetes und gebrochenes Selbst nicht das völlige Gegenteil von Ganzheit, Gesundheit und Vitalität? Was für eine Art von Ganzheit ist das?

Ein solches Denken ist für Christen keine Option. Da unsere Welt dem antiken Römischen Reich immer ähnlicher wird, müssen wir die Ermahnung von Paulus erneut hören und ihn vielleicht stärker verstehen, als es viele unserer westlichen Vorfahren bisher getan haben – nämlich wie die ursprünglichen Hörer:

> *Weil Gott uns solches Erbarmen geschenkt hat, Geschwister, ermahne ich euch nun auch, dass ihr euch mit Leib und Leben Gott als lebendiges und heiliges Opfer zur Verfügung stellt. An solchen Opfern hat er Freude, und das ist der wahre Gottesdienst. Und richtet euch nicht nach den Maßstäben dieser Welt, sondern lasst die Art und Weise, wie ihr denkt, von Gott erneuern und euch dadurch*

umgestalten, sodass ihr prüfen könnt, ob etwas Gottes Wille ist – ob es gut ist, ob es Gott gefallen würde und ob es zum Ziel führt! (Römer 12,1-2; NeÜ)

Das ist nicht einfach ein Text über persönliche Frömmigkeit oder darüber, was wir am Sonntagmorgen im Gottesdienst tun. Was können wir diesem neuen, mächtigen, unheiligen, heidnischen Reich anderes entgegensetzen als das Kommen eines unendlich größeren Reiches – des Reiches Gottes in Gestalt eines geheiligten Kosmos? Diese großartige Vision steht hinter der scheinbar harmlosen Aufforderung des Paulus an die Christen in Rom, ihren Körper durch ein selbstaufopferndes, heiliges Leben Gott zur Verfügung zu stellen. Paulus weiß, dass sie berufen sind, vor den „Königreichen dieser Welt" Zeugen zu sein, sowohl durch ihre Worte als auch durch ihre Taten. Zeugen für den kommenden erneuerten, vollkommen heiligen Kosmos, über den Jesus – und nicht Cäsar – herrschen wird.

Wie kann ein ganzer Kosmos geheiligt werden? Da Jesus jetzt über alle Dinge im Himmel und auf Erden herrscht, sind unsere notwendigen und guten Bemühungen um soziale Gerechtigkeit und unsere Taten der Barmherzigkeit natürlich nur ein kleiner Teil des großen Ganzen. In seinem irdischen Wirken kündigte Jesus das kommende Reich Gottes an, das die Zerstörung der Sünde und des Bösen und die Unterwerfung von Dämonen und Götzendienern einschließt, ein Reich, das die einzig *wahre* Utopie verspricht – wenn alles *zwei* sein wird (Gott und die Menschheit, in Liebe vereint), nicht *eins* (kein unpersönlicher, ewig einsamer Kosmos).

Wie interessant, dass wir über die so unterschiedlichen Begriffe „Heiligkeit" und „Holismus" zu unserem Ausgangspunkt zurückkehren, nämlich der Tatsache, dass es nur zwei Religionen gibt, die *Einsheit* und die *Zweiheit*. Die *Einsheit* ist eine Form des spirituellen Holismus, bei dem alles als gut gilt, weil es ein Aspekt des Ganzen ist – einschließlich Gott und Teufel, Tugend und Laster. Die *Zweiheit* umfasst in ihrem Kern die Heiligkeit, in der die Dinge nicht durcheinandergebracht werden, sondern ihren besonderen, von Gott bestimmten Platz haben.

Auf der Suche nach einer sinnvollen Antwort auf die heidnische Weltanschauung, die alles aus einer *einsheitlichen* Perspektive erklärt, die Richtig und Falsch, Schön und Hässlich zusammenführt, finden wir in der biblischen Vorstellung eines geordneten, von Gott geschaffenen Kosmos eine überzeugende Kosmologie der Heiligkeit. Wir bejahen, dass die Dinge an ihren rechtmäßigen, komplementären Plätzen ihre passenden, lebensfördernden Funktionen haben. Da sich die Kosmologie eines Menschen immer aus dem Wesen Gottes oder aus dem, was er als Ursprung und letzte Bedeutung von allem ansieht, entwickelt, ergibt die biblische Offenbarung eines „heiligen Kosmos" aus *zweiheitlicher* Perspektive einen wunderbaren Sinn.

Ein wunderbar heiliger Gott

Der Begriff „heilig" wird vor allem auf Gott angewandt, der sich in einzigartiger Weise von seiner Schöpfung unterscheidet, sowohl in Bezug auf seine Existenz aus sich selbst heraus als auch (angesichts der Auflehnung der Menschheit) in Bezug auf seine moralische Reinheit gegenüber jeglicher Dunkelheit und Sünde. So rufen die Seraphim in der Gegenwart Gottes: „Heilig, heilig, heilig", und der Prophet Jesaja zittert, weil er im Gegensatz dazu seine eigene Sterblichkeit und vor allem seine Unreinheit spürt (Jes 6,3-5). Diese heilige Unterscheidung zwischen Gott und den Geschöpfen wird in alle Ewigkeit aufrechterhalten. Auch wenn Gottes Volk für immer bei Gott und durch ihn heilig sein wird, bleibt Gott immer der Einzige aus sich selbst Heilige – zu seiner Ehre und zu unserer Freude. In einer Vision vom Himmel sieht Johannes vier lebendige Wesen, und „jedes der vier hatte sechs Flügel, die ebenfalls innen und außen mit Augen besetzt waren. Und immer wieder, bei Tag und Nacht, rufen diese mächtigen Wesen: ‚Heilig, heilig, heilig ist Gott, der Herr, der allmächtige Herrscher, der war, der ist und der kommt!'" (Offb 4,8; NeÜ).[579]

Der Westen hat Heiligkeit in erster Linie moralisch verstanden, was in meiner Generation manchmal dazu geführt hat, dass die christliche Gemeinde als „heiliger Haufen“ bezeichnet wurde oder man so tat, als sei eine wahrhaft christliche Einstellung eine moralisch überlegene Ich-bin-heiliger-als-du-Haltung. Aber wenn wir sagen, dass Gott heilig ist, meinen wir damit nicht nur, dass er moralisch rein ist (obwohl er das ist), sondern wir machen damit in erster Linie eine kosmologische Aussage. Wir sagen, dass er in seinem Wesen absolut singulär und vorrangig ist und dass er im Vergleich zu allem anderen ein ganz anderer ist. An keiner Stelle sagt die Heilige Schrift, dass Gottes wesenhaftes Sein Teil des Kosmos oder durch ihn bestimmt sei. In seinem Schöpfungs- und Erlösungswerk erhält Gott alle Dinge durch seinen Geist und wohnt sogar *in* denen, die zu ihm gehören. Aber ganz bestimmt ist der Gott der Heiligen Schrift ein anderer – mit uns, aber weit über uns hinaus und lange vor uns. Gott ist heilig, unabhängig von der Schöpfung und völlig unterschieden von den mythischen, heidnischen Göttern, die bloße menschliche Projektionen sind, ohne Leben aus sich heraus. Ein bekanntes christliches Lied drückt es einfach, aber gut aus:

Wunderwirkender Gott weit außerhalb unserer Galaxie,
du bist heilig, heilig!
Das Universum verkündet deine Erhabenheit![580]

Israel kam aus der Gefangenschaft in Ägypten, wo Isis, die Erdmutter und Göttin der Unterwelt, verehrt wurde. Mose selbst war in dieser traditionellen Spiritualität erzogen worden, aber etwas veränderte ihn von Grund auf. Er begegnete dem transzendenten Herrn des Universums in einem Busch, der brannte, aber nicht verbrannte, und erhielt von Gott den Befehl: „Tritt nicht näher heran! Zieh deine Sandalen von deinen Füßen, denn die Stätte, auf der du stehst, ist heiliger Boden!“ (2Mo 3,5). Wo immer Gott in dieser Welt in Herrlichkeit erscheint, ist der Ort erschreckend heilig. Für Mose galt es jetzt: entweder Jahwe, der Schöpfer – oder

Isis, die Göttin der Unterwelt. Das sind wirklich polare Gegensätze!

Später bezeugt Mose: „Wer ist dir gleich unter den Göttern, HERR! Wer ist dir gleich, so herrlich in Heiligkeit, furchtbar an Ruhmestaten, Wunder tuend!" (2Mo 15,11). Deshalb wird sich Gott später in den Zehn Geboten als einziger Schöpfer und Erlöser offenbaren, indem er erklärt: „Du darfst dir kein Götterbild machen, kein Abbild von irgendetwas im Himmel, auf der Erde oder im Meer! Wirf dich niemals vor ihnen nieder und verehre sie auf keinen Fall!" (2Mo 20,4-5; NeÜ). Später wird das Volk Israel dafür verurteilt, dass es das vergessen hat, und Gott spricht durch Hesekiel: Ihr werdet „meinen heiligen Namen nicht mehr entweihen mit euren Gaben und mit euren Götzen" (Hes 20,39). Der Gott Israels darf nicht mit irgendetwas Geschaffenem vermischt werden, und schon gar nicht mit Lüge und Sünde.

Jahrhunderte nach Mose spricht ein Psalmdichter von derselben Andersartigkeit Gottes – und der Niedrigkeit der Schöpfung im Vergleich dazu: „Betet an den HERRN in heiliger Pracht! Erzittere vor ihm, ganze Erde!" (Ps 96,9). Jesus selbst lehrt uns, wie wir zu Gott beten sollen, indem er sagt: „Unser Vater, der du bist in den Himmeln, geheiligt werde dein Name" (Mt 6,9).

Gott ist nicht nur in seiner Beziehung zur Welt heilig. Er sieht nicht nur „von der Höhe seines Heiligtums ... auf die Erde" (Ps 102,20), sondern er ist auch in sich selbst heilig – selbst wenn es keine Erde gäbe, auf die er herabschauen könnte.[581] Auch wenn die Worte „heilige Dreieinigkeit" in der Bibel nicht vorkommen, so doch das Konzept. Gottes Wesen besteht aus drei unterscheidbaren Personen: dem Vater, dem Sohn und dem Heiligen Geist, die sich niemals miteinander vermischen und daher immer ihre individuelle Unterscheidbarkeit oder Heiligkeit bewahren. So vereint Gott in seinem dreieinigen Wesen sowohl Abgrenzung als auch Ergänzung; und als unabhängiger Schöpfer ohne Anfang ist er bezüglich der Schöpfung, die er schafft, erhält und erlöst, notwendigerweise abgegrenzt oder heilig.

Ein wunderbar heiliger Kosmos

In vergleichbarer Weise ist die Ordnung der Schöpfung nach dem Vorbild oder Prinzip der Heiligkeit Gottes gestaltet. Wie wir festgestellt haben, segnete Gott den siebten Tag und erklärte ihn für heilig, „denn an ihm ruhte er von all seinem Werk, das Gott geschaffen hatte, indem er es machte" (1Mo 2,3). Der siebte Tag der menschlichen Woche symbolisiert etwas von Gottes Heiligkeit, indem er für immer sowohl an den Gott erinnert, der sich von der Schöpfung unterscheidet, als auch an die Art und Weise, wie er sie geschaffen hat: durch Arbeit und Ruhe. Aber das Prinzip der heiligen Trennung ist am Werk, wenn Gott ungeformte Materie in einen geordneten, wunderbar funktionierenden Kosmos verwandelt, in dem die Dinge ihren unverwechselbaren, richtigen Platz im Verhältnis zueinander haben. Gott trennt den Tag von der Nacht, die Meere vom Festland. Er schafft verschiedene Arten und gibt ihnen spezifische, individuelle Namen. Alles ist „sehr gut" (1Mo 1,31)[582]. Schaffen heißt Trennen, und Trennen heißt Heilig-Machen. Es sind synonyme Begriffe.[583] So spiegeln die geschaffenen Dinge in ihrer Getrenntheit oder Eigenständigkeit auf eine geschöpfliche Weise die Heiligkeit Gottes wider.

Ein Psalmdichter bringt diese kosmologische Wahrheit auf den Punkt, indem er über die Ordnung des Kosmos sagt: „Du [Gott] machst ihn zum Herrscher über die Werke deiner Hände; alles hast du unter seine Füße gestellt" (Ps 8,7). Das ist eine weitere Beschreibung von Gottes heiligendem Wirken, mit dem er alle Dinge an ihren richtigen Platz setzt. Mein Professor für Altes Testament in Princeton hat die Tragweite von 1. Mose gut auf den Punkt gebracht: „Alle Dinge sind geordnet erschaffen, um ihre besonderen Aufgaben zu erfüllen. Das Universum mit seinem ganzen Heer (1Mo 2,1) ist bereit, seinem Schöpfer am [ersten] Sabbattag Lob und Anbetung darzubringen."[584]

Als unsere zweite Tochter (eine brillante, erfolgreiche Frau) zwei Jahre alt war, stellten wir fest, dass sie hochgradig taub geboren worden war. Daraufhin mussten wir viel über das Ohr lernen, insbesondere über das erstaunliche cortische Organ. Diese

Struktur, die Teil der Gehörschnecke ist, besteht aus 15 000 bis 20 000 mikroskopisch kleinen Haaren, von denen jedes einzelne Schwingungen an das Gehirn sendet, die das Hören ermöglichen. Die Komplexität dieser Struktur entzieht sich noch immer der medizinischen Wissenschaft. In der nächsten Generation unserer Familie erfuhren wir, dass eines unserer Enkelkinder möglicherweise Probleme mit der Makula seines Auges hat. Die Makula ist nur so groß wie ein Stecknadelkopf, verarbeitet aber riesige Mengen komplizierter optischer Daten, die sie an das Gehirn sendet, und ermöglicht so das Sehen. Sowohl beim Hören als auch beim Sehen sind wir auf Unterschiede – Trennungen – in Klang, Formen und Farben angewiesen. Und das sind nur mikroskopisch kleine Teile von Gottes Schöpfung!

Der Höhepunkt der Schöpfungstätigkeit Gottes ist die Erschaffung des Menschen, dem er das Bild seiner selbst aufprägt, des *zweiheitlichen* trinitarischen Gottes, der die Quelle von Unterschiedlichkeit und Einheit ist. Mit diesem Zeichen der höchsten Würde ausgestattet erhalten nur die Menschen die hohe Berufung, zu allen Zeiten den persönlichen Gott als ihren Vater und Schöpfer zu bezeugen. Es versteht sich von selbst, dass das ein grundlegendes Element der Evangelisation sein muss, da alle Menschen aufgrund des Bildes Gottes, das sie tragen, als einzigartig gekennzeichnet sind. Zu Weihnachten 2014 schickte mir meine älteste Tochter, die als Missionarin in Deutschland tätig ist, einmal ein YouTube-Video mit dem Titel „Gloria! – Flashmob der Berliner Stadtmission zum Advent“[585]. Es handelte sich um eine Veranstaltung in einem riesigen Nobelkaufhaus im „gottlosen“ Berlin, wo einige „Kunden“ – in Wirklichkeit ein riesiger Chor Berliner Christen – strategisch auf den fünf Etagen mit Blick auf die Rolltreppen platziert waren. Sie stimmten ein Loblied auf Gott, den Schöpfer, an und sangen *Gloria in excelsis Deo*. Die Menschen applaudierten kräftig, und manche Tränen flossen, als sie etwas hörten, das aus den Tiefen des Kosmos kommt und tief in die menschliche Seele eindringt: den Lobpreis unseres Schöpfers!

Selbst wenn manches in unserem Kosmos aufgrund des Sündenfalls nicht mehr in Ordnung ist – wie etwa Taubheit oder Sehschwierigkeiten –, sollten wir uns über diesen Kosmos freuen, der in einer herrlichen Mischung aus Verschiedenheit und Einheit seinen Schöpfer widerspiegelt. Gottes schöpferische Intelligenz und seine Fürsorge sind der ganzen physischen Welt ins Gesicht geschrieben. Gottes Eigenschaften, sagt Paulus, sind „seit Erschaffung der Welt in seinen Werken zu erkennen" (Röm 1,20; NeÜ). Und was sehen wir? Einen Kosmos aus brillant funktionierenden Elementen, die sich voneinander unterscheiden und doch alle zusammenwirken. Der Prophet Jesaja zitiert die Seraphim mit den Worten: „Die ganze Erde ist erfüllt mit seiner Herrlichkeit" (Jes 6,3). Demselben Jesaja erklärt „der heilige Gott":

> *Hebt eure Augen und seht: Wer hat die Sterne da oben geschaffen? Er lässt hervortreten ihr Heer, abgezählt und mit Namen gerufen. Durch die Macht des Allmächtigen fehlt keiner davon. (Jes 40,26; NeÜ)*

Ah, die „Sphärenharmonie"! Die Menschen des Mittelalters gebrauchten diesen Ausdruck, um ihr Gefühl für die harmonische und zugleich mathematische Komplexität des geschaffenen Universums zu beschreiben. Diese Sinfonie aus Bild und Klang spiegelt die biblische Vorstellung einer Welt wider, die der Heilige geschaffen hat. Er ist von unendlicher Denk- und Vorstellungskraft, getreu dem Grundprinzip der heiligen Unterscheidungen und ins Auge fallenden Komplementarität. Der Gipfel der Herrlichkeit von Gottes Werk wird in der biblischen Sicht des Menschen als einer herrlichen und wunderbaren Schöpfung erfasst, wie ein Psalmdichter formuliert: „Wenn ich anschaue deinen Himmel, deiner Finger Werk, den Mond und die Sterne, die du bereitet hast: Was ist der Mensch, dass du seiner gedenkst?" (Ps 8,4-5). Diese Herrlichkeit ist mit dem Merkmal der Heiligkeit, dem Bild Gottes, verbunden, das der Mensch in seiner Unterscheidung in männlich und weiblich in sich trägt (1Mo 1,27) – eine

Komplementarität, die von Gott für „sehr gut" befunden wurde (1,31; oder, wie Gerhard von Rad übersetzte: „vollkommen perfekt"[586]). Diese kosmische Pracht spiegelte sich in den Gewändern des Hohen Priesters wider, der ein geheiligter, abgesonderter Vertreter Gottes auf der Erde war. Seine Gewänder waren heilig, maßgeschneidert „zur Ehre und zum Schmuck" (2Mo 28,2).

Diese *Zweiheit* ist schön – und vertrauenswürdig. Gott „schwört bei seiner Heiligkeit" (Am 4,2; NeÜ).[587] Das ist eine Weltanschauung, der man vertrauen kann, weil sie den Charakter des Gottes widerspiegelt, dem man vertrauen kann.[588]

Ein wunderbar heiliges Volk

Sowohl Gottes heiliges Wesen als auch der heilige, geschaffene Kosmos bilden die Grundlage für die besondere Heiligkeit des Gottesvolkes, das seinen Herrn in einer jetzt unheiligen Welt widerspiegelt, ob zur Zeit des Alten oder des Neuen Testaments. Der Apostel Petrus ermahnt seine Adressaten im Neuen Bund, heilig zu sein, zitiert dazu aber ein Gebot, das bereits Israel, dem Volk des Alten Bundes gegeben wurde: „Wie der, welcher euch berufen hat, heilig ist, seid auch ihr im ganzen Wandel heilig! Denn es steht geschrieben: ‚Seid heilig, denn ich bin heilig!'" (1Petr 1,15-16; vgl. 3Mo 11,45). Es gibt viele alttestamentliche Beispiele für diese Aufforderung.[589] Auch das Neue Testament ist mit solchen Ermahnungen gut ausgestattet.[590] Die Christen werden „Heilige" genannt (Röm 1,7)[591]; sie sind kollektiv und individuell „ein heiliger Tempel" (Eph 2,21; siehe auch 1Kor 3,17) und „ein heiliges Volk" (1Petr 2,9; NeÜ); sie werden ermahnt, „die Heiligkeit [zu] vollenden" (2Kor 7,1) und „heilig und tadellos" zu sein (Kol 1,22). Mit einem Wort: Sie sind zur Heiligkeit berufen (1Thes 4,7; 2Petr 3,11). Das Gebot, Gott einen „heiligen Leib" darzubieten und sich nicht der Welt anzugleichen, wie wir es von Paulus in Römer 12 gehört haben, wird von Petrus mit ähnlichen Worten wiederholt:

> *Als Kinder des Gehorsams passt euch nicht den Begierden an, die früher in eurer Unwissenheit herrschten, sondern wie der, welcher euch berufen hat, heilig ist, seid auch ihr im ganzen Wandel heilig! Denn es steht geschrieben: „Seid heilig, denn ich bin heilig." (1Petr 1,14-16)*

Wie geschieht das, sich nicht den „früheren Begierden" anzupassen? Indem wir die Grundsätze der Heiligkeit in die Praxis umsetzen, als dankbare Antwort gegenüber demjenigen, der so an uns gehandelt hat, wie Paulus in seinem Brief an die Gemeinde in Ephesus zeigt. Dort verwendet er dasselbe alttestamentliche Opferbild wie in Römer 12,1 und wendet es auf Jesus an. So ermahnt er die Christen: „Wandelt in Liebe, wie auch der Christus uns geliebt und sich selbst für uns hingegeben [griechisch *parédoken,* siehe unten] hat als Opfergabe und Schlachtopfer, Gott zu einem duftenden Wohlgeruch!" (Eph 5,2). Wir geben unsere Leiber als Opfer hin – aus Liebe zu Jesus, der seinen Leib für uns opferte –, um das Evangelium körperlich darzustellen und zu verkündigen, was wir in Worten predigen. Ein wichtiger Teil dessen, was dieses „Opfern" darüber hinaus bedeutet, besteht nach Paulus und Petrus darin, eine biblische Kosmologie der Heiligkeit zu verinnerlichen. Sie ist Grundlage für unser Zeugnis in Wort und Tat in einer unheiligen Welt, die jetzt von eben den Menschen entweiht wird, die geschaffen wurden, um sie zu genießen und zu bewahren. Leider ist das Unheilige überall um uns herum (und in uns!).

Die Schöpfung ist entstellt, und die Menschen neigen zum Bösen. Die Welt braucht Hoffnung und Hilfe. Diese Hoffnung und Hilfe ist Jesus selbst, vor dem die Dämonen vor Angst schrien, als sie mit ihm, „dem Heiligen Gottes" (Mk 1,24), konfrontiert wurden. Die Menge war erstaunt und rief aus: „Was ist dies? Eine neue Lehre mit Vollmacht?" (Mk 1,27). So wie diese Menschen Jesus, den Messias, sahen, erkannten und ehrten, so muss *unsere* Welt durch das Wirken des Heiligen Geistes die Heiligkeit Jesu im veränderten Leben der Gläubigen sehen, die zu ihm gehören.

Ein wunderbar heiliges Leben

Der biblische Begriff der Heiligkeit ist also keine bloße Theorie, die zu einer Selbstgenügsamkeit führen kann, die sich als „Ich bin heiliger als du" empfindet. Das „du" ist der „andere", der unsere selbstlose Zuwendung braucht. Sartre hat einmal gesagt: „Die Hölle, das sind die anderen"[592]; in der Bibel sind die anderen eher der Himmel. Deshalb folgt auf die Ermahnung zur Heiligkeit in Römer 12,1 unmittelbar die Anweisung zu einem selbstlosen Leben für andere. Der Apostel fordert die Gläubigen auf: „Seid einander in herzlicher geschwisterlicher Liebe zugetan! Übertrefft euch in gegenseitigem Respekt!" (Röm 12,10; NeÜ). Beachten Sie, dass im Begriff „einander" der „andere" enthalten ist. „Ihr sollt nicht euren eigenen Vorteil suchen, sondern den des anderen [griechisch *hetérou*]!" (1Kor 10,24; NeÜ). „Seid niemand irgendetwas schuldig, als nur einander zu lieben! Denn wer den anderen liebt, hat das Gesetz erfüllt" (Röm 13,8).[593] Das gesamte Gesetz des alten Bundes ist heterozentrisch, vgl. den nächsten Satz: „Die Gebote ... sind ja in dem einen Satz zusammengefasst: ‚Liebe deinen Nächsten wie dich selbst!'" (Röm 13,9; NeÜ).

Die Ermahnungen gehen weiter: „An den Bedürfnissen der Heiligen nehmt teil; nach Gastfreundschaft trachtet! Segnet, die euch verfolgen; segnet, und flucht nicht! Freut euch mit den sich Freuenden, weint mit den Weinenden! Seid gleichgesinnt gegeneinander; sinnt nicht auf hohe Dinge, sondern haltet euch zu den Niedrigen; seid nicht klug bei euch selbst! Vergeltet niemand Böses mit Bösem; seid bedacht auf das, was ehrbar ist vor allen Menschen!" (Röm 12,13-17). Die *Zweiheit* wendet sich also nicht nach innen – um die eigenen Fantasien zu pflegen und sich selbst zu verwirklichen –, sondern nach außen, zu den anderen, um die Armen zu speisen, sich um die Zerbrochenen zu kümmern und die nicht Liebenswürdigen zu lieben.

Das Geheimnis eines kraftvollen, geisterfüllten Lebens in der Kosmologie der Heiligkeit ist Unterordnung.[594] Dieser Begriff mag bei manchen das Bild einer misshandelten und geschlagenen

Ehefrau oder eines ängstlichen, weinenden Kindes unter der Fuchtel von bösartigen Eltern hervorrufen. Vielleicht bringen wir ihn aber auch mit dem Islam (arabisch für „Unterwerfung") in Verbindung, was Bilder von Dschihadisten heraufbeschwört, die grausame Dinge tun. Entscheidend ist natürlich die Definition des Gottes, dem die Unterwerfung gebührt. Im Islam ist Allah ein einzelnes, einsames, willkürliches Wesen; im Christsein unterwirft man sich einem persönlichen, barmherzigen, dreieinigen Gott, der unser liebender Vater ist.

Unterwerfung ist eine unvermeidliche biblische Kategorie. Schauen wir uns noch einmal das Griechische an. Die griechische Übersetzung des Alten Testaments, die Septuaginta, verwendet für „unterwerfen, unterordnen" 27-mal das Verb *hypotásso,* und das Neue Testament 76-mal. Christen sollen in ihrem gegenwärtigen Leben Salz und Licht sein (Mt 5,13-14) und Verantwortung übernehmen, indem sie sich aktiv den Strukturen unterwerfen, die Gott in der Welt geschaffen hat, um zu bezeugen, dass Gott immer noch alles unter Kontrolle hat und dass alles, was Gott geschaffen hat, gut ist (1Tim 4,4). Als erlöste Heilige, die in Gottes neuer Familie leben, erleben wir in gewisser Weise die Erfahrung von Adam und Eva nach, die bei ihrer Aufgabe jedoch versagt haben. In der Kraft der Auferstehung und des Geistes Christi bekommen wir den Kosmos zurück, ehren den Schöpfer und führen unsere gottgegebene Aufgabe aus, die Erde zu füllen und sie uns untertan zu machen, indem wir das Gutsein der Schöpfungsstrukturen ehren und uns ihnen unterordnen.

Nach der Bibel ist jeder aufgefordert, sich unterzuordnen. Hier ist keine Personengruppe ausgenommen. Genau das besagt Epheser 5,21: „Ordnet euch einander unter in der Furcht Christi." Selbst Jesus hat sich in jedem Augenblick seines irdischen Lebens dem Willen des Vaters unterworfen und ehrt seinen Vater auch weiterhin so, selbst als der bereits Verherrlichte (1Kor 15,28).

Alle Bereiche des Lebens sind beim Thema Unterordnung eingeschlossen:

- Persönliche Heiligkeit: „Denn der menschliche Eigenwille steht dem Willen Gottes feindlich gegenüber, denn er unterstellt sich dem Gesetz Gottes nicht und kann das auch nicht" (Röm 8,7; NeÜ; vgl. 1Tim 1,8). Aus diesem Text geht eindeutig hervor, dass Christen sich den Geboten Gottes unterordnen und in der Freiheit seiner Liebe leben sollen. „Und ihr sollt mir heilig sein, denn ich bin heilig, ich, der HERR. Und ich habe euch von den Völkern ausgesondert, um mein zu sein" (3Mo 20,26).
- Sexuelle Reinheit: Von Christen wird verlangt: „Flieht vor den sexuellen Sünden [wörtlich ‚Unzucht', griechisch *porneía*]! Alle anderen Sünden spielen sich außerhalb vom Körper des Menschen ab. Wer aber seine Sexualität freizügig auslebt, sündigt gegen den eigenen Körper" (1Kor 6,18; NeÜ). Der Grund ist die Unterordnung unter die Heiligkeit, weil „euer Körper ein Tempel des Heiligen Geistes ist, der in euch wohnt und den ihr von Gott bekommen habt …,[weil] ihr euch nicht selbst gehört. Denn ihr seid für ein Lösegeld gekauft worden. Macht also Gott mit eurem Körper Ehre" (1Kor 6,19-20; NeÜ). Robert Reilly stellt diesbezüglich klar:

> *Wenn die Definition von Moral auf dem [bloßen] Begehren beruht, das schließlich als Liebe bezeichnet wird, können keine ethischen Unterscheidungen zwischen hetero, homo, Ehebruch, Päderastie und sogar Inzest getroffen werden. Die Sexualität muss einen Sinn haben, der über den bloßen Akt hinausgeht und der durch „Einheit und Fortpflanzung" dem Wohle der Gemeinschaft dient.*[595]

Für Reilly ist das Naturrecht der bestimmende Faktor, aber hinter dem Naturrecht muss ein größerer Rahmen gesehen werden, nämlich die Andersartigkeit und Heiligkeit Gottes und wie der Kosmos seinen Charakter widerspiegelt.

- Ehe: Die menschliche Sexualität ist dazu bestimmt, sich der „Ein-Fleisch"-Ordnung der heterosexuellen, lebenslangen heiligen Ehe unterzuordnen; das ist die komplementäre Beziehung zwischen einem Mann und einer Frau, die unterschiedliche, aber gleich wichtige Persönlichkeiten und Rollen in die Ehe einbringen. Das ist ein Teil dessen, was die Ehe heilig macht. Zwar sind alle Christen aufgerufen, sich einander unterzuordnen, doch in der Ehe ist insbesondere die Frau aufgerufen, sich ihrem Mann unterzuordnen (Eph 5,22), während der Mann sich der Aufgabe unterordnen muss, seine Frau so zu lieben, „wie auch der Christus die Gemeinde geliebt hat" (5,25). Die Homo-Ehe ist in diesem Licht unheilig, weil sie versucht, Gleichheit zu schaffen, indem sie Unterschiede verdrängt oder vermischt, und damit von der biblischen Heiligkeit der sich ergänzenden Unterschiede abweicht. Aus kosmologischer Sicht sind diese beiden Konzepte einander entgegengesetzt und können nicht miteinander in Einklang gebracht werden, so sehr sich sogar manche Christen darum bemühen.[596]

- Familie: So wie Jesus sich dem Gebot zum Gehorsam gegenüber den Eltern untergeordnet hat (Lk 2,51; 1Tim 3,4), so sollen auch die Kinder ihren Eltern „im Herrn" gehorchen (Eph 6,1-3).
- Christliche Gemeinde: Die gesamte Gemeinde, Glieder und Leiter, ordnet sich Christus unter (Eph 5,25), und alle „Kinder Gottes" sollen sich ihrem himmlischen Vater unterordnen (Hebr 12,9; siehe auch Jak 4,7). Alle Christen sind aufgerufen, sich den Verantwortlichen ihrer Gemeinden unterzuordnen (1Petr 5,5). Deshalb sollte die Gemeinde in ihrer Organisation die Struktur der komplementären Familienunterschiede widerspiegeln. Die männliche Leitung der historischen Gemeinde war kein patriarchalischer Machttrip, sondern integraler Bestandteil des gemeindlichen Verständnisses von der Stellung der Unterschiede und der Ordnung in der biblischen Kosmologie der *zweiheitlichen* Heiligkeit.
- Leben als Staatsbürger: Männer wie auch Frauen sollen sich der staatlichen Obrigkeit (Röm 13,1; 1Petr 2,13; siehe auch

Tit 3,1; 1Tim 2,2-3) und Arbeitgebern (Tit 2,9; 1Petr 2,18; vgl. Eph 6,5-8; 1Tim 3,4-7) unterordnen. In allen Lebensbereichen soll das Zeugnis eines heiligen Gottes zu sehen sein.

Eine solche Unterordnung ist niemals drückend oder erniedrigend. Es ist eine in freiem Glauben vor Gott praktizierte Ausrichtung des Einzelnen auf die kosmischen Strukturen, die Gott für das Gemeinwohl geschaffen und bestimmt hat. Sarah Ruden, eine Altphilologin mit profunden Kenntnissen des antiken römischen Lebens, insbesondere des Militärs, hat einen faszinierenden Einblick in die Sprache von Paulus. Sie interpretiert seine Vorstellung von Unterordnung im Hinblick auf das griechisch-römische Reich und dessen Vorstellungen von besonderen Ehren, zu denen der Militärdienst gerechnet wurde und die dem Verb „sich unterordnen“ zugrunde liegen. Ruden versteht Unterordnung nicht als widerwillige Verpflichtung, sondern als ehrenvolle „Selbstentwicklung“:

> *Wenn Paulus von „Unterordnung“ schrieb, hatten seine Leser nicht die Vorstellung, Mist zu schaufeln oder zur Unterwerfung geprügelt zu werden. Sie dachten an geachtete, reichlich belohnte Tätigkeiten. Tatsächlich forderte er seine Anhänger auf, durch ihre Mitarbeit selbst zu Teilhabern, zu Leitern zu werden.*[597]

Teilhaber eines heiligen Kosmos zu sein – oder „(Mit-)Herrscher“, wie Psalm 8,7 es ausdrückt –, ist die besondere Ehre, zu der Menschen von Gott berufen sind. Wenn Paulus sagt, dass Gott „nicht ein Gott der Unordnung, sondern des Friedens“ ist (1Kor 14,33), oder wenn er die Christen in Kolossä zu ihrer „Ordnung“ (Kol 2,5) beglückwünscht, setzt er voraus, dass hinter allem eine geordnete Struktur, eine in sich schlüssige Kosmologie steht. So betrachtet ist Sünde die Ablehnung von Gottes schöpferischem, gut strukturiertem Werk, seinem *chef-d'oeuvre* (Meisterwerk). Der sündige Geist „unterstellt sich dem Gesetz Gottes nicht" (Röm 8,7; NeÜ) und unterstellt sich auch nicht dem, was Gott geordnet hat. Christen hingegen ordnen sich dem sowohl aus respektvoller Bewunderung als „auch des Gewissens wegen" unter (Röm 13,5).

Aus einem biblischen Verständnis von Heiligkeit – Dinge an ihrem rechtmäßigen, von Gott bestimmten Platz – leiten sich die bürgerlichen Grundsätze von Recht und Gerechtigkeit ab. Nach Robert Reilly bedeutet Gerechtigkeit, „den Dingen das zu gewähren, was ihnen ihrem Wesen nach zusteht", so wie es in den „Gesetzen der Natur und des Gottes der Natur"[598] verankert ist. Aus der Gerechtigkeit ergeben sich die Menschenrechte, die ein gelingendes gemeinschaftliches Leben ermöglichen. Recht ist nicht die Freiheit, alles zu tun, was man will, sondern Gerechtigkeit zu empfangen. Reilly fügt hinzu: „Wenn die Natur geleugnet wird, dann wird die Gerechtigkeit notwendigerweise auf das reduziert, was gewollt ist, was wiederum zum Recht des Stärkeren führt."[599]

Aus vielerlei Gründen müssen Christen das Vorrecht eines heiligen Lebens in der gegenwärtigen Kultur wahrnehmen: um Gott als Schöpfer zu verherrlichen, um eine Quelle der Gerechtigkeit für das Gemeinwohl zu sein und um starke Ehen und liebevolle Familien zu gründen, die als Vorposten der Hoffnung in einer *einsheitlichen* Welt fungieren, die zwar schließlich „erleuchtete", aber auch verzweifelt einsame Menschen hervorbringen wird. Ein solches heiliges Leben dient auch als Zeichen des neuen Himmels und der neuen Erde der Zukunft, die wieder geheiligt sein werden. Die Hoffnung, nicht die Zerstörung, hat das letzte Wort. Deshalb müssen Christen sich „um ein geheiligtes Leben, ohne das niemand den Herrn sehen wird" (Hebr 12,14; NeÜ) bemühen.[600]

Mit dem Tod und der Auferstehung Jesu, mit seinem Sieg über die Sünde und seiner Macht über Tod und Verderben wurde die künftige Heiligung des Kosmos objektiv vollbracht. Somit ist Heiligkeit nun ein Geschenk für die Menschen, die zu Gott gehören und bereits „Heilige" genannt werden. So wird Gott jetzt nicht nur als heiliger Schöpfer, sondern auch als heiliger Erlöser und künftiger Vollender erkannt und gepriesen, der bereits jetzt einen überwältigenden erneuerten Kosmos von unvorstellbarer Heiligkeit vorbereitet.

David Horowitz ist ein brillanter jüdischer, ehemals marxistischer Revolutionär der Sechzigerjahre, der später im Leben zum Sozialkonservativen wurde. Er änderte seine Einstellung, nachdem er das Gefallensein der menschlichen Natur an sich selbst und an seinen idealistischen revolutionären Freunden (einige davon sind immer noch aktiv) aus seiner Jugendzeit erkannt hatte. In den Sechzigerjahren sah er hinter den optimistischen Visionen einer diesseitigen Utopie die Unfähigkeit der Menschen, sich selbst zu ändern. Und schließlich entdeckte er hinter all der Rhetorik die Hässlichkeit eines Lebens, das nur für sich selbst gelebt wird. Das hat in Horowitz, der Agnostiker geblieben ist, einen traurigen, aber ehrlichen Realismus hervorgebracht: „Ein Konservativer zu sein, bedeutet zu verstehen, dass es keine Lösung für das Dilemma des menschlichen Daseins gibt ... Wir haben keine dauerhafte Bleibe in dieser Welt ... Wenn es ein wirklich dauerhaftes Zuhause für uns gibt, dann nicht in dieser Zeit, nicht an diesem Ort.“[601]

Vielleicht wird ihm eines Tages ein einfacher gläubiger Christ zeigen, dass es eine dauerhafte Heimat gibt, ein Zuhause, das Christus für diejenigen vorbereitet, die ihn lieben.

Eine wunderbar heilige Zukunft

So wie die erste Schöpfung einmal heilig war, wird es auch die zweite sein – und noch „viel mehr“ (siehe Röm 5,8-21)! Gottes fortwährendes Werk besteht darin: „Ich werde meinen großen, unter den Nationen entweihten Namen heiligen … Und die Nationen werden erkennen, dass ich der HERR bin, … wenn ich mich vor ihren Augen an euch als heilig erweise“ (Hes 36,23). In der Tat sind Christen dazu berufen, der ganzen Welt, die sie beobachtet, durch ihr bewusstes, heiliges Leben zu zeigen, dass die Schöpfung nicht einfach eine sich entwickelnde, bedeutungslose Masse dessen ist, was sie unserem Willen nach sein soll – auf bloßen Zufall oder den Überlebenstrieb zurückgeführt, durch den wir ein autonomes, aber letztlich zweckloses Leben führen. Die Schöpfung ist vielmehr das absichtsvolle, herrlich fein abgestimmte Werk eines persönlichen heiligen Gottes, der seinen eigenen heiligen Ort hat und uns unseren Ort geschenkt hat und der durch all das die Ehre bekommt, die seinem Namen gebührt.

Es gibt eine bleibende Heimat, die wir von Weitem im Antlitz Jesu, des „Heiligen Gottes" (Joh 6,69), gesehen haben und die der Herr einmal auf die Erde bringen wird, nämlich die Heilige Stadt, das neue Jerusalem (Offb 21,2), das die Erfüllung des alttestamentlichen „heiligen Berges" (Psalm 99,9) ist, wo die Gerechtigkeit für immer wohnen wird. Mit anderen Worten: Die heilige Zukunft ist auf Gott ausgerichtet. Christen dürfen an diesem großen Moment der Wiederherstellung teilnehmen, und durch die Gnade haben wir „Anteil an seiner Heiligkeit" (Hebr 12,10; NeÜ). Alles wird neu gemacht werden, alles wird heilig sein. Sie können sich darauf verlassen, denn „es ist ein wahres Wort: Wenn wir mit Christus gestorben sind, werden wir auch mit ihm leben" (2Tim 2,11; NeÜ). Beim Sündenfall hat Gott die Schöpfung „der Nichtigkeit unterworfen" (Röm 8,20), doch es bleibt die Hoffnung auf eine erneuerte Schöpfung, die dann nicht mehr der Vergänglichkeit, sondern der herrlichen Unterordnung unter Gottes Willen unterworfen ist, und in der Gott überall als Herr von allem anerkannt wird.

Christus ist der Erstling der neuen Menschheit, der „neue Adam", nach dem sich C. G. Jung sehnte, den er aber nicht sehen konnte, weil er an der falschen Stelle – nämlich in seinem Inneren – suchte. Das wirkliche, historisch vollbrachte Erlösungswerk Christi durch die Kraft des Heiligen Geistes – sowohl am Kreuz als auch in der Auferstehung – in unserer Welt setzt ihn als Haupt oder Autorität über alle Dinge (Eph 1,22; Kol 2,10). Als Haupt ordnet Christus alle Dinge wieder, setzt sie an ihren rechtmäßigen, für sie bestimmten Platz, unter seine rechtmäßige Herrschaft. Mit anderen Worten: Als Haupt über alle Dinge heiligt er den Kosmos – besser gesagt, er heiligt ihn neu – und bringt ihn an seine rechtmäßige Stellung, dem Willen und Plan Gottes untergeordnet, und alles wird wieder „sehr gut" (1Mo 1,31) sein. Das ist unsere große Hoffnung, wie es auch die Hoffnung des Gottesvolkes in der Vergangenheit war, wie der Prophet Jesaja sagt, der einen neuen Weg der Heiligkeit prophezeit:

> *Sagt zu denen, die ein ängstliches Herz haben: Seid stark, fürchtet euch nicht! Siehe, da ist euer Gott, Rache kommt, die Vergeltung Gottes! Er selbst kommt und wird euch retten. Dann werden die Augen der Blinden aufgetan und die Ohren der Tauben geöffnet. Dann wird der Lahme springen wie ein Hirsch, und jauchzen wird die Zunge des Stummen. Denn in der Wüste bricht Wasser hervor und Bäche in der Steppe. Und die Wüstenglut wird zum Teich und das dürre Land zu Wasserquellen. An der Stelle, wo die Schakale lagerten, wird Gras sowie Rohr und Schilf sein. Und dort wird eine Straße sein und ein Weg, und er wird der heilige Weg genannt werden. Kein Unreiner wird darüber hinziehen, sondern er wird für sie sein. Wer auf dem Weg geht – selbst Einfältige werden nicht irregehen. Kein Löwe wird dort sein, und kein reißendes Tier wird auf ihm hinaufgehen noch dort gefunden werden, sondern die Erlösten werden darauf gehen. Und die Befreiten des HERRN werden zurückkehren und nach Zion kommen mit Jubel, und ewige Freude wird über ihrem Haupt sein. Sie werden Wonne und Freude erlangen, und Kummer und Seufzen entfliehen. (Jes 35,4-10)*

Dieses heilige Leben, das auf einem *zweiheitlichen* Verständnis der Person und des Willens Gottes beruht, verwandelt auch unseren von Sünde befleckten Verstand und ermöglicht ein klares *zweiheitliches* Denken. Das wird das Thema des nächsten Kapitels sein, denn, wie das Sprichwort sagt: „Den Heiligen erkennen, das ist Verstand“ (Spr 9,10; NeÜ).

KAPITEL 12

DAS DENKEN SPRENGEN

... werdet verwandelt durch die Erneuerung des Sinnes.
(Röm 12,2)

Die Notwendigkeit von Unterscheidungen

Als der kleine, jüdische Rabbi Paulus in Ketten in die „ewige Stadt", das Zentrum der glorreichen „zivilisierten" Welt des Römischen Reiches, gebracht wurde, konnten nur wenige die Tragweite des Ereignisses begreifen. Jeder wusste, dass es nur einen Staat und nur einen Herrn gab: Cäsar. Im Bund mit den Naturgöttern herrschte Cäsar über alle, und alles war spirituell *eins*. Bevor Paulus in Rom ankam, hatte er an die Christen in der Hauptstadt geschrieben und sie zu einer völligen Umgestaltung des Denkens, einer gründlichen Überwindung aller klassischen Kategorien der heidnischen Denkweise aufgerufen. Die Botschaft des Paulus erwies sich als weltbewegend. Alles ist nicht *eins*. Alles ist *zwei*.

Zwei Ansichten über Gott: Schöpfer oder Geschöpf

Wie wir erfahren haben, ergibt sich unsere Kosmologie aus unserer Sicht des Göttlichen. Nach der Bibel sind nur zwei Gottesvorstellungen möglich: die Schöpfung oder der Schöpfer (Röm

1,25).[602] Beide Ausgangspunkte sind wesenhaft religiös und beschreiben den Charakter des Göttlichen als entweder ontologisch[603] transzendent und von der Natur getrennt oder ontologisch immanent und damit innerhalb der Natur. Diese beiden Optionen schließen sich gegenseitig aus; sie in einer Art Hybridsystem zusammenzubringen ist aussichtslos. Der geistliche Kampf wird bis zum Ende der Geschichte andauern, wenn die Wahrheit endgültig und vollständig offenbart sein wird.

Die Leser werden sich daran erinnern, dass für C. G. Jung der gnostische Gott im Inneren der einzige war, der es wert war, angebetet zu werden: „Abraxas, halb Mensch, halb Tier, als ein Gott, der höher ist als der christliche Gott und der Teufel, der alle Gegensätze in sich vereint.“[604] Jung lehnte den biblischen Gott, den transzendenten Schöpfer „außerhalb des Menschen“, ab und bezeichnete einen solchen Glauben als „systematische Blindheit“[605].

Für den Apostel Paulus geht die Blindheit in die entgegengesetzte Richtung von Jungs Behauptung: Die Schöpfung als Gott anzusehen ist Blindheit. Die Menschen sehen in der Schöpfung Beweise für den wahren Gott, entscheiden sich dann aber dafür, blind zu werden. „Denn was man von Gott erkennen kann, ist unter ihnen bekannt, weil Gott es ihnen längst vor Augen gestellt hat … Trotz allem, was sie von Gott wussten, ehrten sie ihn aber nicht als Gott … Stattdessen verloren sich ihre Gedanken ins Nichts, und in ihrem uneinsichtigen Herzen wurde es finster“ (Röm 1,19.21; NeÜ).

Zwei mögliche Schlussfolgerungen: Wahrheit oder Lüge

Der menschliche Verstand ist – auch in seinem gefallenen Zustand – zu erstaunlichen intellektuellen Konstruktionen fähig, aber auch zu irrationalen Schlussfolgerungen, die die Kultur entmenschlichen. Wenn Abtreibungsbefürworter von der Tätigkeit eines Abtreibungsarztes als seinem „Abtreibungsdienst“ oder von der Abtreibung als „Geschenk Gottes“ sprechen, sich aber weigern, anschauliche Bilder von der Gewalt zu zeigen, die dem Kind angetan wird, verraten sie einen ernsthaften Mangel an Logik. Sollten sie die herrlichen Ergebnisse von Gottes großem Geschenk – die zerstückelten Babys – dann nicht auch für alle sichtbar präsentieren? Das ist nicht nur unlogisch und widersprüchlich, sondern auch unredlich.

Die Lüge wird sich immer selbst widersprechen. Der rationale, intelligente, herzliche und freundliche Heinrich Himmler wuchs in einer frommen, römisch-katholischen, bürgerlichen Familie auf. In den 1940er-Jahren war er außerdem Chef der brutalen SS unter Hitler. Himmler gab zu, dass ihm beim Anblick von Massenvernichtungen anderer Menschen schlecht wurde, obwohl er das Abschlachten selbst organisiert hatte. Aber dann erklärte er voller Stolz: „Anständig geblieben zu sein, das hat uns hart gemacht und ist ein niemals geschriebenes ... Ruhmesblatt unserer Geschichte."[606] Doch wie kann man sich beim Anblick von „Anständigkeit" und „Ruhm" schlecht fühlen? Darüber hinaus traf sich Himmler gegen Ende des Krieges heimlich – ohne Hitlers Wissen – mit jüdischen Anführern und schickte Nachrichten an Churchill, in denen er ein Ende des Holocausts als Teil der Friedensverhandlungen vorschlug, vermutlich, um seine eigene Haut zu retten, und offensichtlich im Widerspruch zu seinen früheren Vorstellungen von „Ruhm" und „Anstand"[607].

Pontius Pilatus erklärte Jesus dreimal für unschuldig, bevor er ihn auspeitschen und kreuzigen ließ. Die gefallene Welt mit ihrer gottlosen Auffassung von Wahrheit bewegt sich immer am Rand der Irrationalität, denn die Lüge verabscheut schließlich die Wahrheit.

Zwei mögliche Denkweisen: uneinsichtig oder einsichtig

Doch nun ist es Zeit für eine deutliche Sprache, nicht für anpasserischen Wirrwarr, den wir eben wahrgenommen haben. Was die Menschen brauchen, ist ein verwandelter Geist, der den Willen

Gottes, des Schöpfers, der immer und ewig zu preisen ist, erkennen kann (Röm 12,2; 1,25). Echte menschliche Einsicht und schließlich das Glück der Menschheit hängen davon ab. Das ist wirklich atemberaubend: Verglichen mit dem innerlichen Gott ist der wahre Gott unergründlich und geht über alles hinaus, was wir uns vorstellen können. Diese Art des Denkens ist unser „wahrer Gottesdienst" (Röm 12,1) im Gegensatz zur falschen Verehrung der Schöpfung.

Paulus behauptet, dass es nur zwei Arten des Denkens gibt:

1. Das uneinsichtige, „verworfene" Denken (Röm 1,28), das die Kreaturen oder die gesamte Natur zum Gott erhebt, indem es die Schöpfung als Gott anbetet und ihr wie einem Gott dient. Hier baut ein Weltbild auf einer Lüge auf.
2. Das „erneuerte", urteilsfähige Denken (Röm 12,2), das von der Blindheit der Sünde befreit ist, das Gott als von der Schöpfung getrennt begreift und ihn allein als das einzige verehrungswürdige Objekt anbetet und ihm dient. Hier baut ein Weltbild auf der Wahrheit auf.

Das prüfende, erkennende Denken nach Römer 12,2 und das verworfene, nicht erkennende Denken nach Römer 1,28 werden mit Worten aus derselben Wurzel beschrieben.[608] Hier haben wir nicht nur einen klaren Gegensatz zwischen zwei Arten, den Verstand zu gebrauchen, sondern auch ein moralisches Element. Die eine Art, den Verstand zu gebrauchen, ist wahrhaftig (unterscheidungsfähig, prüfend); die andere ist falsch (uneinsichtig und dann verworfen). Die geschaffene Welt stellt uns letztlich vor die moralische Entscheidung für oder gegen einen persönlichen Schöpfer.

Wie wir in Kapitel 1 gesehen haben, ist dies für das Denken die wichtigste Frage: Erschafft die Welt sich selbst, oder gibt es einen Schöpfer, der sich von der Welt unterscheidet? Ist die Wirklichkeit *eins*- oder *zweiheitlich?* Ihre Antwort auf diese Frage wird die Art und Weise beeinflussen, wie Sie über Theologie, Spiritualität und Sexualität denken, wie Paulus in Römer 1 zeigt.[609]

Jung hatte dort Erfolg, wo Julian versagte. C. G. Jungs großer Einwand gegen die klassische christliche Lehre im modernen Westen war ihr Glaube an die göttliche Transzendenz, die *Zweiheit*. Er hatte wirklich einen uneinsichtigen, verworfenen Verstand. Denn Jung zufolge sollte die biblische Lehre, dass die Gnade von außen kommt[610], als „geistige Blindheit" und als Beleidigung der menschlichen Seele betrachtet werden. Der transzendente Gott, der ganz andere, so Jung, verweigere dem Menschen den „Zugang zur Göttlichkeit seiner eigenen Seele"[611]. Der moderne Mensch müsse von dieser Blindheit geheilt werden.

Zwar habe ich Jung als aussagekräftiges Beispiel für *Einsheit*-Denken angeführt, aber er ist bei Weitem nicht der Einzige, der von diesem uneinsichtigen, verworfenen Geist beeinflusst ist. Die *Einsheit* wird nämlich auch von globalistischen Politikern, in Dokumenten der Vereinten Nationen, die die Zukunft des Planeten bestimmen sollen, von Hollywood-Spiritualisten, von Anführern aller Weltreligionen sowie von selbst ernannten progressiven Liberalen (sowohl „Christen" als auch Nicht-Christen) vertreten. Diese haben keinen Platz für Gott als Schöpfer und preisen die *Einsheit* in universeller Gerechtigkeit, Pansexualität und religionsübergreifender Religiosität. Die moderne *Einsheit* behauptet, dass wir ein Paradies des menschlichen Wohlergehens schaffen können, in dem alle Menschen miteinander auskommen. Diese Vision scheint gut und schön zu sein, aber sie beruht auf der wahnhaften Fantasie der Lüge und wird zu einem weltweiten Albtraum werden.

Die strikte Unterscheidung zwischen dem *Einsheit*-Denken und dem *Zweiheit*-Denken gab es zwar schon immer, aber Jung und seine Jünger haben sie uns in einem anderen Gewand neu präsentiert. Interessanterweise hat Jesus schon vor langer Zeit gesagt, dass es nur zwei Wege gibt: einen breiten und einen schmalen. Wie können Christen angesichts des mächtigen ideologischen Programms, das ich als „heidnische Kosmologie" bezeichnet habe und das eine falsche, *einsheitliche* Einheit betont, die Warnung beherzigen, Konformität zu vermeiden? Wie gesagt: Unser Geist braucht *Verwandlung*, nicht Konformität.

Die Verwandlung des Denkens

Paulus hat eine gewaltige Verwandlung oder Umgestaltung im Sinn. Das Verb „verwandeln“ gebraucht er sonst nur ein einziges weiteres Mal: „Wir alle aber schauen mit aufgedecktem Angesicht die Herrlichkeit des Herrn an und werden so verwandelt in dasselbe Bild von Herrlichkeit zu Herrlichkeit, wie es vom Herrn, dem Geist, geschieht“ (2Kor 3,18). Das „aufgedeckte Angesicht“ erinnert an eine Erfahrung Moses am Berg Sinai. Und die Verwandlung erinnert an die Herrlichkeit Gottes, die auf einem anderen Berg, dem Berg der Verklärung, offenbart wurde, als Jesus vor drei seiner Jünger „umgestaltet“ wurde (im Griechischen dasselbe Verb) und „sein Angesicht wie die Sonne leuchtete“ (Mt 17,2). Gemeint ist in der Korinther-Stelle eine Veränderung der Weltsicht durch die Herrlichkeit Gottes, die sich in einer sündigen Welt offenbart und die Menschen auf den kommenden, verwandelten, sichtbaren Kosmos vorbereitet.

Der Apostel Petrus war Augenzeuge auf dem Berg der Verklärung und spricht von der Umgestaltung im Vergleich zu den mythischen Geschichten der heidnischen Götter:

> *Denn wir haben euch die Macht und Ankunft unseres Herrn Jesus Christus kundgetan, nicht indem wir ausgeklügelten Fabeln folgten, sondern weil wir Augenzeugen seiner herrlichen Größe gewesen sind. Denn er empfing von Gott, dem Vater, Ehre und Herrlichkeit, als von der erhabenen Herrlichkeit eine solche Stimme an ihn erging: „Dies ist mein geliebter Sohn, an dem ich Wohlgefallen gefunden habe.“ Und diese Stimme hörten wir vom Himmel her ergehen, als wir mit ihm auf dem heiligen Berg waren. (2Petr 1,16-18)*

Wenn wir das Evangelium hören, begegnen wir Jesus: dem unglaublichsten Menschen, den es je gegeben hat. Jesus war ein einzigartiges menschliches Wesen – nicht nur, weil er vollkommen war, sondern auch, weil er Gott in menschlicher Gestalt war. Was er tat, war daher von unermesslichem, ewigem Wert für diejenigen, die ihm vertrauen. Er ist Gott und trägt die Sünden der Welt. „Wenn jemand in Christus ist, so ist er eine neue Schöpfung" (2Kor 5,17). Wenn jemand das Evangelium hört und annimmt, verändert sich sein Denken über Gott und über sich selbst; man versteht die Tiefe der eigenen Rebellion gegen Gott und das Ausmaß seiner erneuernden Liebe.

Wir finden die Weisheit für ein gesundes Denken nicht, indem wir auf die „frei erfundene[n] Geschichten" (2Petr 1,16; NeÜ) der Welt hören, basierend auf einem Gott im Inneren, sondern indem wir auf die Aussagen von Augenzeugen hören, die mit dem objektiven Handeln Gottes, des Schöpfers, konfrontiert waren – des Gottes, der in der Geschichte gehandelt hat, um uns zu retten. Dort ist die Weisheit zu finden, das Verständnis dafür, wer Gott als Schöpfer und Erlöser ist und wer wir als Geschöpfe sind.

Die Umgestaltung des Denkens ist das Werk des Heiligen Geistes und umfasst das gesamte Wesen des Menschen, sowohl das geistliche als auch das rationale, aber sie ist weder mystisch (selbstbezüglich) noch irrational (eine Verleugnung unseres Intelligenzvermögens, eines der größten Schöpfungswerke Gottes). Durch den Heiligen Geist und das von ihm inspirierte geschriebene Wort beginnen wir, das Wesen von Gottes Welt zu verstehen. In einem 3000 Jahre alten Text lesen wir:

> *Der HERR hat durch Weisheit die Erde gegründet,*
> *den Himmel befestigt durch Einsicht.*
> *Durch seine Erkenntnis brachen die Fluten hervor [oder:* teilten die Tiefen*],*
> *die Wolken triefen von Tau. –*
> *Mein Sohn, lass sie nicht weichen aus deinen Augen,*
> *bewahre Umsicht und Besonnenheit!*
> So werden sie Leben sein für deine Seele *und*
> *Anmut für deinen Hals. (Spr 3,19-22; Hervorhebung PJ)*

Dieser alte Text zeigt, dass sich die Weisheit, mit der Gott die Welt als eine vom Schöpfer getrennte Einheit schuf und mit der er die Elemente in ihr *trennte,* damit sie bestmöglich funktionieren, in der Weisheit widerspiegelt, die den Geschöpfen gegeben wurde, um die Unterschiedlichkeiten innerhalb der geschaffenen Ordnung aufrechtzuerhalten – *um des Lebens willen.* Ein erkennender Geist mit klarem Denken versteht, dass die letzte Wirklichkeit keine Materie ist, die sich selbst erschafft und dann auf wundersame Weise denkende Menschen hervorbringt, wie das Heidentum törichterweise behauptet. Die letzte Wirklichkeit ist vielmehr die des persönlichen Schöpfers der Materie, von dem ein intelligentes, persönliches Wort von außerhalb der Natur ausgeht, um sie in einem höchsten Schöpfungsakt *ex nihilo* – aus dem Nichts – ins Dasein zu rufen. Gottes einzigartiges Wort, seine Weisheit, die in keiner anderen Weltreligion – ob alt oder modern – bekannt ist und wovon dieser unglaublich verstehbare Kosmos ausgeht, wurde einmal ein Mensch mit Fleisch und Blut: „das Wort ... voller Gnade und Wahrheit“ (Joh 1,14).

Der Kontext der Unwissenheit in Römer 1,28 wird durch die vorausgehenden Aussagen über die sündige menschliche Erkenntnis definiert. Menschen, die „die Wahrheit durch Ungerechtigkeit niederhalten“ (Röm 1,18), indem sie Gott als Schöpfer erkennen, ihn aber nicht als Gott verehren, sind Menschen, die „in ihren Überlegungen auf Nichtiges verfielen und [deren] unverständiges Herz verfinstert wurde“ (Röm 1,21). In diesem Zustand eines verfinsterten Herzens verehren sie die Schöpfung als göttlich. Doch in einem solchen System gibt es keinen wahren anderen als einzig mögliches Gegenüber echter Anbetung.

Die Ablehnung des Schöpfers hat furchtbare Folgen: „Gott … lieferte … sie einem verworfenen Denken aus“ (Röm 1,28; NeÜ), und das hat Auswirkungen auf ihre Theologie (Röm 1,20-21), Spiritualität (Röm 1,24) und Sexualität (Röm 1,26-28). Erneuertes Denken hingegen erkennt wahre, gesunde Unterschiede zwischen dem Schöpfer und der Schöpfung und in den verschiedenen Rollen der geschaffenen Dinge in Gottes sinnvoller Welt.

Es sieht in der gefallenen Welt den Gegensatz zwischen Wahrheit und Falschheit, zwischen Heiligem und Unheiligem.

Mit erneuertem Denken Unterscheidungen treffen

Erneuertes Denken hat gelernt, im Licht der von Gott offenbarten Wahrheit der *Zweiheit* in Klarheit über die Welt nachzusinnen. Die erneuerte Sicht auf Gott, Spiritualität und Sexualität ist der „Weisheit dieser Welt" diametral entgegengesetzt. Gott ist nicht die Natur, sondern Gott ist der gute Schöpfer der Natur (Röm 1,18-20). Wahre Spiritualität besteht nicht in der Verehrung der Elemente innerhalb der Natur, sondern in der Verehrung des Schöpfers außerhalb der Natur. Sexualität wird richtigerweise nicht als „anything goes" („alles ist möglich") verstanden – einschließlich Homo- und Pansexualität –, sondern als Feier des Unterschieds: sexuelle *Zweiheit* in monogamer, gesundheits- und lebensfördernder Heterosexualität, was Paulus als „natürlich" oder „der Schöpfung entsprechend" (Röm 1,26) bezeichnet.

Wollen Sie den guten Willen Gottes für Ihr Leben erkennen? Dann bauen Sie Ihr Weltbild auf dem Grundprinzip auf, dass der Schöpfer von der Schöpfung getrennt ist. So können Sie einer Welt, die von Satans Lügen beherrscht wird, einen Sinn geben, indem Sie Ihre Gedanken mit den Gedanken Christi in Einklang bringen.

Diese äußerst wichtige Entscheidung lässt sich vielleicht durch die folgenden Begriffspaare verdeutlichen. Wir akzeptieren entweder

- Homokosmologie oder Heterokosmologie:
  - Das grundlegende Wesen des Seins wird entweder durch eine Homokosmologie der Einheit und Synthese beschrieben (d. h. *Einsheit; homo* bedeutet „gleich"), oder
  - Das grundlegende Wesen des Seins wird durch eine Heterokosmologie beschrieben, deren Schlüssel die Unterschiedlichkeit ist (d. h. *Zweiheit;* hetero bedeutet „verschieden").

- Homotheologie oder Heterotheologie:
  - Jeder existierende Gott ist gleicher Art wie wir, sodass alle Dinge göttlich sind, oder
  - Gott ist der göttliche andere, und wir sind seine Geschöpfe.

- Homospiritualität oder Heterospiritualität:
  - Wir verehren die Natur und uns selbst, oder
  - Wir verehren den und dienen dem Schöpfer und ehren Gottes Anderssein.

- Homosexualität oder Heterosexualität:
  - Wir verkörpern die *einsheitliche* spirituelle Vorstellung von Gleichheit, oder
  - Wir verkörpern die von Gott inspirierte Vorstellung einer Vereinigung, die Unterschiede umfasst.

Bei der Verteidigung der Wahrheit stehen wir mit dem Rücken zur Wand und haben nur die Definition Gottes, auf die wir unsere Argumente für das menschliche Leben stützen können. Aber welche bessere Grundlage gibt es, da doch alle Menschen von Gott wissen und daher keine Entschuldigung haben (vgl. Röm 1,20)? Es ist tröstlich zu wissen, dass die Bibel als eine apologetische Kosmologie für die heidnische Welt geschrieben wurde. Die Entscheidung zwischen dem *Einsheit*-Denken und dem *Zweiheit*-Denken zieht sich durch die gesamte biblische Geschichte:

1. Mose wies in der *einsheitlichen* ägyptischen Kultur des Pan- und Polytheismus sowie der Pansexualität auf die Schönheit der *Zweiheit* hin.
2. Hananja, Mischaël und Asarja bezeugten im 6. Jahrhundert v. Chr. den Gott der *Zweiheit* vor Nebukadnezar, der ihn schließlich erkannte und öffentlich verkündete: „Gepriesen sei … Gott …! Er hat seinen Engel geschickt, um diese Männer zu retten, die sich auf ihn verließen und sich dem Befehl des Königs widersetzten. Sie haben ihr

Leben gewagt, damit sie außer ihrem Gott keinen anderen verehren oder anbeten müssten!" (Dan 3,28; NeÜ).

3. Paulus verkündete der heidnischen griechisch-römischen Kultur dieselbe Wahrheit, nämlich dass Menschen, die die Natur anbeten und ihr dienen, stattdessen den Schöpfer anbeten und ihm dienen sollten.

Zweiheitliche Kosmologie

Jetzt sind wir an der Reihe. Diese Botschaft muss in unserer Zeit wieder gehört werden, in unserem globalen „Römischen Reich", wo nach Jahrhunderten der Dominanz der christlichen Wahrheit nun die heidnische Kosmologie wieder als die einzige Wahrheit akzeptiert wird, mit der wir den Planeten retten können. Wir wollen untersuchen, wie biblisches Denken in verschiedenen Wissensgebieten aussieht, die durch das Prinzip der *Zweiheit* miteinander verknüpft sind.[612]

Theologie: Das Wesen Gottes

Wenn Gott „anders" ist oder sich von uns unterscheidet, dann ist es sinnvoll, nur ihm z. B. Herrschaft, Hoheit, Transzendenz und Vorrang einzuräumen, auch wenn diese Eigenschaften für den modernen Verstand, der mit Gleichheitsdenken aufgewachsen ist und eine Art Gehirnwäsche in Bezug auf den „Gott im Inneren" erhalten hat, anstößig sind. Katy Perry karikiert den Gott ihrer evangelikalen Erziehung als einen „alten Mann im Himmel". Wir werden vielleicht nie erfahren, ob diese Fehleinschätzung auf ihre Unfähigkeit zurückzuführen ist, das Evangelium zu verstehen, oder auf die Botschaft, die ihr vermittelt wurde. Aber sie muss das undurchdringliche Geheimnis des großen Anderen, des ewigen Gottes ohne Anfang, der allem anderen einen „Anfang" oder eine Existenz gibt, in Betracht ziehen. Ein solcher Gott erschreckt den Verstand. Ein solcher Gott wird in der Bibel in einzigartiger Weise offenbart. Vor einem Gott dieser Dimension können wir uns nur in demütiger Anbetung verneigen.

Das Geheimnis reicht noch tiefer: Obwohl dieser Gott ein unergründliches Geheimnis ist, ist er persönlich. Die Götter falscher *Zweiheiten* wie des rabbinischen Judentums und des Islams, sind nicht persönlich. Im Islam ist Gott eine einsame, unpersönliche Wesenheit. Und auch im Judentum ist er nicht dreieinig und hat daher keinen göttlichen Anderen als Gegenüber. Das bedeutet, dass Gott, um „persönlich" zu sein, auf eine Beziehung zu seiner Schöpfung angewiesen ist. Nur der biblische Gott der Heiligen Schrift, der von Jesus Christus durch den Heiligen Geist geoffenbart wurde, ist in seinem Wesen wirklich persönlich, da er dreieinig ist. Indem der abtrünnige Bischof John Shelby Spong erklärt, dass „die Lehre von der Dreieinheit nicht viel wert ist"[613], offenbart er die Oberflächlichkeit seines eigenen „christlichen" Systems, da er nicht erkennt, dass die Dreieinheit es Gott ermöglicht, sowohl transzendent als auch persönlich zu sein, ohne von der Schöpfung abhängig zu sein. Diese Kombination der Eigenschaften Gottes unterscheidet das Christentum von jedem anderen religiösen System.

Anthropologie: Das Wesen des Menschen

Zweiheit eröffnet außerdem eine enorm hohe Sicht von der menschlichen Person. Jeder Mensch ist einzigartig und unterscheidet sich von allen anderen. Die individuelle Identität wird niemals in einem unpersönlichen Nirwana verloren gehen, das auf der Erde schnell zu einer kollektivistischen Tyrannei wird, in der die „weniger Gleichen" den „Gleicheren" dienen. Das *zweiheitliche* Verständnis begründet das Wesen der Menschenwürde. Der maßgebende göttliche Andere schenkt dem Menschen die Gabe, ein Wesen zu haben, das nach seinem Ebenbild geformt ist und das menschliche Geschöpf von allen anderen geschaffenen Dingen unterscheidet (1Mo 1,27). Diese einzigartige Ebenbildlichkeit befreit den Menschen auch von den falschen totalitären Ansprüchen anderer gefallener Menschen. Die Würde des Menschen als Ebenbild Gottes schließt auch das Vorrecht ein, mitverantwortlich für die Umwelt zu sein, und die edle Berufung zum Dienst an den Leidenden.

In einem Buch über die Gefahren der entmenschlichenden Pornografiesucht stellt William Struthers fest: „Wir sind als Gottes Repräsentanten in dieser Welt zu seiner und zu unserer eigenen Freude gemacht. Wir sind füreinander geschaffen und sind da, um miteinander in Beziehung zu treten."[614] Nur die *Zweiheit* erklärt dieses dynamische, schöpferische Bedürfnis, das wir nach „dem anderen" haben.

Diese Ähnlichkeit zwischen Geschöpf und Schöpfer bedeutet jedoch nicht, dass die Menschen kleine Götter wären (die sich unweigerlich als „göttliche" Dämonen entpuppen würden). Menschen sind *immer* Geschöpfe und den von Gott vorgegebenen Strukturen unterworfen. Die *Zweiheit* gibt den Geschlechtern ihren Sinn. Aus der Gottesebenbildlichkeit, die Gottes dreieiniges Wesen (in Einheit und Unterschiedlichkeit) widerspiegelt, ergeben sich die natürlichen Unterscheidungen der Heterosexualität für das kulturelle und biologische Mandat, „die Erde zu füllen" (1Mo 1,28), und für echte Liebe zum anderen in der lebenslangen Monogamie. Diese polare Vision von der letztendlichen Bedeutung der heterosexuellen Geschlechtlichkeit findet ihre erlösende Erfüllung in der Liebe Christi, des Bräutigams, zu seiner Braut, der christlichen Gemeinde. Das heterosexuelle Mandat ist keine hasserfüllte, altmodische Engstirnigkeit. Es ist kosmologische und eschatologische Wahrheit.[615]

Logik: Das Wesen der Rationalität

Die *Zweiheit* gibt der Welt einen Sinn. Der Verstand funktioniert wie eine Unterscheidungen produzierende, sinnstiftende Fabrik. Aus diesem Grund rufen die klassischen Gurus der *Einsheit* ihre Anhänger dazu auf, „dem Verstand zu entfliehen". Für sie sagt uns der Verstand zu viel darüber, wer wir sind und wer Gott ist. Das offensichtliche Problem mit der „Flucht vor dem Verstand" zeigt sich jedoch daran, dass Sie weder in ein Flugzeug steigen würden, das von einem Piloten geflogen wird, der vor dem Verstand flieht, noch einem Kardiologen ohne Verstand erlauben würden, eine zwölfstündige Operation an Ihrem Herzen vorzunehmen.

Verstand und Vernunft sind Gaben Gottes, Teil des Ebenbildes Gottes im Menschen und somit ein integraler Bestandteil der geschaffenen Wirklichkeit. Sie sind ein System, hinter dem ein persönlicher, sinnstiftender Gott steht. Zu behaupten, dass A = Nicht-A ist, wäre Unsinn oder, wie die buddhistischen Vertreter der *Einsheit* sagen, wie das Geräusch beim Händeklatschen. Der römisch-katholische Philosoph Robert Sokolowski, der von der *zweiheitlichen* Unterscheidung zwischen Schöpfer und Geschöpf ausgeht, stellt fest, dass die Vernunft „die Macht des Bejahens und des Verneinens“[616] ist, d. h. die Macht, Unterscheidungen zu treffen, was in einer *einsheitlichen* Welt letztlich nicht möglich ist. Ohne die Existenz von Unterscheidungen vorauszusetzen, ist logisches Denken unmöglich.

Vom komplexen Leben einer Biene über die unzähligen logischen Signale im Auge bis hin zu unserer Fähigkeit, mit Musik, Kunst oder Sprache zu kommunizieren – alles im Kosmos hängt von Ordnung und Unterscheidung ab. Wir können all dies mit unseren rationalen Fähigkeiten beobachten, aber wir können uns nicht außerhalb des Systems stellen, um eine globale, objektive Erklärung von außen dafür zu geben. Daran ist der säkulare Humanismus zerbrochen; er beanspruchte die höchste Autorität für die menschliche Vernunft, scheiterte aber bei der Rechtfertigung einer solchen Position, wie die Postmoderne gezeigt hat. All diese logischen Prozesse, all die Unterscheidungen zwischen Subjekt und Objekt, die wir ständig treffen, finden ihre befriedigende Erklärung nicht in der selbstreferenziellen menschlichen Vernunft, sondern im Geist Gottes. Sein Geist ist der objektive Bezugspunkt, der uns versichert, dass das, was wir intuitiv und praktisch wissen, wahr ist: dass wir in einem rationalen Universum leben und nicht im Zirkelschluss eines menschlichen, zwangsläufig endlichen Konstruktes, das uns immer wieder enttäuschen wird, und auch nicht im fehlbaren Mythos eines „Gottes im Inneren“. Dieses intuitive Verständnis von der Rationalität von Gottes Universum hat die wissenschaftliche Entdeckung der Naturgesetze ermöglicht und erklärt die unglaubliche

Komplexität der technischen Welt. Ein Grundvertrauen in Sprache und Worte hat die immense Schriftkultur des Westens hervorgebracht, die aus logischen Aussagen, Lehrsätzen, Thesen und Abhandlungen, Glaubensbekenntnissen und Dogmen, wissenschaftlichen Gesetzmäßigkeiten und mathematischen Konstruktionen besteht.

Offenbarung: Wissen über Gott

Obwohl Rationalität und Unterscheidung das Universum durchdringen, können wir die Schöpfung nicht ohne eine zuverlässige göttliche Offenbarung von *außerhalb* der menschlichen Erfahrung erfassen. Die ungerechte, unaufrichtige Neigung des Menschen unterdrückt die der Natur innewohnende Wahrheit, die von dem Gott jenseits der Natur zeugt (Röm 1,18-21), und zieht daraus den Schluss, dass es keinen Schöpfer gibt. Der persönliche, dreieinige Gott, der die Natur geschaffen hat, ist jedoch zuerst ein Gott der verbalen Kommunikation, denn „im Anfang war das Wort“ (Joh 1,1). Weil das Wort am Anfang steht, ist das Universum ein rationaler Raum, und der wahre Sinn kommt von jenseits der menschlichen Bühne. Da Gott transzendent und allwissend ist, übersteigt seine Weisheit die der Menschen bei Weitem. Diese Offenbarung, die schließlich in der Heiligen Schrift festgehalten wurde, bringt dem Menschen wahres (wenn auch nicht erschöpfendes) Wissen von Gott, ohne das die Geschichte ein ungelöstes und frustrierendes Rätsel wäre.

Geschichte: Wissen über Geschichte

Eine „Geschichte“ der ewigen *einsheitlichen* Materie kann niemals erzählt werden! Wir sind zwar so geschaffen, dass wir nach einer wahren Geschichte verlangen: einem glaubwürdigen Anfang und einem überzeugenden Ende. Aber das gibt es nicht für die Geschichte der *Einsheit,* die die Ewigkeit der Materie beteuert. Es ist menschlich unmöglich, in den wechselnden Ereignissen unseres Lebens und aus unserer begrenzten Perspektive eine überzeugende Erklärung des Ganzen zu finden. Wir wären wie winzige Ameisen, die versuchen, die Geschichte des Römischen Reiches im Laderaum eines Getreideschiffes zu schreiben, das im 1. Jahrhundert Lebensmittel aus Ägypten nach Rom transportiert. Das wäre ein Bild für unsere Stellung im Kosmos.

Darüber hinaus hat die *Einsheit* eine zyklische Auffassung von der Zeit, und diese schließt die Vorstellung von Fortschritt aus. Es kann nur eine Wiederholung oder eine ewige Wiederkehr geben. Wenn es keinen göttlich geordneten Anfang gibt, an dem Gott den Himmel und die Erde erschaffen hat (1Mo 1,1), und kein posthistorisches Ende, das nur Gott hervorrufen kann, dann kann es auch keinen letzten Sinn der Dinge geben. Die Bedeutung der Geschichte kann nicht aus ihr selbst kommen, ein Warten darauf wird immer frustrierend sein. Die Bedeutung muss von außerhalb kommen.

Der Gott der *Zweiheit* bietet einen echten Anfang als Schöpfer (Protologie) und ein gerechtes Ende als gerechter Richter und Neuschöpfer (Eschatologie). Ein *zweiheitlicher,* linearer Zeitstrahl hat einen Anfang, eine Mitte und ein Ende und beschreibt einen Gott, der in der Geschichte am Werk ist, sodass es eindeutige und sinnvolle Ereignisse gibt. Die Zukunft unterscheidet sich von der Vergangenheit, und der Mensch hat in der Geschichte eine bedeutende Rolle zu spielen. Das *einsheitliche* Heidentum hat kein Interesse an und keinen Zugang zu vergangenen Ursprüngen oder zukünftigen Hoffnungen und kann nur ein sich ständig drehendes Rad selbst erzeugender, unbedeutender Wiederholungen und Reinkarnationen anbieten, die alle aus dem Nichts kommen und nirgendwohin führen.

Moral: Das Wesen von Recht und Unrecht

Über die Moral können wir dasselbe sagen wie über die Rationalität. Die *Zweiheit* beschreibt den Sinn von Richtig und Falsch, so wie ihn jeder kennt. Jungs Lösung ist nicht die Antwort. Er empfahl, Gut und Böse in einer Welt jenseits der Moral zu vereinen, um der eigenen Fantasie freien Lauf zu lassen. Aber der Mensch ist ebenso wenig in der Lage, Recht und Unrecht zu vereinen und dabei moralisch zu bleiben, wie er A und Nicht-A bejahen und dabei logisch bleiben kann.

Zweiheitliche Moral

Menschen sind widersprüchlich und wollen alle Vorteile eines persönlichen, moralischen Universums, ohne den Preis dafür zu zahlen. Jemand, der behauptet, ein moralisches Universum abzulehnen und nur für sich selbst zu leben, wird Sie trotzdem bis vor den Obersten Gerichtshof bringen, wenn Sie sein Eigentum stehlen oder sein Kind ermorden.

Zur Schönheit des Gesetzes gehört, dass es sowohl in unser Herz (Röm 2,15) als auch in Stein geschrieben ist. Gott schrieb seine Gebote zuerst mit seinem eigenen Finger, damit Mose die Israeliten lehren und unterweisen konnte. Wir erhalten das Gesetz von „innen" und von „außen". Von innen wird uns die Ebenbildlichkeit Gottes gegeben, damit wir uns intuitiv nach Gerechtigkeit sehnen. Aber Gottes Gesetz wird uns auch von außen gegeben, denn es kommt von Gott, dem Anderen, und er ist keine menschliche Erfindung.

Sokolowski stellt fest, dass das Gutsein des Kosmos vom Wesen Gottes als transzendentem Schöpfer ausgeht: „Weil Gott unabhängig von der Welt ist, können wir sagen, dass er die Welt aus reiner Großzügigkeit und nicht aus irgendeiner Notwendigkeit heraus geschaffen hat ... Damit hat er die Güte gezeigt, die den Dingen zugrunde liegt."[617] Gutsein und Gerechtigkeit sind wesentliche Elemente des geschaffenen moralischen Universums.

Als moralische Geschöpfe können wir die innere Stimme, die Stimme des Gewissens und der Schuld, nicht zum Schweigen bringen. Doch trotz mancher edler Bestrebungen ist etwas in uns ausgesprochen falsch, wie ein ehrlicher Blick nach innen zeigt. Ein Vers aus der Bibel trifft dies besonders klar: „Trügerisch ist das Herz, mehr als alles, und unheilbar ist es. Wer kennt sich mit ihm aus?" (Jer 17,9).

Einsheitliche Moral

Die *einsheitliche* Sicht des Herzens ist ganz anders als die *zweiheitliche.* Derzeit versucht eine missionarisch gesinnte indische Hindu-Stiftung, Yoga an staatlichen Schulen in den USA einzuführen. Das Programm wird jetzt von einem Kinderliederbuch mit dem Titel *The Heart is Smart*[618] begleitet. Das titelgebende Lied ist „dem Herzen" gegenüber sehr optimistisch eingestellt und ermutigt Zehnjährige ganz offen dazu, ihren „Verstand zu beschwichtigen, Klarheit und Frieden zu fördern und eine Verbindung zum Herzen herzustellen". Es betont, dass, wenn du auf dein Herz achtest und ihm die volle Kontrolle überlässt, „deine Gedanken und Überzeugungen folgen werden"[619], in der Annahme, dass das Herz von Natur aus gut ist. Das ist jedoch die große Schwäche der *Einsheit.* Wenn alles *eins* ist, dann müssen alle Gräueltaten der Menschheitsgeschichte als eigentlich gut angesehen werden. So wird behauptet, dass Hitler im Himmel sei, dass seine Taten nicht böse waren, sondern Fehler. Er hätte es nicht wirklich so gemeint!

Entgegengesetzte ethische Vorstellungen

Der Gegensatz zwischen der *einsheitlichen* und der *zweiheitlichen* Sicht auf das Selbst unterstreicht den unüberbrückbaren Unterschied zwischen den beiden religiösen Zugängen zum Leben. Sollte es dem Hinduismus (oder dem Buddhismus) gelingen, Teil der westlichen Erziehung zu werden, wird es der *einsheitlichen* Irreführung gelingen, zahlreiche zukünftige westliche Generationen einer Gehirnwäsche zu unterziehen, und die *Zweiheit* wird weiter in den Untergrund verdrängt. Die gute Nachricht des Evangeliums wird dann keinen Sinn mehr ergeben.

Wenn es, wie die *Einsheit* lehrt, kein Anderssein oder keine Unterschiede gibt, dann sind alle gleich, und alles ist gut. Die einzige Sünde ist die Unwissenheit über unser angeborenes Gutsein. Wenn jedoch das Universum tatsächlich *zweiheitlich* ist und die Menschen sich in widersinniger Weise weigern, Gott anzuerkennen, der außerhalb der Schöpfung steht, dann ist diese

Ablehnung die eigentliche Wurzel der Sünde und eine Beleidigung des persönlichen dreieinigen Gottes. Wie wir oben festgestellt haben, ist Heiligkeit nicht so sehr eine moralische Kategorie als vielmehr eine Bejahung der schöpfungsgemäßen Ordnung der Dinge. Die Ablehnung dieses heiligen Kosmos zeigt, dass die Dinge ernsthaft aus dem Ruder gelaufen sind. Das wird an der traurigen Bilanz an Grausamkeit und Egoismus in der gesamten Geschichte deutlich, sowohl auf persönlicher als auch auf nationaler Ebene. Das Problem ist größer, als wir denken. Eine Lösung kosmischen Ausmaßes ist notwendig. Menschen, die „nach innen gehen“, um ihre innere Göttlichkeit zu finden, werden nicht die gewünschten Ergebnisse erzielen! Wir brauchen einen Retter, der von außen kommt.

Die einzige Lösung: Göttliche Erlösung

Wenn die *Zweiheit* mit ihrer Beschreibung von zwei Arten der Existenz wahr ist, dann ist der Bruch, der Gott und die Schöpfung trennt, keine geringfügige Störung, sondern eine grundlegende Verschiebung der Wirklichkeit. Man kann sich nichts Katastrophaleres vorstellen. Die Versöhnung zwischen Gott und der Schöpfung erfordert eine unvorstellbare, von Gott erdachte Lösung, die alles übersteigt, was Menschen sich ausdenken könnten. Diese Lösung Gottes ist die einzige Antwort auf unsere ständigen menschlichen Probleme.

Die *zweiheitliche* Vorstellung von der Erlösung entspricht der tiefen Notwendigkeit eines wirklich wirkungsmächtigen Erlösers, der als Gott und Mensch, als einzigartiger Vermittler und als wirkungsvoller Mittler diese beiden Arten personenhafter Wirklichkeit in einem dauerhaften Stand der Versöhnung zusammenführt. Das geschieht durch das Wunder der Inkarnation, in der das Menschliche und das Göttliche unvermischt nebeneinander bestehen. Die Erlösung kann keine Selbsterlösung sein, sondern hängt vollständig vom gnädigen Handeln des Schöpfers ab. Sie bewirkt Freiheit von echter Schuld – nicht durch unsere subjektive und unwirksame Relativierung von Gut und Böse, sondern durch Gottes sündentilgendes Werk am Kreuz.

In der Heiligen Schrift wird viel von der Liebe Gottes zu seinen Geschöpfen, selbst in ihrer Sünde, gesprochen. Gott erschien vor Mose und bezeugte sich selbst als „Jahwe, Jahwe, Gott, barmherzig und gnädig, langsam zum Zorn und reich an Gnade und Treue" (2Mo 34,6). Im Neuen Testament beschreibt Paulus das Evangelium als „die Liebe Gottes …, ausgegossen in unsere Herzen durch den Heiligen Geist" (Röm 5,5). Nur in der *Zweiheit* gibt es die Möglichkeit der Liebe, denn wahre Liebe braucht einen echten Anderen, und Gott ist einzigartig anders.

Wie bereits erwähnt geht das Gutsein des Kosmos von Gott als transzendentem Schöpfer aus. Gott schuf „aus reiner Großzügigkeit und nicht aus irgendeiner Notwendigkeit heraus ... Damit hat er die Güte gezeigt, die den Dingen zugrunde liegt"[620]. Gottes Getrenntsein vom Kosmos ist der Schlüssel zum Gutsein des Kosmos! Das *Etwas,* das wirklich existiert, ist ein *Jemand,* und er ist gut!

Das Wesentliche an der Erlösung ist das Wunder der leiblichen Auferstehung Jesu. Liberale Theologen sprechen gern von einer „geistigen Auferstehung" eines Jesus, dessen physischer Körper im Grab blieb, dessen Erinnerung aber im Glauben seiner Jünger weiterlebt. C. G. Jung behauptet, dass die wahre christliche Botschaft nichts mit der „Auferstehung Jesu von den Toten im Jahr 33" zu tun habe, sondern mit der gnostischen Entdeckung, dass die Psyche der Ort ist, an dem wir dem Göttlichen begegnen.[621]

Doch das Neue Testament bestätigt unmissverständlich ein leibhaftiges Ereignis: Das Grab ist leer. Ein fehlender Leichnam ist hier das Hauptproblem. Der physische, sterbliche Körper Jesu fehlt, weil er durch Gottes Kraft in einen geistlichen, himmlischen, aber dennoch physischen Körper verwandelt wurde (1Kor 15,44), wie er auch uns verheißen ist (15,49). Wir werden daran erinnert, dass der Auferstehungsleib Jesu von Hunderten seiner Jünger gesehen und von vielen von ihnen berührt wurde, die auch mit ihm sprachen und aßen. Gottes Akt der Auferweckung ist ein Akt von außen, der die leibliche Realität der ursprünglichen physischen Schöpfung achtet. Der Körper wird nicht göttlich, sodass selbst in der Auferstehung die *Zweiheit* von Schöpfer und den Geschöpfen unter ihm gewahrt bleibt.

Wahre Spiritualität

Unsere Zeit schenkt der „Spiritualität" große Aufmerksamkeit, insbesondere der Meditation. Dabei wird Meditation oft und manchmal auch absichtlich mit Gebet verwechselt. Zunächst einmal gibt es zwei Arten von Meditation. Bei der östlichen Meditation konzentriert man sich auf die eigene innere Göttlichkeit, um ekstatische Trancezustände oder außerkörperliche Erlebnisse zu fördern. Die Psalmdichter hingegen sprachen von einer anderen Art der Meditation, nämlich dem bewussten Nachdenken über die Person und die Werke Gottes, des *zweiheitlichen* Schöpfers und Erlösers. So lesen wir z. B. in Psalm 77,13: „Ich will nachdenken über all dein Tun, und über deine Taten will ich sinnen." Und: „Deine Vorschriften will ich bedenken und beachten deine Pfade. An deinen Satzungen habe ich meine Lust. Dein Wort vergesse ich nicht" (Ps 119,15-16). Das ist keine Meditation über das eigene göttliche Selbst, sondern Gemeinschaft mit dem transzendenten Schöpfer in der unermesslichen Schönheit seiner Person, der Gerechtigkeit seiner Gebote und der Güte seiner Taten.

Ein weiteres Kennzeichen wahrer Spiritualität ist Lobpreis, und die Bibel ist übervoll mit Lobpreisungen der Herrlichkeit Gottes. Im Hebräerbrief heißt es, dass Jesus, unser Vorbild, genau das getan hat: „Kundtun will ich deinen Namen meinen Brüdern; inmitten der Gemeinde will ich dir lobsingen" (Hebr 2,12; der Verfasser zitiert hier Ps 22,23).

Beim Parlament der Weltreligionen in Chicago 1993, an dem ich teilnahm, fehlte eindeutig das Element des Lobes. Es gab auch keine Anzeichen von Danksagung – wem sollen Vertreter der *Einsheit* auch danken? Und tatsächlich sagt der Apostel Paulus, dass es deren Kennzeichen ist, dass „sie ihn weder als Gott verherrlichten noch ihm Dank darbrachten“ (Röm 1,21). *Einsheit* bringt Menschen dazu, die Natur als göttlich zu preisen, und macht sie dadurch letztlich zu Selbstanbetern, da sie ja ein Teil der Schöpfung sind. Die Bibel ist voll von Aufforderungen, Gott zu loben, denn er ist das höchste, wahrhaft verehrungswürdige Gegenüber. Selbstanbetung und Eigenlob stoßen uns eigentlich alle ab. Anbetung und Lobpreis sind nur dann echt, wenn sie auf einen anderen gerichtet sind. Heiden würden niemals Händels *Messias* oder Martin Jahns Worte zu Bachs *Jesus bleibet meine Freude* schreiben oder Bachs Musik, zu der diese Worte gehören.

Im Ausdruck von Liebe, Selbstaufopferung, Zivilcourage und Lobpreis – all diesen Elementen, die den menschlichen Geist so grundlegend erheben und prägen – sehen wir die eigenständige und doch überwältigende Schönheit der *Zweiheit.* Denn hinter der Weltanschauungsordnung steht die Wirklichkeit des persönlichen Gottes, der die Gemeinschaft mit den Menschen sucht, die nach seinem Bild geschaffen sind.

Schlussfolgerungen

Das erneuerte Denken, das die Heilige Schrift beschreibt und anbietet, befähigt uns, den Kern von Gottes Offenbarung über die Wahrheit des Seins zu verstehen. Wir sind aufgerufen, mit unserem ganzen Verstand, unserem ganzen Herzen, unserer ganzen Seele und unserer ganzen Kraft über Gott nachzudenken und ihn anzubeten. Ich habe versucht, dies zu vereinfachen, indem ich Gottes Wahrheit als *Zweiheit* bezeichnet habe. Nachfolgend beschreibe ich die weitreichenden Aspekte dieser Wahrheit, die uns befähigt, den Willen Gottes zu erkennen und zu tun:

- **Ontologie:** Wir verherrlichen Gott als Person, indem wir ihn als heiliges, radikal anderes, von allem Geschaffenen unterschiedenes Wesen anerkennen, in welchem das Wesentliche der *zweiheitlichen* Wahrheit zum Ausdruck kommt.

- **Theologie:** Wir erkennen in Gottes Selbstoffenbarung sein Personsein im Wesen der Dreieinheit: drei verschiedene Personen, die im vollkommenen Einssein der Gottheit vereinigt sind (verstanden im *zweiheitlichen* Rahmen der Unterscheidung von Schöpfer und Geschöpf).
- **Kosmologie:** Da Gott der Schöpfer ist, und alle anderen Wesen Geschöpfe sind, gibt es zwei Arten der Existenz.
- **Anthropologie:** Wir wissen, wer wir als gewollte, geschaffene Wesen sind: keine Zufallsprodukte, sondern zu Gottes Ehre gemacht.
- **Ethik und Moral:** Gott hat allem Geschaffenen einen Platz zugewiesen; von daher ist die Schöpfung heilig, und daraus leiten wir Vorstellungen von Richtig und Falsch ab.
- **Soteriologie:** Da Gott dreieinig ist und somit eine *zweiheitliche* Kosmologie aufrechterhält, kann er der wirksame Erlöser sein.
- **Eschatologie:** Diese Erlösung hat einen Schlusspunkt, an dem der Kosmos verwandelt wird.

Das letzte Ziel der *Zweiheit* ist nicht, ein intellektuelles System zu kennen, sondern den persönlichen Gott dahinter zu erkennen und gerettet zu werden. Die *Zweiheit* bringt die unfassbarsten Würdigungen zum Ausdruck, die der Menschheit je zugesprochen werden können. Erstens: Der Mensch – und nur der Mensch – ist als Mann und Frau nach Gottes Bild geschaffen. Zweitens: Gott wird Mensch. Gott, der ewige Sohn, nahm menschliches Fleisch und Blut an; der Schöpfer wird ein Geschöpf, um die Sünden der Welt zu sühnen. Das ist das christliche Evangelium. In der jungschen Theorie gibt es nichts, das mit dieser verwandelnden, rettenden Wahrheit vergleichbar wäre.

Doch hier liegt ein ernstes Problem. Untergräbt das Evangelium die *Zweiheit,* indem es Schöpfer und Geschöpf zusammenbringt? Dazu müssen Sie das letzte Kapitel lesen.

KAPITEL 13

DIE MACHT DES EVANGELIUMS: EIN AUSGELIEFERTER RETTER

Nach der Lektüre der vorangegangenen Seiten könnte man versucht sein zu glauben, die *zweiheitliche* Weltanschauung sei lediglich ein intellektueller Vorschlag, der für abgehobene Theoretiker und nicht für gewöhnliche Menschen gedacht ist. Aber genau wie die heidnische Kosmologie in ihrem Kern eine Begegnung mit okkulten Mächten zur individuellen „Erleuchtung" vorsieht, gibt es auch im Kern der auf alle Menschen ausgedehnten biblischen Kosmologie eine verwandelnde Begegnung mit der Macht Gottes.

Das Evangelium für eine Beziehung zu einem heiligen Gott

Die *Zweiheit* stellt uns vor ein Problem. Wenn Gott in seinem geheimnisvollen, ewigen Wesen so verschieden von uns ist, wie können wir dann hoffen, eine Beziehung zu ihm haben zu können?[622] C. G. Jung nannte Christsein eine ausweglose Situation: An einen Gott glauben zu sollen, den wir nicht verstehen können, führe zu einer psychischen Neurose.[623] Das war Jungs Problem. Seine Lösung bestand darin, den Gott im Innern zu suchen, der in der menschlichen Psyche in der Erfahrung des *Numinosen* ganz einfach zu entdecken sei. Aber für viele schafft Jungs Lösung eine ausweglose Situation, denn wer glaubt wirklich, dass wir uns selbst retten können? Wer kann schon von sich behaupten, dass er der göttlichen Anbetung würdig ist?

Wie Sie sich aus Kapitel 3 erinnern werden, hatte Jungs grundsätzliche Einstellung zum Christentum viel mit seiner Kindheit zu tun. Er beurteilte das Christentum als bloßen Formalismus. Gefangen zwischen den heidnischen Geistern seiner Familie einerseits und der leeren christlichen Religion seines Vaters andererseits war Jung nicht in der Lage zu erkennen, dass das Evangelium Kraft hat, und so wandte er sich schließlich den Geistern zu. Wie Johannes Calvin sagte, „sind selbst die sonst gescheitesten Menschen blinder als die Maulwürfe ... Und schließlich haben sie von jener Gewissheit um Gottes Wohlwollen ... nie auch nur etwas geahnt ... [oder haben] begriffen, wer der wahre Gott ist und wie er sich zu uns verhalten will".[624]

Jung, der blinde Maulwurf, deutete das stellvertretende Sühnopfer, das Christus an einem bestimmten Zeitpunkt der Geschichte vollzog, als Mythos – als ein Ereignis, das lediglich den inneren, schmerzhaften Kampf aller Menschen auf der Suche nach psychologischer Reife beschreibe.[625] Für Jung bestand die einzige Hoffnung der Welt darin, dass man mit seinem wahren, harmonischen Selbst in Kontakt kommt, die Gegensätze von Gut und Böse vereint und so die Schuld beseitigt. Diese Lösung veranschaulicht ein Hauptproblem des Heidentums und des aufkommenden Liberalismus: keine realistische Wahrnehmung des Bösen und damit einhergehend die Unfähigkeit, sich wirklich damit auseinanderzusetzen. Am Ende wird alles entschuldigt und relativiert – aber wie geht man mit den abscheulichen Enthauptungen Hunderter junger syrischer Soldaten durch die Dschihadisten des Islamischen Staats um? Wie erklären wir die zwei Millionen Kambodschaner weg, die durch die völkermörderische Vision von Pol Pot und seinen willigen Handlangern ihr Leben verloren haben? Nur das Evangelium bietet eine wirksame Antwort auf das Problem des weltumfassenden Bösen.

Unsere Kraftquelle

Wir alle sind von Macht fasziniert. In der Politik kommt Macht oft aus dem Lauf eines Gewehrs, im Islam oft aus der Schneide des Schwertes;[626] für fortschrittliche Spiritualisten kommt sie, wie wir oben gesehen haben, aus okkulten Erlebnissen. Der westliche Polytheist Jordan Paper sagt, er begegne den Göttern von Angesicht zu Angesicht.[627] Stanislav Grof spricht wie Paper von „transpersonalen Erfahrungen", zu denen „Begegnungen mit verschiedenen beseligenden und zornigen archetypischen Gottheiten"[628] gehören. Und Richard Tarnas verortet Macht in der Wiederbelebung alter heidnischer Astrologie.[629]

Der christliche Glaube behauptet jedoch, dass wahre Macht von außen kommt – von außerhalb des eigenen Ichs und von außerhalb der geschaffenen Welt – und zwar aus dem vom Heiligen Geist inspirierten Wort Gottes, das der Welt die gute Nachricht vom triumphalen Sieg Jesu über Sünde und Tod verkündet, der am Kreuz von Golgatha ein für alle Mal errungen wurde. Dieses gewaltige Ereignis fand zu einer bestimmten Zeit an einem konkreten Ort statt. Zu dieser Zeit war Tiberius römischer Kaiser, und nur wenige Jahre zuvor war „Quirinius Statthalter von Syrien" geworden (Lk 2,1-2). Von außen kam etwas, um den Lauf der Menschheitsgeschichte zu verändern, indem es eine Antwort auf das unlösbare Problem des menschlichen Bösen gab. Eben diese wichtige Neuigkeit muss die Welt hören. Es gibt keine andere Antwort. Wenn die *Zweiheit* wahr ist, dürfen wir den Kampf um diese Wahrheit nicht aufgeben, denn die einzige echte Hilfe, die es gibt, muss eine radikale Lösung durch Gott, den Schöpfer, sein. Nur Gott, der außerhalb der Schöpfung steht, kann etwas gegen das Problem der Sünde unternehmen. Die endgültige gute Nachricht kann nicht von bloßen Geschöpfen kommen, wie einig und *einsheitlich* sie auch sein mögen. Ein Psalmdichter sagt: „Woher wird meine Hilfe kommen? Meine Hilfe kommt vom HERRN, der Himmel und Erde gemacht hat" (Ps 121,1-2).

Die Quelle unseres Angenommenseins

Wie wir gesehen haben, fordert Paulus die Christen, die sich dem mächtigen Einfluss der *Einsheit* in Rom gegenübersehen, auf, Gott ihre heiligen Körper und ihr erneuertes Denken zur Verfügung zu stellen. Sie wissen aber auch, dass sie das in ihrer menschlichen Schwäche und Sündhaftigkeit nicht tun können. Der ganze Sinn des irdischen Wirkens Jesu ist, uns zu zeigen, dass wir Gottes Anforderung nicht erfüllen können: „Seid heilig, denn ich bin heilig“ (1Petr 1,16). Eine geschätzte Freundin von mir hat die Kraft des Evangeliums begriffen, weil sie dieses Gebot las und erkannte, dass es für sie keine Möglichkeit gab, von Gott angenommen zu werden – denn wer kann heilig sein, wie Gott heilig ist? Diese Aufgabe ist unmöglich zu erfüllen. Das, wozu Paulus uns auffordert, können wir ohne Gottes Kraft unmöglich bewältigen.

Die *Einsheit* lehnt die Vorstellung von Sünde und Schuld ab und glaubt, dass wir selbst die Antwort auf die Probleme der Welt sind. Wenn Charles Murray recht hat, sind wir tatsächlich dabei, aus den Fugen zu geraten. Vertreter der *Zweiheit* jedoch gehen die Probleme der Welt unter ganz anderen Voraussetzungen an. Christen begegnen Gottes Forderungen nach leiblicher Heiligkeit und richtigem Denken realistisch und ehrlich und sind sich dabei ihres von Sünde befleckten Leibes und ihres unreinen Denkens schmerzlich bewusst. Wir streben nach Reinheit und sehnen uns nach Weisheit, aber wenn wir nach innen sehen, entdecken wir kein hohes, reines Selbst, sondern die schmutzigen Lumpen und die geistige Torheit eines verzweifelt bösen Herzens (Jer 17,9). Das ist Realismus, kein Negativismus, denn es entspricht dem, was die *zweiheitliche* Offenbarung der Wirklichkeit sowohl im Alten als auch im Neuen Testament versichert. Bei der Beurteilung der menschlichen Situation zitiert Paulus eine Reihe alttestamentlicher Texte:

> *Die Juden [sind] genauso wie die anderen Völker in der Gewalt der Sünde. So steht es in der Schrift:*

> *„Keiner ist gerecht, auch nicht einer.*
> *Keiner hat Einsicht und fragt nach Gott.*
> *Alle haben sie den rechten Weg verlassen und sind unbrauchbar geworden. Niemand ist da, der Gutes tut, kein Einziger."*
> *„Ihre Kehle ist ein offenes Grab und mit ihrer Zunge formen sie Lügen."*
> *„Schlangengift verbirgt sich hinter ihren Lippen."*
> *„Ihr Mund ist voller Flüche und Drohungen."*
> *„Ihre Füße sind schnell, wenn es darum geht,*
> *Blut zu vergießen.*
> *Sie hinterlassen Verwüstung und Elend,*
> *und was zum Frieden führt, kennen sie nicht."*
> *„Von Gottesfurcht wissen sie nichts"*
> *Röm 3,9-18; NeÜ*

Selbst die positivste Lesart dieses Textes besagt, dass wir ganz sicher nicht mehr in der Lage sind, uns selbst zu retten. Um leibliche Heiligkeit und ein erneuertes Denken zu erlangen – in unserer gegenwärtigen heidnischen Kultur so unbeliebt und doch so dringend nötig –, sind wir ganz und gar auf etwas Erstaunliches angewiesen: die unglaublich machtvolle Botschaft des Evangeliums, die der letztgültige Ausdruck und das Ziel der *Zweiheit* ist. Die einzige Hoffnung liegt in Christus allein.

Die *Zweiheit* bietet nicht nur eine zufriedenstellende Kosmologie, sondern auch die Beschreibung des mächtigen Erlösungshandelns des Schöpfers. In der Tat wird das christliche Evangelium nicht als das Evangelium des Paulus oder das Evangelium der christlichen Gemeinde bezeichnet, sondern als „Evangelium Gottes"[630]. Es ist *Gottes* Lösung, keine menschliche Theorie. Es ist eine gute Nachricht von außen über eine Tat Gottes, der zu unserer Erlösung in die Schöpfung eingreift. Der Begriff „Evangelium" bezog sich in der Antike nicht auf ein Stück mitreißender menschlicher Poesie oder auf ein sorgfältig definiertes philosophisches System, sondern auf Nachrichten über wichtige historische Ereignisse wie einen entscheidenden militärischen Sieg oder die Geburt eines Kaisers. Es ist eine Nachricht wie die, die man im Fernsehen sieht, eine offizielle Verlautbarung eines Ereignisses, das in der Geschichte zu unserer Erlösung stattgefunden hat. In der gesamten Weltgeschichte hat es in keiner anderen Religion eine vergleichbare Erklärung gegeben. Seit 2000 Jahren bekennt die christliche Kirche dieses überwältigende Geheimnis, dass „Gott in Christus … die Welt mit sich selbst versöhnte" (2Kor 5,19). Das Nizänische Glaubensbekenntnis drückt gut aus, was die christliche Gemeinde immer geglaubt hat:

> *Wir glauben an den einen Gott, den Vater, den Allmächtigen, der alles geschaffen hat, Himmel und Erde, die sichtbare und die unsichtbare Welt.*
>
> *Und an den einen Herrn Jesus Christus, Gottes eingeborenen Sohn, aus dem Vater geboren vor aller Zeit: Gott von Gott, Licht vom Licht, wahrer Gott vom wahren Gott, gezeugt, nicht geschaffen, eines Wesens mit dem Vater; durch ihn ist alles geschaffen.*
>
> *Für uns Menschen und zu unserm Heil ist er vom Himmel gekommen, hat Fleisch angenommen durch den Heiligen Geist von der Jungfrau Maria und ist Mensch geworden. Er wurde für uns gekreuzigt unter Pontius Pilatus, hat gelitten und ist begraben worden, ist am dritten Tage auferstanden nach der Schrift und aufgefahren in den Himmel. Er sitzt zur Rechten des Vaters und wird wiederkommen in Herrlichkeit, zu richten die Lebenden und die Toten; seiner Herrschaft wird kein Ende sein.*
>
> *Wir glauben an den Heiligen Geist, der Herr ist und lebendig macht, der aus dem Vater und dem Sohn hervorgeht, der mit dem Vater und dem Sohn angebetet und verherrlicht wird, der gesprochen hat durch die Propheten, und die eine, heilige, christliche und apostolische Kirche. Wir bekennen die eine Taufe zur Vergebung der Sünden.*

Wir erwarten die Auferstehung der Toten und das Leben der kommenden Welt.
Amen.[631]

Die Versöhnung von Schöpfer und Schöpfung: Das Problem der *Zweiheit*

Das Nizänische Glaubensbekenntnis ist nach der Stadt Nizäa (dem heutigen Iznik, Türkei) benannt, in der es im Jahr 325 auf einem Konzil als Glaubensbekenntnis der gesamten Kirche angenommen wurde. Warum brauchte die Kirche so lange, um ihre Überzeugungen zu formalisieren? Ein Grund war, dass die Christen drei Jahrhunderte lang im gesamten Römischen Reich verfolgt worden und internationale Zusammenkünfte unmöglich gewesen waren. Das änderte sich jedoch, als Kaiser Konstantin im Jahr 312 zum Christentum übertrat und dieses internationale Konzil tagen konnte. Das Konzil erfand jedoch keine neuen Inhalte. Es bestätigte lediglich, was die Kirche seit ihren Anfängen geglaubt hatte. Mit diesem Glaubensbekenntnis stehen die Christen vor dem ernsthaften Problem, das am Ende von Kapitel 12 erwähnt wurde. Zwei kühne Formulierungen in dem Bekenntnis bringen ein einmaliges Geheimnis der kirchlichen Botschaft zum Ausdruck, scheinen aber auf den ersten Blick den Begriff der *Zweiheit* mit ihrer klaren Trennung von Schöpfer und Geschöpf zu untergraben. „Gottes eingeborener Sohn", der zweite Teilhaber an der Dreieinheit, wird als „eines Wesens mit dem Vater" beschrieben – und doch „Mensch geworden". Der Schöpfer wurde ein Geschöpf!

Unter den frühen Christen gab es brillante Denker, Theologen und Philosophen, die das Problem der Menschwerdung Gottes begriffen. Sie waren mit der Version der *Einsheit* ihrer Kultur vertraut. Tatsächlich erkannte das Konzil von Chalzedon im Jahr 451 das wachsende Problem der *Einsheit,* das sich damals in einer fragwürdigen Form des christlichen Denkens ausdrückte, die „Monophysitismus" genannt wurde, von *mónos* (einzig) und *phýsis* (Natur). Diese Sichtweise verband das Menschsein und die Gottheit Christi zu einer einzigen Natur – eine Position, die letztlich die *zweiheitliche* Sicht der Wirklichkeit leugnete. Das Konzil von Chalzedon, das sich mit dieser Irrlehre auseinandersetzte, sprach von den „zwei Naturen" des inkarnierten Christus – der menschlichen und der göttlichen – und fügte erklärend hinzu: „unvermischt, ungewandelt, ungetrennt und ungeschieden". Diese frühen Kirchenväter wussten, wie wichtig es ist, die Begriffe Schöpfer und Geschöpf (das Wesen der *Zweiheit*) getrennt zu halten und gleichzeitig das unbeschreibliche Geheimnis ihrer Versöhnung in der Inkarnation des Sohnes zu unserem Heil zu bekräftigen. In den Formulierungen von Chalzedon wurde sorgfältig festgestellt, wer der Sohn ist:

> *Dem Vater wesensgleich nach der Gottheit ..., uns wesensgleich nach der Menschheit ... Vor aller Zeit wurde er aus dem Vater der Gottheit nach gezeugt ..., um unsert- und unseres Heiles willen aus der Jungfrau ... Maria ... geboren.*[632]

Diese Formulierungen entfalten lediglich, was schon der Apostel Paulus über das Geheimnis Christi sagt: „Denn in ihm wohnt die ganze Fülle der Gottheit leibhaftig" (Kol 2,9).

Warum war diese theologische Präzision in den ersten Jahrhunderten der christlichen Gemeinde notwendig? Sie war (und ist) notwendig, um den erstaunlichen Aussagen des Evangeliums auf den Seiten der Heiligen Schrift gerecht zu werden. Wir können das Geheimnis des Wesens Gottes nicht jetzt schon bis aufs letzte i-Tüpfelchen genau beschreiben,

- wie seine unumschränkte Macht und unser sündiges, eigenwilliges Handeln miteinander in Einklang gebracht werden können,
- wie es gerecht sein kann, dass diejenigen, die nicht an Jesus glauben, auf ewig von seiner Vergebung ausgeschlossen sind[633],

- warum zu verschiedenen Zeiten in der Geschichte so wenige auf den Ruf der erwählenden Macht Gottes zu reagieren scheinen,
- wie Gott keinen Anfang haben kann, obwohl wir einen haben.

Der Grund, warum wir solche scheinbar widersprüchlichen Aspekte von Gottes Offenbarung an uns nicht ergründen können, ist, dass wir uns nicht außerhalb der geschaffenen Wirklichkeit stellen können, um Gott über die Schulter zu sehen und ihn so zu erklären, dass wir zufrieden sind. Als begrenzte menschliche Geschöpfe können wir nicht das ganze Bild sehen, genauso wie die Ameisen, die ich erwähnte, die im tiefen Laderaum des Getreideschiffs sitzen und keine Ahnung von ihrem endgültigen Ziel haben. Die Bibel ist sich dieses Problems wohl bewusst. Das ist jedoch nicht hinderlich, sondern spricht für die Wahrheit des Gottes, der sich in der Heiligen Schrift offenbart und erklärt: „Meine Gedanken sind nicht eure Gedanken, und eure Wege sind nicht meine Wege, spricht der HERR" (Jes 55,8).

Per Definition ist der Gott der *Zweiheit* unbeschreiblich viel größer als das geschaffene Leben; größer als alles, was wir uns vorstellen können. Doch weil er sich in Jesus sichtbar und für uns zugänglich gemacht hat und weil er wie wir einen menschlichen Körper mit seinen Schmerzen und Prüfungen hatte, kann man diesen Gott erkennen und ihm vertrauen. So einen Gott kann ich anbeten – nicht aber einen „Gott", der jeden Morgen in meinem Badezimmerspiegel mit einem struppigen Bart auftaucht, der rasiert werden muss! Diese Person kenne ich, und sie ist es nicht wert, angebetet zu werden – fragen Sie nur meine Frau! Auch rabbinische Juden oder Muslime, welche die Dreieinheit leugnen, können Gottes Liebe im Sohn nicht erkennen, ohne dabei die Transzendenz Gottes zu zerstören.

Die Kraft des Evangeliums

In dem Bestreben, von der Kultur anerkannt zu sein oder ihr auch nur Gutes zu tun, vergessen wir modernen Christen oft das Evangelium – die Kraft hinter allem, was wir tun – oder spielen seinen Anspruch herunter. Wie wir oben festgestellt haben, kann dieses Evangelium nur dann als Kraft wirken, wenn Gott tatsächlich sowohl transzendent als auch persönlich ist; und das kann er nur sein, wenn er dreieinig ist. Die gute Nachricht von Gottes Liebe hängt von dieser geheimnisvollen und zugleich großartigen Lehre ab. Nur die Liebe wird unsere sündigen Seelen kraftvoll bewegen, und dann begreifen wir sowohl Gottes echte Personalität als auch seine Erniedrigung oder Selbstdemütigung. „Seht", sagt der Apostel Johannes, „welch eine Liebe uns der Vater gegeben hat, dass wir Kinder Gottes heißen sollen! Und wir sind es" (1Jo 3,1). Das ist die Botschaft der ganzen Bibel: Gott erniedrigt sich, um sündige Geschöpfe zu erreichen. „Denn so spricht der Hohe und Erhabene, der in Ewigkeit wohnt und dessen Name der Heilige ist: In der Höhe und im Heiligen wohne ich und bei dem, der zerschlagenen und gebeugten Geistes ist, um zu beleben den Geist der Gebeugten und zu beleben das Herz der Zerschlagenen" (Jes 57,15). Gott ist es, der durch seinen Geist die Verkündigung des Evangeliums mit der Vollmacht ausstattet, widerspenstige Menschenherzen zur Sündenerkenntnis zu bringen und ihnen zu zeigen, dass sie einen liebenden Retter brauchen.

Das Evangelium ist nur deshalb eine gute Nachricht, weil es auch eine schlechte Nachricht gibt. Ein Teil des Geheimnisses der Person Gottes ist seine notwendige Rolle als Quelle aller Moral und als letzter Richter. Zu Beginn seiner Darlegung des Evangeliums erinnert Paulus uns daran, dass „Gottes Zorn vom Himmel her [offenbart wird] über alle Gottlosigkeit und Ungerechtigkeit der Menschen, welche die Wahrheit durch Ungerechtigkeit niederhalten" (Röm 1,18). Vielleicht haben Sie ein wenig geschaudert, als ich den Zorn erwähnte. Der Begriff „Zorn" lässt an unkontrollierte Wut von Menschen denken. Gottes Zorn gerät jedoch niemals außer Kontrolle, und sein Sinn besteht darin, uns zu versichern, dass wir mit moralischer Verantwortlichkeit in einem moralischen Universum leben. Diese Tatsache gehört notwendigerweise zum Evangelium. So lehrt Jesus: „Ich bin gekommen, Feuer auf die Erde zu werfen, und wie wünschte ich, es wäre schon angezündet! Ich habe aber eine Taufe, womit ich getauft werden muss [der Tod am Kreuz], und wie bin ich bedrängt, bis sie vollbracht ist! Denkt ihr, dass ich gekommen sei, Frieden auf der Erde zu geben? Nein, sage ich euch, sondern vielmehr Entzweiung“ (Lk 12,49-51).

Es muss eine schlechte Nachricht geben, damit es eine gute Nachricht geben kann. Menschen sind von Natur aus Sünder und müssen, wie Jesus sagt, darauf aufmerksam gemacht werden. Das Ausmaß der Sünde kann noch schlimmer werden. An bestimmten Punkten muss Gott in der Geschichte als Richter handeln. Sie erinnern sich, dass in Römer 1 der inspirierte Text dreimal erklärt, dass Gott die Sünder den Auswirkungen ihrer Sünde hingegeben hat: „Gott [hat] sie dahingegeben in den Begierden ihrer Herzen in die Unreinheit“ (Röm 1,24), „in schändliche Leidenschaften“ (1,26) und „in einen verworfenen Sinn“ (1,28). Sünder, die auf einer tiefen Ebene die Wahrheit gegen die Lüge vertauschen, „gibt“ Gott „dahin“. Wenn Gott, der gerechte Richter, sie dahingibt, bedeutet das, „dass er die Betroffenen einer verstärkten und verschärften Ausübung der Begierden ihrer eigenen Herzen preisgibt, mit der Folge, dass sie [in diesem Leben] entsprechend größeren Lohn an Vergeltung und Strafe ernten“[634].

Mit anderen Worten: Dieses Handeln Gottes in der Geschichte ist ein Vorgriff auf sein Endgericht, wenn es für Barmherzigkeit zu spät sein wird (Röm 2,6-10). Aber es ist auch ein Anlass zur Hoffnung, denn die Erkenntnis unserer Sünde kann uns zu Christus führen. Dafür beten wir – auch wenn wir jetzt sehen, dass unsere Kultur Gottes Wahrheit, wie sie sich in der Natur, in seinem Wort und in seinem Sohn deutlich zeigt, eklatant missachtet, was in der Tat dazu führen kann, dass Gott diejenigen

„dahingibt“, die ihm im Unglauben widerstehen. Wenn dem so ist, wird die Weiterentwicklung und Steigerung von Lust, gottlosen Leidenschaften und verworfenem Denken bestimmt kein hoffnungsvolles Zeichen dafür sein, dass sich die Kultur in Richtung Utopia bewegt!

Die Botschaft, die wir verkünden müssen

Ein solcher Zustand kann dazu führen, dass man aufgeben möchte. Sie fragen sich vielleicht: „Was soll das bringen? Ich werde einfach zu Hause bei meinen Kindern bleiben und versuchen, mich aus alledem herauszuhalten. Wenn die Welt dahingegeben wird, dann kann ich auch aufgeben.“ Aber Christen sollten niemals aufgeben. „Wenn Gott für uns ist“, sagt Paulus, „wer ist gegen uns?“ (Röm 8,31). Auf keinen Fall dürfen wir die Hoffnung aufgeben, dass Gottes geduldige Güte, mit der er das Endgericht aufschiebt und den Menschen ihre Sünde vor Augen führt, zur Umkehr führen wird (Röm 2,4). Aber Gott bleibt nicht dabei stehen. Er handelt – es gibt ein Heilmittel für Sünde.

Gott ist für uns!

Wir haben vorhin über Macht gesprochen. Das ist Macht: Gott für uns. Hier ist *zweiheitliches* Vertrauen auf den Gott, der ein anderer ist, der alle Dinge unumschränkt beherrscht und sie zu unserem Guten mitwirken lässt (Röm 8,28). Für Menschen, die Gott vertrauen, garantiert diese Verheißung einen sicheren Sieg. Der Schöpfer des Kosmos ist *für* uns. Dieser kleine Ausdruck „für uns“ ist bedeutungsschwer. In knappster Form drückt er das Evangelium aus, die objektive Tatsache, dass Gottes rettendes Eingreifen ein geschichtliches Ereignis war, wie wir oben erörtert haben. Wie ist Gott für uns? In 14 von 15, also fast allen Fällen, in denen im Neuen Testament dieser Zwei-Wort-Ausdruck „für uns“ vorkommt, hat er mit Gottes Erlösungshandeln und den damit verbundenen Taten zu tun. Einige Beispiele:[635]

- „Für uns hat er den, der Sünde nicht kannte, zur Sünde gemacht, damit wir Gottes Gerechtigkeit wurden in ihm." (2Kor 5,21)
- „Für uns ist Christus ein Fluch geworden [und] hat uns [so] losgekauft von dem Fluch des Gesetzes." (Gal 3,13)
- „Für uns ist Jesus Christus gestorben, damit wir, ob wir wachen oder schlafen, zusammen mit ihm leben. Denn Gott hat uns nicht zum Zorn bestimmt, sondern zum Erlangen des Heils durch unseren Herrn." (1Thes 5,9-10)
- „Für uns hat sich Jesus Christus selbst gegeben, damit er uns loskaufte von aller Gesetzlosigkeit und sich selbst ein Eigentumsvolk reinigte, das eifrig sei in guten Werken, indem wir die glückselige Hoffnung und Erscheinung der Herrlichkeit unseres großen Gottes und Retters erwarten." (Tit 2,13-14)

An drei Stellen wird das Erlösungswerk ausdrücklich mit „Liebe" in Verbindung gebracht, die nur möglich ist, wenn Gott in seinem trinitarischen Wesen wirklich persönlich ist:

- „Gott aber erweist seine Liebe zu uns darin, dass Christus, als wir noch Sünder waren, *für uns* gestorben ist" (Röm 5,8).
- „Wandelt in Liebe, wie auch der Christus uns geliebt und sich selbst *für uns* hingegeben hat als Opfergabe und Schlachtopfer, Gott zu einem duftenden Wohlgeruch!" (Eph 5,2)
- „Hieran haben wir die Liebe erkannt, dass er *für uns* sein Leben hingegeben hat; auch wir sind schuldig, für die Brüder das Leben hinzugeben." (1Jo 3,16)

An zwei Stellen steht „für uns" im Zusammenhang mit der Fürbitte Christi für uns beim Vater:

- „Wer ist da, der verdammt? Christus Jesus ist es, der gestorben, ja noch mehr, der auferweckt, der auch zur Rechten Gottes ist, der sich auch *für uns* verwendet." (Röm 8,34)

- „Denn Christus ist nicht hineingegangen in ein mit Händen gemachtes Heiligtum, ein Abbild des wahren Heiligtums, sondern in den Himmel selbst, um jetzt vor dem Angesicht Gottes *für uns* zu erscheinen.“ (Hebr 9,24)

In einigen dieser Fälle ist *Gott* der Handelnde, indem er seinen Sohn für uns hingibt; in anderen Fällen opfert sich *Christus* für uns. Diese Mehrdeutigkeit erklärt sich aus der Lehre von der Dreieinheit, denn Gott, der Vater, und Gott, der Sohn, handeln gemeinsam. Diese trinitarische Wirklichkeit wird in Titus 2,13 besonders deutlich, wo die Bezeichnung „unseres großen Gottes und Retters“ direkt auf Jesus Christus angewandt wird und somit bekräftigt, dass Christus sowohl der göttliche als auch der menschliche Erlöser ist.[636]

Jesus wurde für uns dahingegeben

Diese Texte versichern – wie so viele andere in der Bibel –, dass Gott wirklich für uns in unserem sündigen Zustand gehandelt hat, indem er das Problem unseres Böse-Seins auf sich nahm und es an einem bestimmten Ort zu einer bestimmten Zeit durch das stellvertretende Werk seines Sohnes löste. Die Heilige Schrift sagt es deutlich: „Alle haben gesündigt und die Herrlichkeit Gottes verloren. Doch werden sie ohne eigenes Zutun durch seine Gnade gerecht gesprochen. Das geschieht aufgrund der Erlösung, die in Christus Jesus Wirklichkeit geworden ist. Ihn hat Gott als Sühnopfer öffentlich dargestellt. Durch sein vergossenes Blut ist die Sühne vollzogen worden, und durch den Glauben kommt sie uns zugute“ (Röm 3,23-25; NeÜ).

Der stellvertretende Tod Christi erfüllt die gerechte Forderung Gottes, die er schon im Garten Eden stellte, als er Adam vor dem Baum der Erkenntnis warnte: „An dem Tag, da du davon isst, musst du sterben!“ (1Mo 2,17). Am Kreuz wird Gerechtigkeit vollzogen. „So hat Gott auch den Beweis erbracht, dass er gerecht gehandelt hatte … Und heute beweist er seine Gerechtigkeit dadurch, dass er den für gerecht erklärt, der aus dem Glauben an Jesus lebt" (Röm 3,25-26; NeÜ). Er bestraft die Sünde, indem Jesus sie auf sich nimmt. Gott rechtfertigt alle, die darauf vertrauen, indem er uns die Gerechtigkeit Christi zuschreibt.

Wie Gott ganz konkret für uns ist, wird in Römer 8 auf wunderschöne und überraschende Weise dargelegt. Es gibt einen weiteren Tausch und eine weitere Hingabe. „Er, der doch seinen eigenen Sohn nicht verschont, sondern ihn für uns alle hingegeben hat *[parédoken]* – wie wird er uns mit ihm nicht auch alles schenken?" (Röm 8,32).[637] Hinter diesem Text verbirgt sich eine Begebenheit, die im Alten Testament berichtet wird. Gott prüfte Abraham, ob er Gott mehr liebte als seinen Sohn Isaak, den Gott ihm verheißen hatte. Im 1. Buch Mose wird berichtet, was Gott zu Abraham sagte: „Weil du das getan und deinen Sohn, deinen einzigen, mir nicht vorenthalten hast, darum werde ich dich reichlich segnen und deine Nachkommen überaus zahlreich machen wie die Sterne des Himmels und wie der Sand, der am Ufer des Meeres ist" (1Mo 22,16-17). Abraham war bereit, seinen Sohn zu opfern, von dem Gottes Verheißung des künftigen Segens abhing. Mit anderen Worten: Abraham war bereit, alles zu riskieren, um in gehorsamer Gemeinschaft mit Gott zu leben, weil er darauf vertraute, dass Gott ein Opfer bereitstellen würde (22,14). Und Gott sorgte für ein Opfer anstelle von Isaak. Es war ein Widder, der in einem Busch gefangen war. Gehen wir direkt zum Kreuz: Diesmal bringt Gott ein größeres Opfer als einen Widder. Anders als Abraham verschont Gott, der Vater, seinen einzigen Sohn nicht, sondern liefert ihn aus – für uns. Jetzt gilt es, die volle Bedeutung dieses Satzes auszuloten. Paulus sagt, dass Christus, als er den Tod auf sich nahm, „ein Fluch" (Gal 3,13) und „zur Sünde" (2Kor 5,21) für uns wurde. Gott, der Vater, gab seinen Sohn ins Verderben, um Sünder, die bereuen, von den Fesseln des Fluches der satanischen Macht zu befreien. So wie Jesus durch die Auferstehung von dieser Macht befreit wurde, so will er Sündern, die bereuen, „mit ihm ... auch alles schenken", was sie brauchen (Röm 8,32) – nämlich den Segen, den er Abraham bereits verheißen hatte.

Ohne Zweifel ist das auch ein großes und bedeutsames Wortspiel. Die Sünder „vertauschen die Wahrheit Gottes mit Lügen" (Röm 1,25; NeÜ), sie vertauschen wahre Anbetung mit Götzendienst (1,23) und den natürlichen Gebrauch der Sexualität mit dem widernatürlichen (1,26) und werden dann einer völlig sündigen Denk- und Lebensweise „dahingegeben" (*parédoken;* 1,24.26.28). Nun tauscht Gott seinen Sohn gegen die Sünder aus. Er wird stellvertretend an ihrer Stelle „hingegeben" (*parédoken;* Röm 8,32). An diesem ausgetauschten Ort, dem Reich des Todes, triumphiert der Sohn durch seinen Gehorsam über Satan, indem er unsere Sünden trägt – nicht seine eigenen. Im Austausch erhalten wir Gerechtigkeit und ewiges Leben. Der von Gott hingegebene Jesus nimmt den Platz der dahingegebenen Sünder ein und schenkt ihnen sein Leben. All das ist der höchste Ausdruck von Gottes Geduld und seiner großen Güte (Röm 2,4). Der Gott, der ganz anders, unfehlbar und gerecht ist, der uns zu Recht unserer Sünde dahingab, ist auch der Gott der erstaunlichen und überraschenden Gnade, der uns segnet, indem er uns befreit und uns das Leben schenkt. Was Gott – und nur Gott – tun konnte, hat er getan.[638]

Paulus wusste, was er sagte. In Jesaja 53,6 lesen wir: „Wir alle irrten umher wie Schafe, wir wandten uns jeder auf seinen eigenen Weg; aber der HERR ließ ihn treffen[639] unser aller Schuld" (Jes 53,6). Wenig später wird der Prophet überdeutlich: Jesus wird zu den Großen gehören, weil „er seine Seele ausgeschüttet hat in den Tod und sich zu den Verbrechern zählen ließ. Er aber hat die Sünde vieler getragen und für die Verbrecher Fürbitte getan" (53,12). In der Tat hat Jesus selbst seinen Tod so gesehen. Vor seiner Kreuzigung erklärte er: „Das sage ich euch: Auch dieses Schriftwort [Jes 53,12] muss sich noch an mir erfüllen: ‚Er wurde unter die Verbrecher gezählt'" (Lk 22,37).

Jesus ist für uns, indem er für uns stirbt

Der Tod Christi für uns ist der Beweis, dass Gott für uns ist, denn Jesus ist Gottes Sohn, Gott in Menschengestalt. Der Ausdruck

„sein eigener Sohn" (Röm 8,32) wird nur für Jesus verwendet. Diese Identifizierung Jesu als Gottes Sohn erklärt, wie Paulus ihn „unseren großen Gott und Retter" (Tit 2,13) nennen kann. So wird auch in den altkirchlichen Glaubensbekenntnissen gesagt, dass er Mensch und Gott zugleich ist. Bei seiner Geburt wird Jesus „Immanuel" genannt, das bedeutet „Gott mit uns" (Mt 1,23). Bei seiner Taufe verkündet Gottes Stimme aus dem Himmel: „Dieser ist mein geliebter Sohn, an dem ich Wohlgefallen gefunden habe" (Mt 3,17). Selbst der Teufel erkennt, wer Jesus ist, und sagt: „Wenn du Gottes Sohn bist, so sprich, dass diese Steine Brote werden!" (Mt 4,3). Das gilt auch für die Diener des Satans: „Was haben wir mit dir zu schaffen, Sohn Gottes? Bist du hierher gekommen, uns vor der Zeit zu quälen?" (Mt 8,29).

Ausgeliefert, aber ohne aufzugeben

Das ist der Kern des *zweiheitlichen* Evangeliums, der Botschaft, die mit erneuertem Denken an eine Kultur weitergegeben werden muss, die sich im *Einsheitsdenken* verloren hat und deren einzige Hoffnung im sündigen Selbst liegt. Das ist der Kern der Macht der Wahrheit. Paulus betont, wenn er an die christliche Gemeinde im *einsheitlichen* Rom schreibt: „Denn ich schäme mich des Evangeliums nicht, ist es doch Gottes Kraft zum Heil jedem Glaubenden, sowohl dem Juden zuerst als auch dem Griechen" (Röm 1,16). Noch einmal, verpassen Sie hier nicht das Wortspiel des Originaltextes: Der Gott, der ganz anders, unfehlbar und gerecht ist, der uns zu Recht unserer Sünde dahingibt (*parédoken;* s. o.), ist auch der Gott der erstaunlichen und überraschenden Gnade, der die ganze Last unserer Sünden auf seinen Sohn legt, der ihn als Sündopfer an unserer Stelle dahingab *(parédoken)* und uns segnet, indem er uns befreit und uns das Leben schenkt. Was Gott – und nur Gott – tun konnte, hat er getan. Es ist die Kraft von Gottes Rettungstat, die im Evangelium kraftvoll vermittelt wird, die unser Denken verwandelt, unseren Körper heiligt und bewirkt, dass der Heilige Geist in uns wohnt. Nur deshalb können wir mit einem heiligen Leben und einem gottgefälligen Denken darauf antworten.

Unsere Kultur beginnt, den Druck auf christliche Prediger und Pastoren zu erhöhen, damit sie die Botschaft von Römer 1 nicht in vollem Umfang predigen. Aber die Sünde zu vertuschen und den Sündenfall zu leugnen, indem man die Position der Bibel zu praktizierter Homosexualität und anderen Sünden nicht wiedergibt, wird die befreiende, herrliche Kraft des Evangeliums nur verdecken und zum Schweigen bringen. Wenn wir das Evangelium nicht predigen, werden wir nie Zeugnisse wie dieses von einer ehemaligen Homosexuellen hören:

> *Im Oktober 2008 ... wurde ich in einer Weise von meiner Sünde überführt, die mich dazu brachte, alles, was ich liebte, und die Konsequenzen daraus zu überdenken ... Meine Augen wurden geöffnet, und ich begann, alles zu glauben, was Gott in seinem Wort sagt. Ich begann zu glauben, dass das, was er über Sünde, Tod und Hölle sagt, vollkommen wahr ist.*
>
> *Und erstaunlich: Als mir die Strafe für meine Sünde klar wurde, wurde mir gleichzeitig auch die Kostbarkeit des Kreuzes klar. Die Vorstellung von Gottes gekreuzigtem Sohn, der den Zorn trägt, den ich verdient habe, und das leere Grab, das seine Macht über den Tod zeigt – all das, was ich zuvor ohne Interesse gehört hatte, wurde zur herrlichsten Offenbarung der Liebe, die man sich vorstellen kann.*[640]

Um die gute Nachricht hören zu können, müssen wir auch die schlechte hören. Wie können wir unserer Welt die beste Nachricht vorenthalten, die sie je hören könnte: „Gott hat nicht einmal seinen eigenen Sohn verschont, sondern ihn für uns alle ausgeliefert"? Wie können wir denen, die wir lieben, die beste Nachricht der Welt vorenthalten? Wir müssen das Evangelium verkünden, auch wenn wir dafür Verfolgung oder sogar den Tod in Kauf nehmen müssen. Wir dürfen nicht aufgeben. Wir werden nicht aufgeben.

Sehnen Sie sich nach wahrer Kraft? Sie können die rechtfertigende, von Schuld und Sünde befreiende Kraft und dann ein reines Gewissen haben, wenn Sie den Glauben an Jesus Christus für sich entdecken und annehmen. Jesus hat in seine „Dahingabe" eingewilligt und nicht aufgegeben – und drei Tage später hat Gott ihn von den Toten auferweckt. Im Evangelium dreht sich alles um Gottes Werk: die Vergebung unserer Sünden und ein zukünftiges Leben mit ihm als auferstandenen Herrn.

Dieselbe Botschaft, die die frühe Kirche gepredigt hat, tragen wir jetzt durch Gottes Geist weiter. Die Kultur kann den Planeten nicht erneuern, kann keine Sünden vergeben und kein ewiges Leben schaffen. Alles ist Gottes Werk.

Unsere Berufung: Eine andere Hingabe

Indem wir unser Leben als heilige Leiber hingeben, um Salz der Erde zu sein, und mit erneuertem Denken, um Licht der Welt zu sein, das Klarheit schafft, folgen wir Jesus, unserem Erlöser und Vorbild. Das Evangelium ist sowohl eine geschichtliche Tatsache als auch die Grundlage für ein Leben im Einklang mit jenem *zweiheitlichen* Weltbild, das sich um das Wohl der „anderen" bemüht.[641] Es ist ein „hingegebener" Lebensstil der Selbstaufopferung, der dem Beispiel Jesu folgt. Paulus ermahnt die Christen in Philippi: „Tut nichts aus Streitsucht oder Ehrgeiz, sondern seid bescheiden und achtet andere höher als euch selbst! Denkt nicht nur an euer eigenes Wohl, sondern auch an das der anderen!" (Phil 2,3-4; NeÜ; man beachte die *zweiheitliche* Betonung des „anderen"). Die richtige Motivation dazu kommt aus der Kraft des Evangeliums, von der Selbstaufopferung Jesu für die „anderen". So fährt der Text fort:

> *Eure Einstellung soll so sein wie die in Christus Jesus: Er war in Gottes Gestalt, nutzte es aber nicht aus, Gott gleich zu sein, sondern beraubte sich selbst und wurde einem Sklaven gleich. Er wurde Mensch und alle sahen ihn auch*

so. Er erniedrigte sich selbst und gehorchte Gott bis zum Tod – zum Verbrechertod am Kreuz. (Phil 2,5-8; NeÜ)

Das hat er für uns getan, um Sünder zu retten.

Es besteht eine tiefe Beziehung zwischen dem, was Jesus getan hat, und dem, was Christen tun sollen. So sagt Jesus voraus, dass weltliche Machthaber seine Jünger „überliefern" werden (*paradôsin;* Mt 10,19) und sie „gehasst werden um [seines] Namens willen" (Mt 24,9). Paulus pflichtet dem bei: „Weil wir zu Jesus gehören, werden wir als Lebende ständig dem Tod ausgeliefert *[paradidómetha]*, damit sein Leben auch an unserem sterblichen Körper offenbar wird" (2Kor 4,11; NeÜ). Der dahingegebene Christus ist unser ständiges Vorbild, „der mich geliebt und sich selbst für mich hingegeben hat *[paradóntos]*" (Gal 2,20).[642] Das ist der Lebensstil der Ehemänner, die ihre Frauen lieben sollen, „wie auch der Christus die Gemeinde geliebt und sich selbst für sie hingegeben hat *[parédoken]*" (Eph 5,25). Es ist ein „ständig dem Tod ausgeliefertes" *[paradidómetha]* Leben, „weil wir zu Jesus gehören" (2Kor 4,11; NeÜ) – und ein Leben für andere, damit die Menschen die Wahrheit des Evangeliums hören, unsere guten Werke sehen und sich zu unserem Vater im Himmel bekehren.

Der Segen des Evangeliums

Unser Leben ist also ausgeliefert, aber wir geben nicht auf, weil wir die Gewissheit haben, dass Gott uns sicherlich segnen und unsere Nachkommenschaft vermehren wird (vgl. 1Mo 22,16-17). Wir haben das Vertrauen, dass „er uns mit ihm ... alles schenken" wird, wie Paulus sagt (Röm 8,32). Wir geben nicht auf, auch nicht im Angesicht von Verfolgungen, denn „wenn Gott für uns ist, wer könnte dann gegen uns sein?" (Röm 8,31; NeÜ). Zur Ehre Gottes antworten wir nun auf die göttliche Barmherzigkeit, indem wir die guten Werke tun, die er für uns vorbereitet hat. Wir ehren Gottes gutes Schöpfungswerk durch unser aufopferndes und barmherziges Handeln, indem wir unsere gesellschaftliche Verantwortung wahrnehmen und durch unseren wahrhaft guten Beitrag zur Kultur. Wir warten auf das letzte große Werk der Schöpfung, nämlich ihre wunderbare Neu-Schöpfung, wenn Gott diese großartige, aber gefallene und fluchbeladene Schöpfung durch seine wunderbare, lebensspendende Auferstehungskraft in den neuen Himmel und die neue Erde verwandeln wird, „in denen Gerechtigkeit wohnt“ (2Petr 3,13). Sowohl die ursprüngliche Schöpfung als auch die Schöpfung des neuen Himmels und der neuen Erde sind Wunder, geschaffen von dem *zweiheitlichen* Gott, der alles regiert. Er, der die Materie ursprünglich in ihren großartigen, äußerst komplexen Formen erschaffen hat, macht auch die Auswirkungen von Sünde und Tod rückgängig und hat Jesus in einem verherrlichten, neu geschaffenen Körper auferstehen lassen, dessen herrliche Fähigkeiten über die des menschlichen Körpers vor dem Sündenfall hinausgehen.

In der heutigen Zeit der kleinen Dinge müssen wir in großen Dimensionen über einen noch größeren Gott nachdenken. Das große Bild ist kein Luftschloss, sondern schließt den Himmel als die einzige Vorstellung ein, die letztendlich Sinn ergibt. Wir neigen dazu, im Rahmen unserer eigenen kurzen Lebensdauer zu denken, aber das ist zu kurzsichtig. Jesus ist unser größtes Vorbild für ein gelungenes Leben, und er wurde im Alter von 33 Jahren an ein Kreuz genagelt! In dieser gefallenen Welt sind entschlossener Gehorsam und mutige Selbstaufopferung das Gebot der Stunde. Und eines Tages, wenn wir treu waren, werden wir mit Jesus, unserem Vorbild und Oberhaupt, über einen neuen Himmel und eine neue Erde herrschen.

Wir geben nicht auf, weil wir wissen, dass Gott das letzte – gute – Wort haben wird.

Unsere Herausforderung

Worin besteht nun die Herausforderung, die vor uns liegt? In dieser gefallenen Welt müssen wir zwei Realitäten wahrnehmen:

Erstens stehen wir vor der Herausforderung, der Welt den *zweiheitlichen,* trinitarischen Charakter Gottes zu bezeugen und zu zeigen, wie er sich in unserem Alltag auswirkt. Es geht weder darum, den Kopf in den Sand zu stecken und die wachsende Verführung durch die heidnische, *einsheitliche* Kosmologie zu leugnen. Noch geht es darum, unser Denken an das der Welt anzupassen, wie es einige Christen absichtlich oder unabsichtlich tun. Vielmehr sind wir aufgerufen, die Lüge zu erkennen, um die Wahrheit klarer zum Ausdruck bringen zu können. Vielleicht finden Sie in den einfachen Begriffen des *Einsheits-* und des *Zweiheitsdenkens* ein nützliches Bezugssystem, wenn Sie Christus und das Evangelium bezeugen.

Zweitens müssen wir Gott darum bitten, uns zu zeigen, wie wir in der vor uns liegenden schwierigen Zeit seine Wahrheit treu und mutig aussprechen können. Seien Sie nicht überrascht: Jesus sagte, dass er „nicht gekommen [sei], um bedient zu werden, sondern um zu dienen und sein Leben zu geben als Lösegeld für viele“ (Mk 10,45). Er ruft uns auf, dasselbe Kreuz auf uns zu nehmen und ihm zu folgen. Die Zeit wird tatsächlich kommen, in der „alle …, die gottesfürchtig leben wollen in Christus Jesus, … verfolgt werden“ (2Tim 3,12). Ohne die verwandelnde Kraft des Evangeliums wird uns der Mut fehlen, und unsere Bemühungen werden vergeblich sein. Aber wir sollten bedenken, dass die schwierigen Zeiten die aussagekräftigsten sind. Ein südkalifornischer Pastor hat es gut ausgedrückt: „Gebrochenheit ist in gewisser Weise der Schlüssel zur Veränderung in dieser zerrissenen Welt. Gnade ist oft augenfälliger vor dem Hintergrund der Schande, und die Wahrheit oft einleuchtender vor dem Hintergrund der Lüge.“[643]

Wir wissen nicht, ob unsere Zukunft eine Zeit des Wohlergehens oder der Verfolgung sein wird. König David bekannte in einer Höhle, unter schlimmsten Umständen, „mitten unter Löwen“, mit großem Glauben: „Erhebe dich über den Himmel, Gott, über der ganzen Erde sei deine Herrlichkeit!“ (Ps 57,5-6). Davids Glaube muss der unsere sein, denn Gottes Verheißung an Israel vor der Bedrohung durch die Babylonier ist auch die unsere:

> *Und die Nationen werden deine Gerechtigkeit sehen und alle Könige deine Herrlichkeit ... Und du wirst eine prachtvolle Krone sein in der Hand des HERRN und ein königliches Diadem in der Hand deines Gottes ... Denn der HERR hat Gefallen an dir ... wie der Bräutigam sich an seiner Braut freut, so wird dein Gott sich an dir freuen. (Jes 62,2-5)*

Unser Ziel

Wir gehen nach vorne mit dem Blick auf das kommende „Hochzeitsmahl des Lammes“ (Offb 19,9). In der Zwischenzeit richten wir den Blick außerdem auf unsere Berufung, denn diese Erde soll einmal „davon erfüllt sein, die Herrlichkeit des HERRN zu erkennen, wie das Wasser den Meeresgrund bedeckt“ (Hab 2,14). Wir tun das in der Kraft des Evangeliums, mit einem erneuerten Denken, mit der klaren Weisheit aus Römer 1 und der einfachen Mathematik des *Einsheits-* und des *Zweiheitsdenkens* als den beiden einzigen Optionen: der Lüge oder der Wahrheit. Das ist die einzige Hoffnung für einen Planeten, der in heidnischer Fantasie ertrinkt, und für eine Christenheit, die in tiefer Verwirrung umherirrt und sich dieser Welt bedenklich anpasst.

Möge der Herr uns Kraft und Glauben geben, die Wahrheit zu bezeugen. Und warum? Das, was Paulus zum Abschluss des Römerbriefs sagt, dem wir so viel zu verdanken haben, offenbart den einzig wahren Sinn des Lebens: Gottes Herrlichkeit.

> *Dem aber, der euch zu stärken vermag nach meinem Evangelium und der Predigt von Jesus Christus, nach der Offenbarung des Geheimnisses, das ewige Zeiten hindurch verschwiegen war, jetzt aber offenbart und durch prophetische Schriften nach Befehl des ewigen Gottes zum*

Glaubensgehorsam an alle Nationen bekannt gemacht worden ist, dem allein weisen Gott durch Jesus Christus, ihm sei die Herrlichkeit in Ewigkeit! Amen. (Röm 16,25-27)

ENDNOTEN

Sofern nicht anders vermerkt, wurden Zitate frei aus dem Englischen übersetzt. Wenn bekannt, wurde die deutsche Ausgabe zusätzlich in der Fußnote angegeben (ohne Seitenangaben).

Die Internetadressen wurden direkt aus dem englischen Original übernommen, als Abrufszeit gilt die des Originals.

Einführung

1 David P. Goldman: „How Tolkien Ennobled Popular Culture (While Star Wars Degraded It).“ PJMedia, 01.12.2014. http://pjmedia.com/spengler/2014/12/01/how-tolkien-ennobled-popular-culture-while-star-wars-degraded-it/?singlepage=true .

2 Nirpal Dhaliwal: „How movies embraced Hinduism (without you even noticing).“ The Guardian, 25.12.2014; www.theguardian.com/film/2014/dec/25/movies-embraced-hinduism. Dieser Artikel zeigt auf, wie diffus vom Hinduismus inspirierte Filme, z. B. einige der größten Kassenschlager der letzten Zeit wie *Krieg der Sterne, Matrix* oder *Interstellar,* die Ansichten über Spiritualität in der westlichen Kultur tiefgreifend beeinflusst haben.

3 A. d. V.: Die Begriffe werden auf S. 15f näher erklärt (s. a. XV–XVI im Vortext).

Kapitel 1: *Eine Fahrkarte – aber wohin?*

4 Carl Gustav Jung: *The Red Book: Liber Novus.* Hg. v. Sonu Shamdasani. New York: Norton, 2009; S. 217. Dt.: *Das Rote Buch,* Ostfildern: Patmos, 2017.

5 Herman Kahn, Anthony J. Wiener: *The Year 2000. A Framework for Speculation on the Next Thirty-three Years.* New York: Macmillan, 1967; ohne Seitenzahl zitiert in Peter L. Berger: *A Rumor of Angels. Modern Society and the Rediscovery of the Supernatural.* Garden City (NY): Doubleday, 1969; S. 16. Dt.: *Auf den Spuren der Engel,* Frankfurt a. M.: Fischer, 1975.

6 Elizabeth Fox-Genovese: *Women and the Future of the Family.* Grand Rapids: Baker, 2000; S. 17.

7 Neulich entdeckte ich eine weitere führende Feministin der Sechzigerjahre, die schließlich zum Christentum übergetreten ist: Gabriele Kuby. Papst Benedikt XVI. hat die Bedeutung ihrer Arbeit über das Wesen der Revolution der Sechzigerjahre öffentlich gewürdigt. Ich empfehle Kubys Buch: *Die globale sexuelle Revolution. Zerstörung der Freiheit im Namen der Freiheit.* Kißlegg: Fe-Medienverlag, 2012.

8 A. d. V.: Als Millenials wird die Generation bezeichnet, die im Zeitraum der frühen 1980er bis zu den späten 1990er-Jahren geboren wurde.

9 In Kapitel 10 werde ich darauf zurückkommen.

10 Peter Occhiogrosso: *The Joy of Sects. A Spirited Guide to the World's Religious Traditions.* New York: Doubleday, 1996; S. xxi.

11 Occhiogrosso: *The Joy of Sects;* S. xvii.

12 Andrew Cohen: „The Significance of Non Duality: There is Only One, Not Two". Vortrag, EnlightenNext Winter Retreat, Tucson (AZ), 27.12.–06.01. ohne Jahr.

13 Siehe z. B. Colin Campbell: *The Easternization of the West. A Thematic Account of Cultural Change in the Modern Era.* Boulder: Paradigm, 2007.

14 Philip Goldberg: *American Veda. From Emerson and the Beatles to Yoga and Meditation. How Indian Spirituality Changed the West.* New York: Harmony, 2013.

15 Platos System kennt zwar einen Schöpfer, aber es beruht auf Einheit. Die Schöpfung geschieht nicht außerhalb und getrennt vom Schöpfer, sondern ist etwas, woran die Gottheit Anteil hat. Da Platos Gott nicht dreieinig ist, stellt er eine Singularität dar und ist letztlich über eine Abstammungskette des Seins von allem anderen abhängig. Siehe A. H. Armstrong: *An Introduction to Ancient Philosophy.* Ottawa: Rowman and Allanheld, 1983; S. 49.

16 Jean Benedict Raffa: *Healing the Sacred Divide. Making Peace with Ourselves, Each Other, and the World.* New York: Larson, 2012; S. 72; 74.

17 http://dotsub.com/view/d7e69b19-300f-4efc-b951-385da53f08f6/viewTranscript/eng. Siehe auch Thomas Keating: *Open Mind, Open Heart.* New York: Continuum, 1986.

18 http://integrallife.ontraport.net/c/s/6zW/6QcyW/U/yX/JE6/626uLH/6BdUL8RLJi .

19 Kurt Johnson and David Robert Ord: *The Coming Interspiritual Age. Vancouver:* Namaste, 2012; S. 371. Siehe auch Ernest Steed: *Two Be One. The Revealed Secrets of Long Hidden Mysticism and Religion.* Plainfield: Logos International, 1978; und Mircea Eliade: *The Two and the One.* London: Harville, 1962. Mein bescheidener Beitrag dazu: *One or Two. Seeing a World of Difference.* Escondido: Main Entry, 2010.

20 Colin E. Gunton: *The Triune Creator. A Historical and Systematic Study.* Grand Rapids: Eerdmans, 1998; S. 3–4.

21 Camille Paglia: *Sexual Personae. Art and Decadence from Nefertiti to Emily Dickinson.* New Haven: Yale University Press, 1990; S. 1.

22 Robert Sokolowski: *The God of Faith and Reason. Foundations of Christian Theology.* Washington: Catholic University of America Press, 1995; S. 23.

23 So wiederum Sokolowski: *God of Faith and Reason;* S. x: „Weil Gott derartig unabhängig von der Welt ist, können wir sagen, dass er die Welt aus reiner Freigiebigkeit geschaffen hat, und nicht aufgrund irgendeines Bedürfnisses … Auf diese Weise hat er die Liebe demonstriert, die allem zugrunde liegt."

24 Colin E. Gunton: *The Triune Creator. A Historical and Systematic Study.* Grand Rapids: Eerdmans, 1998; S. 7–9.

25 Claus Westermann: *Genesis 1–11. A Commentary.* Übesetzt von J. J. Scullion. Minneapolis: Augsburg, 1984; S. 127. Dt.: *Genesis 1–11.* Darmstadt: Wissenschaftliche Buchgesellschaft, 1996.

26 G. Ernest Wright: *The Old Testament against its Environment.* London: SCM, 1950; zitiert in John N. Oswalt: *The Bible among the Myths.* Grand Rapids: Zondervan, 2009; S. 11.

27 Oswalt: *The Bible among the Myths;* S. 28.

28 Lesern, die des Griechischen ein wenig kundig sind, wird auffallen, dass Paulussowohl vor „Wahrheit" (ἡ ἀλήθεια) als auch vor „Lüge" (τό ψεῦδος) den bestimmten Artikel („die") stellt. Im Griechischen wird Unbestimmtheit üblicherweise durch das Weglassen des bestimmten Artikels ausgedrückt. Nicht alle deutschen Übersetzungen geben dies genau wieder. Die Parallelen sind jedenfalls deutlich: die Wahrheit und die Lüge, die Schöpfung und der Schöpfer.

29 Mit diesen Worten (englisch *Oneism* und *Twoism*) habe ich lediglich vereinfachte Begriffe erfunden. Andere Ausdrücke für diese beiden Möglichkeiten sind Heidentum und biblische Lehre, Monismus und Theismus. Es geht darum, ob Schöpfer und Schöpfung voneinander abgegrenzt werden oder nicht.

30 Sokolowski: *God of Faith and Reason;* S. xi: „Die heidnische, religiöse oder philosophische Grundhaltung ist immer gegenwärtig und nicht bloß eine Sichtweise, die nur einer bestimmten Phase der menschlichen Entwicklung angehört."

31 Wenn das die biblische Weltanschauung ist: In welcher Beziehung steht sie zum rabbinischen Judentum und zum Islam, deren Anhänger ebenfalls behaupten, die Bibel zu achten (wenn auch in sehr verschiedener Art und Weise)? Es gibt nur einen reinen Vertreter der Einsheit – den Satan, und einen reinen Vertreter der Zweiheit – Jesus Christus. Das Judentum und der Islam haben ein mangelhaftes Verständnis der biblischen Zweiheit. Da sie die Dreieinigkeit leugnen, bleibt ihnen nur ein transzendenter, aber doch unpersönlicher Gott, der letztlich auf seine Beziehung zu den Menschen angewiesen ist, um sein Personsein zu konstituieren. Dies ist ein Versuch Richtung Zweiheit, der jedoch auf Umwegen in der Einsheit landet. Der Rabbiner Abraham Heschel (1907–1972) kritisierte den Islam zu Recht dafür, dass

er Gott als „uneingeschränkte Allmacht" ansieht, die niemals der „Vater der Menschheit" sein kann und daher zutiefst unpersönlich ist. Siehe Heschel: *The Prophets.* New York: Harper, 1962; S. 292; 311. Auch das nachbiblische Judentum kann Heschels Kritik nicht ganz entgehen. Z. B. bekannte sich der mittelalterliche Rabbiner Maimonides ebenfalls zu einem „absolut transzendenten Gott, der von der Menschheit unabhängig ist". Siehe Reuven Kimelman: „The Theology of Abraham Joshua Heschel." First Things, Dezember 2009. Andererseits bemerkt Kimelman, dass Heschel im Gegensatz zu Maimonides und dem Islam den anderen Fehler begeht: Er macht Gott vom Menschen abhängig in einer Bundesbeziehung, die sowohl Gott als auch der Mensch nötig hat, um zu sein, wer sie sind. Heschel übernimmt die rabbinische Vorstellung, dass das Zeugnis des Menschen Gott gewissermaßen wirklich macht (Kimelman: „The Theology of Abraham Joshua Heschel.") Wieder ist Gott auf die Menschheit angewiesen – das klassische Dilemma eines Monotheismus ohne Dreieinigkeit. Wenn Gott, wie Heschel glaubt, nicht dreieinig ist, ist er auf den Menschen angewiesen, um personhaft zu sein, und kann daher im Verhältnis zur Schöpfung nicht „der ganz Andere" sein.

32 A. d. V.: So übersetzt die NeÜ, die Elberfelder Bibel übersetzt hier „dahingegeben".

Teil 1: Aus den Fugen geraten

Kapitel 2: ***Aufstieg und Fall des säkularen Humanismus***

33 Siehe John Frame: *A History of Western Philosophy and Theology.* Phillipsburg: P&R, 2015; S. 293.

34 Pierre-Simon Laplace: *Le Systeme du Monde [The Politics of Science].* Cambridge: Harvard University Press, 2005; S. 172. Dt.: *Darstellung des Weltsystems.* Frankfurt a. M.: Varrentrapp und Wenner, 1797.

35 Ludwig Feuerbach: *The Essence of Christianity.* London, 1841; zitiert in Alister McGrath: *The Twilight of Atheism. The Rise and Fall of Disbelief in the Modern World.* New York: Doubleday, 2004; S. 57. Dt.: Ludwig Feuerbach: *Das Wesen des Christentums.* Leipzig: Otto Wigand, 1841.

36 Peter Berger: A Rumor of Angels. New York: Anchor, 1970; S. 45.

37 Die Worte des Harvard-Paläontologen George Gaylord Simpson über die letzte Generation, zitiert in John West: „Darwinian Evolution." In Peter Jones (Hg.): *The Coming Pagan Utopia. Christian Witness in Tough Times.* Escondido: Main Entry Editions, 2013; S. 108. Dieser Band ist eine Sammlung von Aufsätzen des TruthXchange Think Tank 2013.

38 Siehe Edward Norman: *Secularization.* London: Bloomsbury Academic, 2003; S. 52.

39 Karl Marx, Friedrich Engels: *On Religion.* Moskau: Foreign Languages Publishing House, 1957; S. 14. Zitiert in Marcel Neusch: *The Sources of Modern Atheism. One Hundred Years of Debate over God.* New York: Paulist, 1982; S. 62. Dt.: *Über Religion.* Berlin: Dietz, 1987.

40 Friedrich Nietzsche: *The Gay Science* (1882, 1887); §125. Dt.: *Die fröhliche Wissenschaft.* Chemnitz: Ernst Schmeltzner, 1882. Siehe auch Peter Berkowitz: *Nietzsche. The Ethics of an Immoralist.* Cambridge: Harvard University Press, 1995; insbesondere S. 14–21. Berkowitz zeigt, dass diese Aussage wesentlicher Bestandteil von Nietzsches Philosophie war.

41 Zitiert in Mary Eberstadt: „How the West Really Lost God: A New Look at Secularization." Policy Review 143, Juni/Juli 2007.

42 Richard Dawkins: *The Selfish Gene.* Oxford: Oxford University Press, 2006; S. 330. Dt.: *Das egoistische Gen.* München, Heidelberg: Elsevier, Spektrum, Akademischer Verlag, 2007.

43 A. d. Ü.: eine elitäre Schule oder auf die Universität vorbereitende Schule.

44 Evelyn Waugh: *A Little Learning.* New York: Little Brown, 1964. Er bezieht sich auf einen Tagebucheintrag vom 18.06.1921.

45 Zu dieser Darstellung siehe Albert Mohler: „Commonplaces: Evelyn Waugh the Young Atheist." AlbertMohler.com, zuletzt geändert 15.05.2014. http://www.albertmohler.com/2014/05/15/commonplaces-evelyn-waugh-the-young-atheist/.

46 Eine ausführliche Darstellung der Auswirkungen des Rationalismus auf das Christentum von der Aufklärung bis zur Moderne findet sich in James Herrick: *The Making of the New Spirituality. The Eclipse of the Western Religious Tradition.* Downers Grove: InterVarsity Press, 2003; Kapitel 3–6.

47 Davis v. Beason, 133 US 333, 342; 1890. Zitiert in Martha M. McCarthy, „Secular Humanism and Education." Journal of Law and Education 19/4, 1990; S. 470.

48 Zitiert in Mike King: *Postsecularism. The Hidden Challenge to Extremism.* Cambridge: James Clark, 2009; S. 125.

49 Vishal Mangalwadi: *Missionary Conspiracy. Letters to a Postmodern Hindu.* India: Good Books, 1996; Cover.

50 *Nature of President Clinton's Relationship with Monica Lewinsky.* Washington: U.S. Government Printing Office, 19.05.2004.

51 Michel Foucault: *Folie et déraison. Histoire de la folie à l'âge classique.* Paris: Plon, 1961. Dt.: *Wahnsinn und Gesellschaft. Eine Geschichte des Wahns im Zeitalter der Vernunft.* Frankfurt a. M.: Suhrkamp, 1969.

52 Alister McGrath: *The Twilight of Atheism. The Rise and Fall of Disbelief in the Modern World.* New York: Doubleday, 2006.

53 Hierzu gehören Sam Harris: *The End of Faith. Religion, Terror, and the Future of Reason.* New York: Norton, 2005; *Letter to a Christian Nation.* New York: Knopf, 2006; Daniel C. Dennett: *Breaking the Spell. Religion as a Natural Phenomenon.* New York: Penguin, 2007; Richard Dawkins: *The God Delusion.* Boston: Houghton Mifflin, 2006; Dt.: *Der Gotteswahn.* Berlin: Ullstein, 2007; Christopher Hitchens: *God Is Not Great. How Religion Poisons Everything.* New York: Twelve, 2007; Michel Onfray: *Traité d'athéologie. Physique de la métaphysique.* 2005; Dt.: *Wir brauchen keinen Gott. Warum man jetzt Atheist sein muss.* München: Piper, 2006; Victor J. Stenger: *God. The Failed Hypothesis. How Science Shows that God Does Not Exist.* Amherst: Prometheus, 2007.

54 Antony Flew, Roy Varghese: *There is a God. How the World's Most Notorious Atheist Changed His Mind.* New York: Harper Collins, 2007; S. 121, 132. Zitiert in Melanie Phillips: *The World Turned Upside Down.* New York: Encounter, 2011; S. 336. Siehe auch Eric Kaufmann: „God Returns to Europe. The Slow Death of Secularism." Prospect, November 2006.

55 Sam Harris: *Waking Up. A Guide to Spirituality Without Religion.* New York: Simon and Schuster, 2014; S. 6.

56 Rationalistische und spirituelle Formen der *Einsheit* haben in weiten Teilen der Philosophiegeschichte koexistiert oder sich abgewechselt. Die Rückbesinnung auf die Gnosis zeigt, dass ein dem Übergang von der Moderne zur Postmoderne vergleichbarer Prozess stattgefunden hat. Giovanni Filoramo, Kenner der antiken Gnosis, spricht in: *The History of Gnosticism.* Oxford: Blackwell, 1990; S. 23 von einem gnostischen „mythologischen Wiedererwachen". „Nach einer Zeit des Rationalismus [der Kritik am Mythischen durch Sokrates, Plato und Aristoteles, die mit *logos* argumentierten] gab es ein Wiedererwachen, als der Mythos wiederentdeckt und ihm neue Bedeutung verliehen wurde. Der römische Historiker Plutarch beschrieb den Mittelmeerraum des griechisch-römischen Reiches seiner Zeit als ‚einen Kelch, in dem es vor Mythen wimmelt'" (Def. or. 421 A). Siehe auch Lit-Sen Changs Darstellung der taoistischen Kritik am Konfuzianismus in: *Asia's Religions. Christianity's Momentous Encounter with Paganism.* Phillipsburg: P&R, 1999; S. 102–104.

57 Richard Tarnas: *The Passion of the Western Mind. Understanding the Ideas that Have Shaped Our World View.* New York: Ballantine, 1991; S. 402. Dt.: *Idee und Leidenschaft.* Frankfurt a. M.: Rogner & Bernhard, 1997.

58 Negative Theologie versucht, Gott durch Negationen zu beschreiben, also nur auszusagen, was auf Gott bzw. das vollkommen Gute nicht zutrifft.

59 Bible and Culture Collective: *The Postmodern Bible.* New Haven: Yale University Press, 1997; S. 135.

60 Terrence W. Tilley (Hg.): *Postmodern Theologies. The Challenge of Religious Diversity.* Maryknoll: Orbis, 1995; S. 160.

61 Tarnas: *The Passion of the Western Mind;* S. 402.

62 Siehe T. J. J. Altizer, William Hamilton: *Radical Theology and the Death of God.* Indianapolis: Bobbs-Merrill, 1966.

63 David L. Miller: *The New Polytheism. Rebirth of the Gods and Goddesses.* New York: Harper and Row, 1974.

64 Mit den Worten von Mary Eberstadt, einer wissenschaftliches Mitarbeiterin an der *Hoover Institution* der *Stanford University:* „Wie auch jeder weiß, spricht vieles im gegenwärtigen Geschehen zumindest in Westeuropa dafür: Ältere Geistliche in kinderlosen Kirchen, die eine Handvoll Rentner besuchen, Touristenscharen in Notre Dame und anderen Kathedralen, die sich um immer leerere Kirchenbänke drängen, die für Betende abgetrennt wurden, ehemalige Abteien und Stifte, in Luxushotels und Genießer-Wellness-Einrichtungen umgewandelte Klöster, hier und da jahrzehntelang leerstehende Kirchen, aus denen dann Discos oder Moscheen gemacht werden. Kaum ein Tag vergeht, ohne dass derartige Nachrichten von der postchristlichen Front kommen. Wenn Gott im Sinne Nietzsches tot sein sollte, würde man vermuten, dass die Nachwellen dem sehr ähnlich sehen." Mary Eberstadt: *How the West Really Lost God. A New Look at Secularization.* West Conshohocken: Templeton, 2013; S. 2.

Kapitel 3: *Carl Gustav Jungs Traum von einer „Neuen Menschheit"*

65 Mircea Eliade, ein enger Mitarbeiter von C. G. Jung, gebrauchte diesen Begriff. Siehe David Cave: *Mircea Eliade's Vision for a New Humanism.* Oxford: Oxford University Press, 1993.

66 C. G. Jung: *The Red Book. Liber Novus.* Hg. v. Sonu Shamdasani. New York: Norton, 2009; S. 211. Dt.: *Das Rote Buch.* Ostfildern: Patmos, 2017.

67 John Dourley: *The Illness That We Are. A Jungian Critique of Christianity.* Toronto: Inner City Books, 1984; S. 158.

68 C. G. Jung: „The Difference between Eastern and Western Thinking" in *The Portable Jung.* Hg. v. Joseph Campbell. New York: Penguin, 1976; S. 476.

69 Ohne Stellenangabe zitiert in Richard Noll: *The Aryan Christ. The Secret Life of Carl Jung.* New York: Random House, 1997; S. 65.

70 Noll: *The Aryan Christ;* S. 54.

71 Huston Smith bemerkt: „Die Welt hat genug von der Sinnlosigkeit, die durch die Moderne Einzug hielt. Der Fehler der Moderne war zu meinen, dass die erfahrbare Welt, die wir mit unseren körperlichen Sinnen beobachten (einschließlich der wissenschaftlichen Schlüsse, die wir daraus ziehen), die einzige Welt sei, die es gibt. C. G. Jung und die transpersonale Psychologie haben diesen Fehler aufgedeckt und an seiner Veränderung gearbeitet." Smith: „The Re-enchantment of the World." Vortrag am

Pacifica Graduate Institute, Santa Barbara, 20.05.2005. http://www.pacifica.edu/public-programs/public-programs-previous-events/masters2005/masters-huston-smith.

72 Harry Oldmeadow: „C. G. Jung & Mircea Eliade. ‚Priests without Surplices?' Reflections on the Place of Myth, Religion and Science in Their Work." Bendigo Department of Humanities, La Trobe University, Studies in Western Tradition, Occasional Papers Series 1, 1995.

73 Noll: *The Aryan Christ;* S. 158.

74 Richard Noll: *The Jung Cult. Origins of a Charismatic Movement.* Princeton: Princeton University Press, 1994.

75 Noll: *The Aryan Christ;* S. xv.

76 Noll: *The Aryan Christ;* S. 159.

77 David Cloud: *The New Age Tower of Babel.* Way of Life Literature: Amazon Digital Services eBook, 2011; keine Seitenangabe.

78 *Die sieben Belehrungen der Toten* (Septem Sermones ad Mortuos, 1916), in Aniela Jaffé (Hg.): *Erinnerungen, Träume und Gedanken von C. G. Jung.* Olten: Walter, 1995; S. 388–398.

79 Norvene Vest: Re-visioning Theology. A Mythic Approach to Religion. New York: Paulist, 2011; S. 50.

80 C. G. Jung: *Analytical Psychology. Notes of the Seminar Given in 1925.* Princeton: Princeton University Press, 1989; S. 86; 98.

81 June Singer: *Androgyny. Toward a New Theory of Sexuality.* New York: Doubleday, 1976; S. 255; 264.

82 Ebd.

83 Zitiert in Sean Kelly: *Individuation and the Absolute. Hegel, Jung, and the Path Toward Wholeness.* New York: Paulist, 1993; S. 3.

84 Jung: *The Red Book;* S. 360.

85 C. G. Jung: *The Undiscovered Self.* Übers. von R. F. C. Hull. New York: New American Library, 1958; S. 58. Vgl. J. Budziszewski: „C. G. Jung's War on the Christian Faith." Christian Research Journal 21/3, 1998.

86 Cloud: *The New Age Tower of Babel;* keine Seitenangabe.

87 C. G. Jung: *Memories, Dreams, Reflections.* Hg. v. Aniela Jaffé. New York: Vintage Books, 1989; S. 18; 33. Dt.: *Erinnerungen, Träume und Gedanken.* Düsseldorf: Patmos, 2011.

88 John Kerr: *A Most Dangerous Method. The Story of Jung, Freud, and Sabina Spielrein.* New York: Vintage Books, 2011; S. 50; 54.

89 Jung: *Memories, Dreams, Reflections;* S. 13.

90 Charles Darwin: *Beagle Diary;* 08.03.1836.

91 W. H. Auden: „The Public v. the Late William Butler Yeats." In dem Gesamtwerk von W. H. Auden: *Prose, Band II: 1939–1948.* Hg. v. Edward Mendelson. Princeton University Press, 1996; S. 5.

92 David L. Miller: *The New Polytheism. Rebirth of the Gods and Goddesses.* New York: Harper and Row, 1974.

93 Sonu Shamdasani: *Einführung zu Jung: The Red Book;* S. 215.

94 Jung: *Memories, Dreams, Reflections.*

95 Gilles Quispel: „Gnosis and Psychology." In Robert Segal (Hg.): *The Allure of Gnosticism. The Gnostic Experience in Jungian Psychology and Contemporary Culture.* Chicago: Open Court, 1995; S. 13.

96 Richard Tarnas: *The Passion of the Western Mind. Understanding the Ideas that Have Shaped Our World View.* New York: Harmony, 1991; S. 424.

97 Tarnas: *The Passion of the Western Mind;* S. 405.

98 John N. Oswalt: *The Bible among the Myths.* Grand Rapids: Zondervan, 2009; S. 52.

99 Mircea Eliade: *The Two and the One.* University of Chicago Press, 1979; S. 97. Als junger Mann las Eliade begierig die Werke des Freimaurers Manly P. Hall, einschließlich *The Secret Teaching of All Ages. An Encyclopedia of Masonic, Hermetic, Qabbalistic and Rosicrucian Symbolical Philosophy;* 1928. Siehe Mitch Horowitz: *Occult America. The Secret Mystic History of Our Nation.* New York: Bantam, 2009; S. 163.

100 Eliade: *The Two and the One;* S. 46.

101 Eliade: *The Two and the One;* S. 81. Zitiert in Sean M. Kelly: *Individuation;* S. 4. Eliade definiert Individuation als „das Entstehen des Selbst als ein komplexes Ganzes oder als dialektisch sich selbst artikulierende Gesamtheit."

102 Dourley: *The Illness That We Are;* S. 158.

103 C. G. Jung: *Mysterium Coniunctionis. Gesammelte Werke, Band 14.* Hg. und übers. v. Gerhard Adler, R. F. C. Hull. Princeton: Princeton University Press, 2014. Dt. *Mysterium coniunctionis, Band 1 & 2.* Ostfildern: Patmos, 2011.

104 Kelly: *Individuation;* S. 4 beschreibt Individuation als „das Entstehen des Selbst als ein komplexes Ganzes oder dialektisch sich selbst artikulierende Gesamtheit."

105 Noll: *The Aryan Christ;* S. 197.

106 Die entscheidende Bedeutung dieses lange geheimen Buches wird in den Worten des Herausgebers deutlich: „Wenn es erschienen ist, wird es ein ‚Vorher' und ein ‚Nachher' in der Jung-Forschung geben … es wird erst einmal alle Beschreibungen seines Lebens ausradieren." Siehe Sarah Corbett: „The Holy Grail of the Unconscious." The Wall Street Journal, 16.09.2009.

107 Jung: *The Red Book;* S. 214.

108 Jung: *The Red Book;* S. 200–201.

109 Jung: *The Red Book;* S. 205.

110 Jung: *Aion. Gesammelte Werke, Band 9;* S. 41. Dt.: *Aion.* Ostfildern: Patmos, 2011. Jung fand bedauerlich, dass Christus in seinem Gutsein keine Schattenseite hatte, und dass es Gott, dem Vater, der das Licht ist, an Dunkelheit mangelt. Vgl. John Dourley: *The Psyche as Sacrament. A Comparative Study of C. G. Jung and Paul Tillich.* Toronto: Inner City Books, 1981; S. 63.

111 Jung: *The Red Book;* S. 211.

112 Diese Aussage ist auch auf einer der Einführungsseiten abgedruckt. Dt. Zitat: https://www.socialnet.de/rezensionen/9218.php, Abr. 12.02.2024.

113 Jung: *Gesammelte Werke. Band 10;* S. 852; *Band 11;* S. 295. Zitiert in Kelly: *Individuation;* S. 18.

114 Noll: *The Aryan Christ;* S. 157–158.

115 Noll: *The Aryan Christ;* S. 158.

116 Clifford Williams: *Existential Reasons for Belief in God. A Defense of Desires and Emotions for Faith.* Downers Grove: InterVarsity Press, 2011; S. 100–103.

117 Jeffrey Satinover: *Homosexuality and the Politics of Truth.* Grand Rapids: Baker, 1996; S. 47–48. Siehe auch das Werk des jungianischen Psychologen und Assistenzprofessors für Psychologie und Religion am *Chicago Theological Seminary,* C. Michael Smith: *Jung and Shamanism. Retrieving the Soul/ Retrieving the Sacred.* New York: Paulist, 1997. Er beschreibt eine konstruktive Integration von jungscher Analyse und Schamanismus.

118 Satinover: *Politics of Truth;* S. 240. Wer sich wundert, warum die *Episcopal Church* sich jetzt über den Streitpunkt homosexueller Bischöfe entzweit hat, nehme Satinovers Stellungnahme zur Kenntnis: „In den Vereinigten Staaten ist die *Episcopal Church* theologisch und liturgisch mehr oder weniger ein Zweig der jungschen Psychologie geworden." *In The Empty Self. Gnostic and Jungian Foundations of Modern Identity.* Cambridge: Grove Books, 1995. Vgl. Ed Hird: „Carl Jung, Neo-Gnosticism, and the Myers-Briggs Temperament Indicator (MBTI)." Anglican Renewal Ministries of Canada, unveröffentlichtes Manuskript, zuletzt geändert 08.03.1998. http://www3.telus.net/st_simons/arm03.htm

119 Noll: *The Aryan Christ;* S. 213.

120 Don Dariusz Oko: „Avec le pape contre l'homohérésie." Le Courrier de Rome 364, März–April 2013; S. 10.

121 Satinover: *Politics of Truth;* S. 168–169.

122 Sheila Grimaldi-Craig: „Dirty Harry." Frühjahr 1994, Juni 1993; S. 154.

123 Noll: *The Aryan Christ,* S. 207.

124 Christopher Lasch: *The Culture of Narcissism. American Life in an Age of Diminishing Expectations.* New York: Norton, 1991. Dt.: *Das Zeitalter des Narzissmus.* Hamburg: Hoffmann und Campe, 1995.

125 Noll: *The Aryan Christ;* S. xv.

126 Monsignor Robert Hugh Benson: *Lord of the World.* Zitiert in Jim Tonkowich: „Your Faith is Now Intrinsically Offensive. Are You Ready for the Fallout?“ Aquila Report, 01.06.2014. http://theaquilareport.com/ your-faith-is-now-intrinsically-offensive-are-you-ready-for-the-fallout/

Kapitel 4: *Die immerwährende Philosophie – Urprung der zeitgenössischen Spiritualität*

127 Catherine L. Albanese: *A Republic of Mind and Spirit. A Cultural History of American Metaphysical Religion.* New Haven: Yale University Press, 2007; S. 5.

128 Tony Schwartz: *What Really Matters. Searching for Wisdom in America.* New York: Bantam, 1995; S. 431. Interessanterweise erkennt er die Verschmelzung von der jungschen Psychologie mit der neuen Spiritualität.

129 George B. Shaw im Vorwort zu Plays *Pleasant and Unpleasant,* Band 2, 1898.

130 Antoine Favre: „Renaissance Hermeticism and Western Esoterism.“ in Roelof van den Broek, Wouter J. Hanegraaff: *Gnosis and Hermeticism from Antiquity to Modern Times.* Albany: State University of New York Press, 1998; S. 110.

131 Peter Occhiogrosso: *The Joy of Sects. A Spirited Guide to the World's Religious Traditions.* New York: Doubleday, 1996; S. xvi. Siehe auch Favre: „Renaissance Hermeticism“; S. 114; 120.

132 Aldous Huxley: *The Perennial Philosophy. An Interpretation of the Great Mystics, East and West.* New York: HarperPerennial, 1944/1945; S. vii. Dt.: *Die ewige Philosophie – Philosophia perennis.* Freiburg: Nietzsch, 2008; S. 8.

133 Occhiogrosso: *The Joy of Sects;* S. xvi.

134 Occhiogrosso: *The Joy of Sects;* S. xxi.

135 Stanislav Grof: *Psychology of the Future. Lessons from Modern Consciousness Research.* Albany: State University of New York Press, 2000; S. x. Siehe auch James Olney: *The Rhizome and the Flower. The Perennial Philosophy – Yeats and Jung.* Berkeley: University of California Press, 1980.

136 Zitiert in James Herrick: *The Making of the New Spirituality. The Eclipse of the Western Religious Tradition.* Downers Grove: InterVarsity Press, 2003; S. 241.

137 Phil Cousineau (Hg.): *The Way Things Are. Conversations with Huston Smith.* Berkeley: University of California Press, 2003; S. 80.

138 Siehe Philip Goldberg: *American Veda. From Emerson and the Beatles to Yoga and Meditation. How Indian Spirituality Changed the West.* New York: Harmony, 2013; S. 104.

139 A. d. Ü.: Im Englischen werden solche Begriffe sonst kleingeschrieben.

140 „Tradition and Modernity." Sacred Web Journal, September 2006.

141 Foster Bailey: *The Spirit of Masonry.* New York: Lucis Trust, 1957; S. 83.

142 Das Evangelium nach Philippus, NHC II, 3, 69a. In: *Nag Hammadi Deutsch.* Berlin: de Gruyter, 2010; S. 152.

143 Rhonda Byrne: *The Secret.* New York: Atria Books, 2006; vordere Umschlaginnenseite und S. v. Dt: *The secret – Das Geheimnis.* München: Goldmann, 2007.

144 Don Richard Riso, Russ Hudson: *The Wisdom of the Enneagram.* New York: Bantam Books, 1999; S. 9; 21. Dt.: *Die Weisheit des Enneagramms.* München: Goldmann, 2000. Diese bedeutenden Gelehrten und innovativen Denker bezüglich des Umgangs mit Gurdjieffs Enneagramm stellen fest: „Das moderne Enneagramm als Persönlichkeitstypologie wurde aus vielen verschiedenen spirituellen und religiösen Traditionen zusammengesetzt. Vieles von ihm ist eine Verdichtung allgemeingültiger Weisheit, der immerwährenden Philosophie, die Christen, Buddhisten, Muslime (insbesondere die Sufis) und Juden (in der Kabbala) in Jahrtausenden zusammengetragen haben. Der Kern des Enneagramms besteht in der Erkenntnis, dass Menschen geistige, in die materielle Welt inkarnierte Wesenheiten sind und doch auf mysteriöse Weise dasselbe Leben und denselben Geist wie der Schöpfer verkörpern. Hinter den oberflächlichen Unterschieden und Erscheinungen, hinter den Schleiern der Illusion leuchtet das Licht der Göttlichkeit in jedem Individuum." Für weitere Informationen über den Gebrauch des Enneagramms empfehle ich sehr Pam Frost: „Pagan Contemplative Techniques" in Peter Jones (Hg.): *On Global Wizardry. Techniques of Pagan Spirituality and a Christian Response.* Escondido: Main Entry Editions, 2010; S. 186–202.

145 Riso, Hudson: *Wisdom of the Enneagram;* S. 60.

146 Huston Smith: *Beyond the Postmodern. The Place of Meaning in a Global Civilisation.* Wheaton: Quest Books, 2003; S. 46.

147 Ronald Hutton: „Revisionism and Counter-Revisionism in Pagan History." Pomegranate. The International Journal of Pagan Studies 13/2, 2011. www.equinoxpub.com/journals/index.php/POM/article/view/16291 ; S. 1.

148 C. G. Jung: *Psychology and Alchemy.* Princeton: Princeton University Press, 1968; S. 306; 312. Zitiert in Glenn Magee: *Hegel and the Hermetic Tradition.* Ithaca: Cornell University Press, 2001; S. 207–208. Dt.: *Psychologie und Alchemie.* Ostfildern: Patmos, 2011.

149 Alice Bailey: *The Destiny of Nations.* New York: Lucis Trust, 1949. Zitiert in Marianne Williamson: *Healing the Soul of America. Reclaiming Our Voices as Spiritual Citizens.* New York: Simon & Schuster, 2000; S. 195.

150 In die Hermetik Eingeweihte behaupten, ihre Tradition sei Teil der immerwährenden Philosophie.

151 Eliphas Lévi: *Transcendental Magic. Its Doctrine and Ritual.* Übers. von Arthur Edward Waite. London: Rider, 1968.

152 Aleister Crowley: *Magick Without Tears, Letter C.* Las Vegas: New Falcon, 1991.

153 Thomas Berry: *The Great Work. Our Way into The Future.* New York: Bell Tower, 1999. Dt.: *Das Wilde und das Heilige.* Uhlstädt-Kirchhasel: Arun, 2011.

154 Berry: *The Great Work;* S. 159.

155 Berry: *The Great Work;* S. 106.

156 Berry: *The Great Work;* S. 2.

157 Christopher Partridge: *The Re-Enchantment of the West. Alternative Spiritualities, Sacralization, Popular Culture, and Occulture.* London: T&T Clark, 2004; S. 68.

158 Joachim Köhler: *Zarathrustra's Secret. The Interior Life of Friedrich Nietzsche.* Übers. von Ronald Taylor. New Haven: Yale University Press, 2002; S. 256. Deutsche Ausgabe: *Zarathustras Geheimnis. Friedrich Nietzsche und seine verschlüsselte Botschaft. Eine Biographie.* Reinbek: Rowohlt, 1992.

159 Köhler: *Zarathrustra's Secret;* S. x (Vorwort der englischen Ausgabe)

160 Jessie Weston: *From Ritual to Romance,* 1920. Zitiert in Mark Gaffney: *Gnostic Secrets of the Naassenes. The Initiatory Teachings of the Last Supper.* Rochester: Inner Traditions, 2004; S. 173.

161 James Garlow, Peter Jones: *Cracking Da Vinci's Code. You've Read the Fiction, Now Read the Facts.* Colorado Springs: Victor, 2004.

162 Foster Bailey: *The Spirit of Masonry.* New York: Lucis Trust, 1957; S. 120–121.

163 C. G. Jung: „The Difference between Eastern and Western Thinking." In *The Portable Jung.* Hg. v. Joseph Campbell. New York: Penguin, 1976; S. 476.

164 C. G. Jung: *Letters. Band 2;* S. 138. Zitiert in Dourley: *The Illness That We Are. A Jungian Critique of Christianity.* Toronto: Inner City Books, 1984; S. 35.

Kapitel 5: *Die spirituelle und sexuelle Revolution der „Sechziger"*

165 Richard Noll: *The Jung Cult. Origins of a Charismatic Movement.* Princeton: Princeton University Press, 1994.

166 Bob Dylan: „The Times They Are a-Changin'." Auf The Times They are a-Changin', Columbia 8786, 1964, 33⅓ U/min.

167 Colin Campbell: *The Easternization of the West. A Thematic Account of Cultural Change in the Modern Era.* Boulder: Paradigm, 2007; S. 375.

168 C. G. Jung: *Memories, Dreams, Reflections.* Hg. v. Aniela Jaffé. New York: Vintage Books, 1989; S. 232.

169 Jung: „The Difference between Eastern and Western Thinking"; S. 476.

170 C. G. Jung: *Letters. Band 2;* S. 138.

171 C. G. Jung an H. G. Baynes, 12.08.1940. In *Letters.* Hg. v. Gerhard Adler, übers. von R. F. C. Hull. Princeton University Press, 1973; Band 1; S. 285.

172 The 5th Dimension: „Medley. Aquarius / Let the Sunshine In (The Flesh Failures)." Auf The Age of Aquarius. Soul City, 1967, 33⅓ U/min.

173 Don McLean: „American Pie." Auf American Pie. United Artists, 1971, 33⅓ U/min.

174 Don McLean: „Commentary. Buddy Holly, Rock Music Genius." CNN, 01.02.2009. http://www.cnn.com/2009/SHOWBIZ/Music/02/01/mclean.buddy.holly/ .

175 A. d. V.: Der Begriff des „New Age" ist in Deutschland weitgehend aus der Debatte verschwunden, wobei der Inhalt des New-Age-Denkens allgegenwärtig ist. Wie der Autor später schreibt: Die New-Age-Bewegung ist nicht „verschwunden, wie manche dachten, sondern zum Mainstream geworden".

176 Peter Collier, David Horowitz: *Destructive Generation. Second Thoughts about the Sixties.* Los Angeles: Second Thoughts Books, 1989.

177 „Episode 2: Joseph Campbell and the Power of Myth – ‚The Message of the Myth'." 08.03.2013. http://billmoyers.com/content/ep-2-joseph-campbell-and-the-power-of-myth-the-message-and-the-myth-audio/

178 Mark Gaffney: *Gnostic Secrets of the Naassenes. The Initiatory Teachings of the Last Supper.* Rochester: Inner Traditions, 2004; S. 5.

179 *Nag Hammadi Deutsch.* Berlin: de Gruyter, 2010.

180 James Robinson: *The Nag Hammadi Library in English.* Leiden: Brill, 1977; Einführung, S. 1.

181 C. G. Jung hielt 1932 ein bedeutendes Seminar über Yoga, das später in Buchform veröffentlicht wurde. Sonu Shamdasani (Hg.): *The Psychology of Kundalini Yoga: Notes of the Seminar Given in 1932 by C. G. Jung.* Princeton: Princeton University Press, 1996. Dt.: *Die Psychologie des Kundalini-Yoga.* Ostfildern: Patmos, 2019.

182 Philip Goldberg: *American Veda. From Emerson and the Beatles to Yoga and Meditation, How Indian Spirituality Changed the West.* New York: Harmony, 2013.

183 Goldberg: *American Veda;* S. 5.

184 Colin Campbell: *The Easternization of the West. A Thematic Account of Cultural Change in the Modern Era.* Boulder: Paradigm, 2007; S. 39–41.

185 Sachi Fujimori: „Health care profession is increasingly adopting meditation." The Record, 03.09.2013. http://www.northjersey.com/news/222032201_Health_care_profession_is_increasingly_adopting_meditation.html?page=all#sthash.gEbakD3d.dpuf.

186 Siehe Kapitel 9.

187 Mary Eady: *Letter to a Friend. Yoga.* Escondido: Main Entry Editions, 2013. Siehe auch Pam Frost: „Oneist Spirituality." Vortrag, truthXchange, Escondido, März 2011, MP3; 1:01:59. https://truthxchange.com/wp-content/uploads/2011/03/1-5-2011_Frost_One-ist%20Spirituality.mp3 und Frost: „Eastern Spiritual Visions of Utopian Oneism." Vortrag, truthXchange, Escondido, (CA), Februar 2013, MP3; 52:09. https://truthxchange.com/wp-content/uploads/2013/02/Wednesday-Morning-lecture-Pam-Frost-64kbps.mp3 .

188 Dr. David Frawley: *How to Become a Hindu. A Guide for Seekers and Born Hindus.* Kapaa: Himâlayan Academy, 1989.

189 C. G. Jung: „‚Unus Mundus' and Synchronicity." Zitiert ohne Quellenangabe in Bernie Quigley: „John Lennon's Shamanic Journey." Free Liberal, 19.08.2005.

190 Heather Eaton: „Ecofeminism, Cosmology and Spiritual Renewal." Eglise et Théologie 29, 1998; S. 120.

191 Hippolyt (170–236 n. Chr.) belegte, dass die Gnostiker seiner Zeit einen religionsübergreifenden Glauben praktizierten und „die Weisheit der Heiden" suchten (*Philosophumena,* 5:9:10). Er stellte fest, dass christliche Gnostiker den Zeremonien der Mysterienkulte beiwohnten, in denen die Große Mutter, die Göttin Isis, verehrt wurde, um „das weltumfassende Geheimnis" zu verstehen.

192 Christopher Partridge: *The Re-Enchantment of the West. Band 1. Alternative Spiritualities, Sacralization, Popular Culture, and Occulture.* London: T&T Clark, 2004; S. 38–40.

193 Ebd.

194 Richard Tarnas: *Cosmos and Psyche. Intimations of a New World.* New York: Penguin, 2006; S. xiii.

195 Richard Noll: *The Aryan Christ. The Secret Life of Carl Jung.* New York: Random House, 1997; S. 77.

196 Das sind ausgesuchte Sätze von Autorinnen wie Mary Daly, Professorin der Theologie am *Boston College* und Autorin von *Pure Lust. Elemental Feminist Philosophy.* St. Paul: Women's Press, 1998.

197 Daly: *Pure Lust;* S. 65.

198 Herbert Marcuse: *Eros and Civilisation. A Philosophical Inquiry into Freud.* Boston: Beacon, 1955, 1966; S. xv; xix; 3. Dt.: *Schriften, Band 5, Triebstruktur und Gesellschaft.* Frankfurt a. M.: Suhrkamp, 1979.

199 Marcuse: *Eros and Civilisation;* S. 147–148.

200 Marcuse: *Eros and Civilisation;* S. xxvii.

201 Marcuse: *Eros and Civilisation;* S. 201.

202 Alfred C. Kinsey: *Sexual Behavior in the Human Male.* Bloomington: Indiana University Press, 1948, 1998; und *Sexual Behavior in the Human Female.* Bloomington: Indiana University Press, 1953, 1998. Vgl. die Kritik an Kinsey und seinen pseudowissenschaftlichen Methoden in Judith A. Reisman: *Kinsey. Crimes and Consequences.* Crestwood: The Institute for Media Education, 1998, 2000. Wie C. G. Jung wurde Kinsey von der Rockefeller-Stiftung großzügig unterstützt; siehe Reisman: *Kinsey;* S. 38–39.

203 Der britische Homosexuellenaktivist Peter Tatchell bekundete 2013: „Das *London Gay Liberation Front Manifesto* 1971 veränderte mein Bewusstsein und prägte die moderne LGBT-Identität. Es machte uns stolz und vermittelte Vision. Wir wagten, von einer anderen, besseren Welt zu träumen, einschließlich der Befreiung der ganzen Menschheit." http://www.petertatchell.net/lgbt_rights/history/Gay-Liberation-Front-ManifestoLondon-1971.htm

204 Alan Sears, Craig Osten: *The Homosexual Agenda. Exposing the Principal Threat to Religious Freedom Today.* Nashville: Broadman & Holman, 2003; David Kupelian: *The Marketing of Evil.* Los Angeles: WND Books, 2005; S. 23.

205 Marshall Kirk, Hunter Madsen: *After the Ball. How America Will Conquer its Fear and Hatred of Gays in the 90s.* New York: Plume, 1990; S. 155.

206 Sears, Osten: *The Homosexual Agenda;* S. 45.

207 Kirk, Madsen: *After the Ball;* S. 17.

208 Siehe http://www.gallup.com/poll/147824/adults-estimate-americans-gay-lesbian.aspx

209 Zwei weitere Studien bestätigen den geringen Prozentsatz Homosexueller: Eine Studie des *Williams Institute* aus dem Jahr 2011 fand heraus, dass 1,7 % der erwachsenen US-Amerikaner und Amerikanerinnen homosexuell sind; und eine ältere Studie des Alan Guttmacher Institute, die „1991 über 3300 Männer landesweit befragte, fand heraus, dass nur 2,3 % der Befragten zugab, in den vergangenen zehn Jahren gleichgeschlechtliche sexuelle Erfahrungen gemacht zu haben; nur 1,1 % sagten, dass sie ausschließlich homosexuell gewesen sind". Peter LaBarbera: „The ‚10 % Gay' Myth Is Officially Dead." Americans For Truth, 14.07.2014.

210 Peter Montgomery: „Historic Pro-Gay Equality Shift Led by Millennials – Evangelicals Included." Religion Dispatches, 30.08.2011. http://religiondispatches.org/historic-pro-gay-equality-shift-led-by-millennials-evangelicals-included/.

211 Anjana Sreedhar: „74 % of Millennials Support Gay Marriage." Policy. Mic, 25.03.2013. http://mic.com/articles/30916/74-of-millennials-support-gay-marriage.

212 Sears, Osten: *The Homosexual Agenda;* S. 67.

213 Montgomery: „Historic Pro-Gay Equality Shift."

214 Kathryn C. Montgomery: *Target. Prime Time. Advocacy Groups and the Struggle over Entertainment Television.* New York: Oxford University Press, 1989; S. 78–79.

215 David Ehrenstein: „More than Friends." Los Angeles Magazine, Mai 1996.

216 Dr. Mary Klages: *Queer Theory. Definition & Literary Example.* Boulder: University of Colorado, Herbst 2005. Zitiert in einem Lehrplan von Dr. Katherine Harris. http://www.sjsu.edu/faculty/harris/Eng101_QueerDef.pdf.

217 Noll: *The Aryan Christ.*

218 Virginia Ramey *Mollenkott: Omnigender. A Trans-Religious Approach.* Cleveland: Pilgrim Press, 2001; S. 41; 74.

219 Diese Liste habe ich auch in frühere Bücher und Veröffentlichungen aufgenommen, dennoch ist sie hier wichtig.

220 Hier ist eine Person mit einer seltenen medizinischen Anomalie der Geschlechtsorgane gemeint, die jedoch keine angeborene zweigeschlechtliche Identität bezeichnet. Nichtsdestotrotz stellt dieses Leiden Ärzte und Eltern vor schwierige Entscheidungen, die bei der betroffenen Person im Erwachsenwerden zu Verwirrung führen kann.

221 Mollenkott schlägt dies als sinnvolle vorübergehende Herangehensweise für junge Leute vor, die sich ihres Geschlechts unsicher sind (*Omnigender;* S. 69).

222 Mollenkott: *Omnigender;* S. 70.

223 Überraschenderweise fehlt auf dieser List die Polyamorie, die gleichzeitige Liebe zu mehr als einer Person – vielleicht war sie ohnehin vorausgesetzt!

224 June Singer: *Androgyny. Toward a New Theory of Sexuality.* New York: Doubleday, 1976. Dt.: *Nur Frau – nur Mann? – Wir sind auf beides angelegt.* München: Pfeiffer, 1981. Siehe auch Singer: *Boundaries of the Soul. The Practice of Jung's Psychology.* New York: Anchor, 1972; 1994.

225 Singer: *Androgyny;* S. 207.

226 Singer: *Androgyny;* S. 333.

227 Martii Nissinen: *Homoeroticism in the Biblical World. A Historical Perspective.* Minneapolis: Fortress, 1998; S. 28. Bezüglich der folgenden Aussagen über diese Epoche bin ich Nissinens Arbeit sehr zu Dank verpflichtet. Helmer Ringgren bestätigt sie und spricht von nackten „Eunuchen", die zum Kult der sumerischen Göttin Inanna (Ischtar) gehören, der einen *hierós-gámos*-Ritus einschließt. (*Religions of the Ancient Near East.* Übers. von John Sturdy. Philadelphia: Westminster, 1973; S. 25).

228 Neal H. Walls: *The Goddess Anat in Ugaritic Myth. SBL Dissertation Series 135.* Atlanta: Scholars Press, 1992; S. 83.

229 Zitiert in Turcan: *The Cults of the Roman Empire.* Hoboken: Wiley-Blackwell, 1997; S. 58. Mehr zur antiken Vorstellung über die Androgynie finden Sie in Peter Jones: „Androgyny. The Pagan Sexual Ideal." Journal of Evangelical Theological Studies 43/3, September 2000; S. 443–469. Siehe auch: *The God of Sex. How Spirituality Defines Your Sexuality.* Escondido: Main Entry Editions, 2006; Kapitel 4.

230 Singer: *Androgyny;* S. 333. Singer bestätigt, was Mircea Eliade in schamanischen Kulten „rituelle Androgynie" nannte. Siehe Eliade: *Patterns of Comparative Religions.* New York: New American Library, 1974; S. 420–421; *Myth, Dreams and Mysteries.* New York: Harper, 1974; S. 174–175; *Shamanism.* Princeton: Princeton University Press, 1964; S. 352.

231 Philip Rieff: T*he Triumph of the Therapeutic. Uses of Faith after Freud.* New York: HarperTorch, 1966.

232 Rod Dreher: „What Is ‚Traditional Christianity,' Anyway?" The American Conservative, 24.07.2014. http://www.theamericanconservative.com/dreher/what-is-traditional-christianity-anyway/.

233 Anthony Campolo: *Carpe Diem.* Dallas: Word, 1994; S. 85.

234 Siehe Jenell Williams Paris: *The End of Sexual Identity.* Downers Grove: InterVarsity Press, 2011.

Kapitel 6: *Eine zerstörerische Generation*

235 Wayne Baker: *United America. The Surprising Truth about American Values, American Identity, and The Ten Beliefs that a Large Majority of Americans Hold Dear.* Canton: Read the Spirit, 2014; S. 207.

236 Deroy Murdock: „The United States of Decline. America Unravels at an Increasingly Dizzying Pace." National Review Online, 17.02.2014. http:// www.nationalreview.com/article/371248/united-states-decline-deroy-murdock.

237 Patrick Buchanan: *The Death of the West. How Dying Populations and Immigrant Invasions Imperil Our Country and Civilisation.* New York: St. Martin's, 2002; S. 145.

238 Buchanan: *The Death of the West;* S. 2.

239 Mark Steyn: *America Alone. The End of the World as We Know It.* Washington: Regnery, 2006; S. xvi; xiii; xix. Diese entmutigende Vorhersage beruht auf seiner Beobachtung, dass die Menschen im Westen keine Kinder mehr haben wollen.

240 Ben Velderman: „Pennsylvania mom of 7 dies in jail over unpaid school-related fines." EAGnews.org, 13.06.2014. http://eagnews.org/ pennsylvania-mom-of-7-dies-in-jail-over-unpaid-school-related-fines/ .

241 David Kinnaman, Gabe Lyons: *UnChristian. What a New Generation Really Thinks about Christianity.* Grand Rapids: Baker, 2007. Dt.: *Unchristlich – was eine neue Generation über Christen denkt.* Holzgerlingen: Hänssler, 2008.

242 Kinnaman, Lyons: *UnChristian;* S. 126.

243 Janice Shaw Crouse sagt, dass „wir uns mitten in einer Epidemie sexuell übertragbarer Krankheiten mit 20 Millionen Neuinfektionen pro Jahr befinden. Die meisten betreffen 15- bis 25-Jährige, dreimal so viele wie noch vor sechs Jahren." Siehe Crouse: „The Culture's War on Women." The American Spectator, 02.09.2013. http://spectator.org/articles/54981/cultures-war-women.

244 Kinnaman, Lyons: *UnChristian;* S. 139.

245 „A Tragedy. Teens Unprepared For Life … And Eternity. Given the statistics, every Christian parent ought to be horrified at the prospect of sending their children off to college." (Douglas Bond in seiner Rezension von Alex Chediak: „Preparing Your Teens for College." Aquila Report, 25.03.2014. http://theaquilareport. com/a-tragedy-teens-unprepared-for-life-and-eternity/

246 Albert Mohler: „A Clear and Present Danger. Religious Liberty, Marriage, and the Family in the Late Modern Age." Vortrag, Brigham Young University, Salt Lake City, 21.10.2013.

247 „Divorce in America (infographic)." Daily Infographic, 24.10.2013. http://dailyinfographic.com/divorce-in-america-infographic . Gemäß der weniger dramatischen Zahlen der *American Psychological Association* von 2014 werden etwa 40 bis 50 % der verheirateten Paare in den Vereinigten Staaten geschieden. http://www.apa.org/topics/divorce/.

248 Aparna Mathur, Hao Fu, Peter Hansen: „The Mysterious and Alarming Rise of Single Parenthood in America." The Atlantic, 03.09.2013. http://www.theatlantic.com/business/archive/2013/09/the-mysterious-and-alarming-rise-of-single-parenthood-in-america/279203/

249 Crouse: „The Culture's War on Women."

250 Ben S. Carson: „MLK would be alarmed by black-on-black violence, lack of family values." Washington Times, 28.08.2013. http://www.washingtontimes.com/news/2013/aug/28/i-have-a-dream-50-years-later/#ixzz2dHLYuNnO

251 Crouse: „The Culture's War on Women."

252 Zitiert in Peter Wehner: „America's Exodus from Marriage." Commentary Magazine, 17.01.2013. https://www.commentarymagazine.com/2013/01/17/americas-exodus-from-marriage/

253 Zitiert in Wehner: „America's Exodus from Marriage".

254 Joe Boot: *The Mission of God. A Manifest of Hope.* Ontario: Freedom Press International, 2014; S. 380.

255 Boot: *The Mission of God;* S. 380.

256 Sean Piccoli: „The Cheat Goes On at Harvard." New York Post, 06.09.2013. http://nypost.com/2013/09/06/the-cheat-goes-on-at-harvard

257 Charlotte Miller: „Mobile adult subscription revenues to reach almost $1 billion by 2015." Juniper Research, Pressemitteilung, 02.05.2012. http://www.juniperresearch.com/viewpressrelease.php?pr=306

258 William M. Struthers: *Wired for Intimacy. How Pornography Hijacks the Male Brain.* Downers Grove: InterVarsity Press, 2009; S. 43.

259 Struthers: *Wired for Intimacy;* S. 55.

260 Struthers: *Wired for Intimacy;* S. 59. Vgl. Al Mohler: „How Pornography Works. It Hijacks the Male Brain." Rezension von William Struthers: *Wired for Intimacy.* AlbertMohler.com, 09.10.2013. http://www.albert-mohler.com/2013/10/09/ how-pornography-works-it-hijacks-the-male-brain/

261 Struthers: *Wired for Intimacy;* S. 45.

262 *Covenant Eyes,* ein internet-basiertes Programm zur Filterung pornografischer Inhalte und zur Rechenschaftslegung mit christlichem Hintergrund, bietet in seinem Blog mehr zu diesem beunruhigenden Trend und wie man vorbeugen kann. Besuchen Sie www.covenanteyes.com

263 Struthers: *Wired for Intimacy;* S. 59.

264 David Limbaugh: „Is this Still the America We Thought We Knew?" Townhall.com, 20.09.2013. http://townhall.com/columnists/davidlimbaugh/2013/09/20/is-this-still-the-america-we-thought-we-knew-n1704833/page/full

265 Phillip Rieff: *The Triumph of the Therapeutic. Uses of Faith After Freud.* New York: HarperTorch, 1966.

266 Rod Dreher: „Sex After Christianity." The American Conservative, 11.04.2013. http://www.theamericanconservative.com/articles/sex-after-christianity/.

267 Zitiert in Dreher: „Sex After Christianity."

268 Dreher: „Sex After Christianity."

269 Rebecca Downs: „Presbyterian Church USA Turns More Secular as it Strikes Down Pro-Life Principles." Institute on Religion and Democracy, 27.06.2014. http://juicyecumenism.com/author/rebecca-downs/

270 Jeff Walton: „National Cathedral ‚Comes Out' With Transgender Preacher." Institute on Religion and Democracy, 01.07.2014. http://juicyecumenism.com/2014/06/25/national-cathedral-comes-out-with-transgender-preacher/

271 Charles Murray: *Coming Apart. The State of White America 1960–2010.* New York: Random House, 2012; S. 294–295.

272 Robert E. Webber: *Who Gets to Narrate the World? Contending for the Christian Story in an Age of Rivals.* Downers Grove: InterVarsity Press, 2008.

273 Webber: *Who Gets to Narrate the World?;* S. 37.

274 Robert R. Reilly: *Making Gay Okay. How Rationalizing Homosexual Behavior Is Changing Everything.* San Francisco: Ignatius, 2014; S. 72.

275 John Adams: „Message from John Adams to the Officers of the First Brigade of the Third Division of the Militia of Massachusetts" vom 11.10.1798. http://oll.libertyfund.org/titles/2107

276 Zitiert in Eric Erickson: „Morning Briefing". RedState, 28.08.2013.

277 Zitiert in The New American, 04.02.2013; S. 9.

278 Bari Weiss: „Camille Paglia. A Feminist Defense of Masculine Virtues." The New York Times, 28.12.2013: „Das Militär ist unmodern; Amerikaner schätzen Arbeit mit den Händen gering; Schulen kastrieren Schüler; [und] Meinungsmacher leugnen die biologischen Unterschiede zwischen Männern und Frauen."

279 Melanie Phillips: *The World Upside Down. The Global Battle Over God, Truth and Power.* New York: Encounter, 2010; S. 316.

280 Brian McLaren: *Finding Our Way Again. The Return of the Ancient.* Nashville: Thomas Nelson, 2008; S. 4–5. Dt.: *Dem Leben wieder Tiefe geben.* Gießen: Brunnen, 2009.

281 Dianna Butler Bass: *Christianity After Religion. The End of the Church and the Birth of a New Spiritual Awakening.* New York: HarperOne, 2012; S. 30. Eine entgegengesetzte Sicht findet sich in Carl R. Trueman: *The Creedal Imperative.* Wheaton: Crossway, 2012.

282 Bass: *Christianity After Religion;* S. 224.

283 Bass: *Christianity After Religion;* S. 1–2. Sie zitiert William McLoughlin: *Revivals, Awakenings and Reform.* Chicago: University of Chicago Press, 1978. Siehe auch Bass: *Christianity After Religion;* S. 5. Dort fragt sie: „Was wäre, wenn die Erweckung nicht eine ausschließlich christliche Angelegenheit wäre, sondern wenn eine bestimmte Ausprägung des Christentums eine bedeutende Rolle dabei spielte, die Konturen einer neuen Art von Glauben jenseits herkömmlicher religiöser Grenzen zu zeichnen?"

284 Michael J. Boyle: „The Problem With ‚Evil'. The Moral Hazard of Calling ISIS a ‚Cancer'." The New York Times, 22.08.2014.

285 Zitiert in Penny Starr: „Panelist at Podesta Think Tank on Common Core. ‚The Children Belong to All of Us'." CNS News, 03.02.2014. http://cnsnews.com/news/article/penny-starr/panelist-podesta-think-tank-common-core-children-belong-all-us#sthash.4a1BcUkT.dpuf

286 Rob Bell: *Love Wins. A Book about Heaven, Hell, and the Fate of Every Person Who Ever Lived.* San Francisco: HarperOne, 2011. Dt.: *Das letzte Wort hat die Liebe.* Gießen: Brunnen, 2013.

287 Siehe Joe Boots faszinierende Behandlung dieses Themas in „The Oneist Utopia. Always a Dystopian Nightmare." In Peter Jones (Hg.): *The Coming Pagan Utopia. Christian Witness in Tough Times.* Escondido: Main Entry Editions, 2014; S. 15–51. Siehe auch Dennis Johnsons Beitrag in demselben Band: „God's Final Eutopia"; S. 239–259.

288 Eine interessante Behandlung des Transhumanismus bietet James Herricks diesbezüglicher Vortrag auf dem truthXchange Think Tank 2014. http://truthxchange.com/?s=transhumanism.

289 Cal Beisner: „Newsletter." Cornwall Alliance, 16.01.2014.

290 Jenell Williams Paris: *The End of Sexual Identity.* Downers Grove: InterVarsity Press, 2011; S. 97; 100; 109.

291 Beemyn, Rankin: „Can We Put an End to the Gender Binary?"

292 http://www.dartmouth.edu/livinglearning/communities/genderneutral.html

293 https://www2.oberlin.edu/stupub/ocreview/archives/2001.04.13/news/article02.htm

294 Stephanie Chan: „Andreja Pejic Comes Out as a Transgender Woman." Pret-aReporter, 25.07.2014.

295 David Kupelian: *How Evil Works.* New York: Threshold Editions, 2010; S. 171.

296 James Q. Wilson: *On Character.* Boulder: AEI, 1995.

297 Brian Fitzpatrick: „Gay ‚Marriage'. Distant Consequences." Lambda Report on Homosexuality, 1996.

298 John N. Oswalt: *The Bible among the Myths.* Grand Rapids: Zondervan, 2009; S. 56–57.

299 Siehe Dominic Lynch: „University to Offer ‚Gender-Open' Restrooms." College Fix, 30.07.2014. Das geschieht bereits in bestimmten Hotels und in Dutzenden von Universitäten.

Teil 2 – Dahingegeben

300 A. d. Ü.: D. h. eine mit dem Verstand konstruierte Erklärung zum Zweck der Rechtfertigung.

301 Robert R. Reilly: *Making Gay Okay. How Rationalizing Homosexual Behavior Is Changing Everything.* San Francisco: Ignatius, 2014; S. 10.

Kapitel 7: *Eine Kosmologie radikaler Gleichmacherei*

302 Tony Schwartz: *What Really Matters. Searching for Wisdom in America.* New York: Bantam, 1995; S. 431.

303 Arthur W. Hunt: *The Vanishing Word. The Veneration of Visual Imagery in the Postmodern World.* Eugene: Wipf and Stock, 2013; S. 31.

304 http://www.imdb.com/title/tt0079470/quotes

305 http://www.huffingtonpost.com/deepak-chopra/skepticism-and-a-million-b5522690.html

306 Meine ersten Veröffentlichungen sind auf Französisch erschienen, da ich meinen ersten Lehrauftrag in Frankreich hatte.

307 Peter Jones: *The Gnostic Empire Strikes Back. An Old Heresy for the New Age.* Phillipsburg; P&R, 1992.

308 Steve Bruce: *God Is Dead. Secularization in the West.* Oxford: Blackwell, 2002; S. 156.

309 Zitiert in Bruce: *God Is Dead;* S. 74.

310 Christopher Partridge: *The Re-Enchantment of the West. Alternative Spiritualities, Sacralization, Popular Culture, and Occulture.* London: T&T Clark, 2004; S. 35.

311 Siehe dazu Kapitel 9.

312 Andrew Cohen: „Is Your Ego Big Enough for God?" Big Think. http://bigthink.com/the-evolution-of-enlightenment/is-your-ego-big-enough-for-god

313 Zitiert in Rod Dreher: „Sex After Christianity". The American Conservative, 11.04.2013. http://www.theamericanconservative.com/articles/sex-after-christianity/

314 Dreher: „Sex After Christianity".

315 June Singer: *Androgyny. Toward a New Theory of Sexuality.* New York: Doubleday, 1976; S. 237. Hervorhebung durch PJ.

316 Mary Evelyn Tucker: „The Philosophy of Ch'i as an Ecological Cosmology". In Mary Evelyn Tucker, John Berthrong (Hg.): *Confucianism and Ecology. The Interrelation of Heaven, Earth, and Humans.* Cambridge: Harvard University Center for the Study of World Religions, 1998; S. 187.

317 Thomas Berry: „Christianity's Role in the Earth Project". In Dieter T. Hessel, Rosemary Radford Ruether (Hg.): *Christianity and Ecology. Seeking the Well-Being of Earth and Humans.* Cambridge: Harvard University Center for the Study of World Religions, 2000; S. 134.

318 Ken Wilber: *A Theory of Everything. An Integral Vision for Business, Politics, Science and Spirituality.* Boston: Shambhala, 2000. Dt.: *Ganzheitlich handeln – eine integrale Vision für Wirtschaft, Politik, Wissenschaft und Spiritualität.* Freiburg i. Br.: Arbor, 2017.

319 Wilber: *A Theory of Everything;* S. xii..

320 Wilber: *A Theory of Everything;* S. ix; 37.

321 Wilber: *A Theory of Everything;* S. 83.

322 Bron Taylor (Hg.): *Encyclopedia of Religion and Nature.* London: Continuum, 2005; S. 164. In dem Artikel geht es um „[Berrys] Begegnungen mit den Gedanken von C. G. Jung und Mircea Eliade. Jungs Verständnis des kollektiven Unbewussten, seine Betrachtungen über die Macht archetypischer Symbole und sein Gespür für religiöse Vorgänge führten zu seinem wichtigen Einfluss auf Berrys Denken. Darüber hinaus beeinflussten Mircea Eliades religionsgeschichtlichen Arbeiten Berrys Verständnis von asiatischen and indigenen Überlieferungen."

323 Ernest Sternberg: „Purifying the World. What the New Radical Ideology Stands For." Orbis 54/1, Winter 2010; S. 61–86.

324 Sternberg: „Purifying the World"; S. 63.

325 Ebd.

326 Sternberg: „Purifying the World"; S. 69.

327 Sternberg: „Purifying the World"; S. 74.

328 Herbert Marcuse: *Eros and Civilization. A Philosophical Inquiry into Freud.* Boston: Beacon, 1955; S. xiii–xv.

329 Marcuse: *Eros and Civilization;* S. xix.

330 http://www.newsociety.com/Contributors/F/Farnish-Keith

331 Keith Farnish; *Underminers. A Guide to Subverting the Machine.* Gabriola Island: New Society Publishers, 2013; Einführung.

332 Frances Goldin, *Debby Smith, Michael Steven Smith: Imagine: Living in a Socialist USA.* New York: Harper Perennial, 2014.

333 Paul Buhle: *Marxism in the United States. A History of the American Left.* Ann Arbor: Verso, 1991.

334 Buhle: *Marxism;* Cover.

335 Es geht mir nicht darum, irgendeine bestimmte politische Partei oder deren Programm zu vertreten oder zu missbilligen. Einsheitliche Spiritualität kann nur im politischen Bereich wirken, da ihre Grundannahmen alle Bereiche außer dem Geschaffenen zurückweisen. Christen müssen einsheitliche Einflüsse erkennen, wo immer sie auftreten.

336 David Horowitz: *Barack Obama's Rules for Revolution. The Alinsky Model.* Sherman Oaks: David Horowitz Freedom Center, 2009; S. 26.

337 Paul Buhle stellt optimistisch fest: „Die Realität des zusammenbrechenden Ökosystems ist genauso furchterregend wie das Drohen eines Atomkrieges im ersten Jahrzehnt des Bestehens der Monthly Review. Trotzdem liegen viele Chancen vor uns, auch in unmittelbarer Zukunft. Der immer noch unvollendete Marxismus wird eine große Hilfe dabei sein herauszufinden, worin sie bestehen und was aus ihnen zu machen ist." Paul Buhle: „Marxism, the United States, and the 20th Century". Monthly Review, Mai 2009; S. 61.

338 Buhle: „Marxism"; S. 100.

339 Ebd.

340 „Horowitz At Heritage Foundation. ‚The Communist Party Is The Democratic Party'". Breibart News, 12.11.2013. http://www.breitbart.com/Big-Journalism/2013/11/12/Horowitz-blasts-left-Heritage

341 Paul Hawken: *Blessed Unrest. How the Largest Movement in the World Came Into Being and Why No One Saw It Coming.* London: Penguin, 2007; S. 2.

342 Hawken: *Blessed Unrest;* S. 4.

343 Hawken: *Blessed Unrest;* S. 22.

344 „Umweltschützer erklären, dass die globale Erwärmung nicht aufgehalten werden kann, wenn nicht das ‚hegemoniale kapitalistische System' abgeschafft wird. Sie sagen, dass Emissionshandel und Einsparungsbemühungen ‚trügerische Lösungen [sind]. … Die strukturellen Gründe für den Klimawandel sind mit dem gegenwärtigen kapitalistischen hegemonialen System verbunden.'" Michael Bastasch: „130 Environmental Groups Call for an End to Capitalism." The Daily Caller, 23.07.2014.

345 Hawken: *Blessed Unrest;* S. 25.

346 Siehe Kapitel 4: „Die immerwährende Philosophie – Ursprung der zeitgenössischen Spiritualität".

347 Andrew Cohen: „A New Moral Context." Zitiert in: „2012. What's the ‚real' truth?" 24.05.2012. https://jhaines6.wordpress.com/2012/05/24/a-new-moral-context-from-andrew-cohen/

348 Siehe Boot: „Utopia. Always a Dystopian Nightmare"; S. 15–51.

349 LGBTQQIAAP steht für lesbisch, schwul (gay), bisexuell, transgender/transsexuell, queer, hinterfragend (questioning), asexuell, alliiert und pansexuell sowie für neun weitere sexuelle Identitäten unter dem Dach der Queer-Bewegung.

350 Paula Ettelbrick: „Since When Is Marriage a Pathway to Liberation?" In Robert M. Baird, Stuart Rosenbaum: *Same-Sex Marriage. The Moral and Legal Debate.* New York: Prometheus, 1997; S. 168.

351 „Michelle Obama and Eric Holder decry dangers to Sustainable Racism". RedState, 18.05.2014. Bloggerin Kira Davis: „Moving the Goalpost: The Left

Redefines King's Color-blindness Ideal as Racism." „Um es freiheraus zu sagen: Manche Leute wollen einfach irgendjemanden verantwortlich machen – für alles. Nach innen zu schauen, um unsere Probleme zu lösen, ist zu schmerzhaft. also müssen wir etwas anderes finden, um unsere Schmerzen, Unzulänglichkeiten und Mühen zu erklären." Currentsee, Mai 2014.

352 Paul Kivel: *Living in the Shadow of the Cross. Understanding and Resisting the Power and Privilege of Christian Hegemony.* Gabriola Island: New Society Publishers, 2013; S. 2.

353 Für diese neo-marxistische Neubelebung ist „die Schuld der Weißen" ein gefundenes Fressen, insbesondere vor dem Hintergrund der nordamerikanischen Geschichte. „Rassismus", ein Thema, das tief in die Uneindeutigkeiten menschlicher Beziehungen hineingreift, ist als allgegenwärtig bezeichnet worden (wofür objektive Beweise allerdings fehlen). Eine kritische psychologische Beurteilungsweise hat sich entwickelt, die „rassische Mikroaggression" ausfindig macht, z. B. „abschätzige Blicke, Gesten oder Untertöne" oder unverfängliche Fragen. Etwa „einen Asiaten um Hilfe bei einem mathematischen oder naturwissenschaftlichen Problem zu bitten" enthalte die (beleidigende) rassistische Botschaft, dass „alle Asiaten intelligent seien ...". Siehe Derald Wing Sue et al.: „Racial Microaggressions in Everyday Life". American Psychologist 62/4, Mai–Juni 2007; S. 271–286.

354 Paul Bond: „Dinesh D'Souza's ‚America' to Explore Hillary Clinton's Teenage Years." The Hollywood Reporter, 12.06.2014.

355 Christian Gomez: „Working Together to Rewrite the Constitution." New American, 09.06.2014. In dem Artikel wird Professor Lawrence Lessig von der *Harvard Law School* zitiert, wenn er meint: „Vielleicht ... ist es an der Zeit, die Verfassung umzuschreiben."

356 „Oppressed by the Ivy League." Wall Street Journal, 04.04.2014, Meinungsglosse. http://www.wsj.com/articles/SB1000142405270230398700457947950 1134392562

357 Tracy Cuotto: „Psychology, Astrology and Carl Jung." Metamorphosis Newsletter, August 2004.

358 Vergleichen Sie das mit den Grundauffassungen der Befreiungstheologie: „Der Marxismus liefert ein wissenschaftliches Verständnis der Unterdrückungsmechanismen in der Welt auf Orts- und Länderebene. Er bietet die Vision einer neuen Welt, die als sozialistische Gesellschaft aufgebaut werden muss, der erste Schritt auf eine klassenlose Gesellschaft zu, in der wahre Geschwisterlichkeit hoffnungsvoll möglich sein kann und für die alles geopfert werden muss." *Declaration of the Indian Theological Association.* Delhi: Vidyajyoti College of Theology, April 1986.

359 Eliphas Lévi: *Transcendental Magic. Its Doctrine and Ritual.* Übers. v. Arthur Edward Waite. London: Rider, 1968.

Kapitel 8: *Heidnische Kosmologie der Synthese: Die Vereinigung von Vernunft und Geist*

360 Mike King: *Postsecularism. The Hidden Challenge to Extremism.* Cambridge: James Clark, 2009; S. 105.

361 King: *Postsecularism;* S. 105.

362 Weitere zeitgenössische Wissenschaftler, die den Begriff „postsäkular" gebrauchen, finden sich in James K. A. Smith: „Secularity, Globalization and the Re-enchantment of the World". In *After Modernity? Secularity, Globalization and the Re-enchantment of the World.* Waco: Baylor University Press, 2008; Kapitel 1.

363 King: *Postsecularism;* S. 45; 47.

364 Dalai Lama: *Beyond Religion. Ethics for a Whole World.* New York: Houghton Mifflin Harcourt, 2011. Siehe auch Dalai Lama: *The Universe in a Single Atom. The Convergence of Science and Spirituality.* New York: Harmony, 2009.

365 Richard Tarnas: *The Passion of the Western Mind. Understanding the Ideas that Have Shaped Our World Views.* New York: Harmony, 1991; S. 435. Dt.: *Idee und Leidenschaft. Die Wege des westlichen Denkens.* Hamburg: Rogner & Bernhard, 2001; S. 487.

366 Tarnas: *The Passion of the Western Mind;* S. 387.

367 Tarnas: *The Passion of the Western Mind;* S. 405.

368 Tarnas: *The Passion of the Western Mind;* S. 403.

369 Jeffrey Walton: „National Cathedral Hosts Muslim Friday Prayers". Institute on Religion and Democracy, 14.11.2014. Siehe auch Peter Jones: „‚Christian' Liberalism Reveals Its Soul and Bares Its Fangs". TruthXchange.com, 18.11.2014.

370 King: *Postsecularism;* S. 147.

371 Tarnas: *The Passion of the Western Mind;* S. 385; 387 stellt dasselbe fest: Die Tiefenpsychologie machte Wissenschaft und übernatürliche Phänomene zu einem anerkannten Forschungsgebiet.

372 Interessanterweise gibt es nach Grofs Theorien nur zwei Gegner des christlichen Glaubens: das, was er „monistischen Materialismus" nennt, und das, was ich „spirituellen Monismus" nenne. Sie stellen die beiden möglichen Aspekte der *Einsheit* dar, die im postsäkularen Zeitalter zusammenfinden. Mehr dazu in der Arbeit von Mitchell Silver, s. Endnote 396.

373 Stanislav Grof: *Psychology of the Future. Lessons from Modern Consciousness Research.* Albany: State University of New York Press, 2000; S. 209–210.

374 Richard Tarnas: „The Great Initiation." Noetic Sciences Review 47, Winter 1998; S. 24–31.

375 Richard Tarnas: *Cosmos and Psyche. Intimations of a New World.* New York: Penguin, 2006; S. 41.

376 Sean M. Kelly: *Individuation and the Absolute. Hegel, Jung and the Path toward Wholeness.* New York: Paulist, 1993; S. 3.

377 Siehe *The Red Book;* hintere Umschlagseite. Zur Rolle des Okkulten in dieser „neuen Synthese" siehe das nächste Kapitel.

378 Dazu Malcolm Hollick: *The Science of Oneness. A Worldview for the Twenty-First Century.* Ropley (Hampshire): John Hunt, 2006; sowie das ältere Buch von Fritjof Capra: *The Tao of Physics. An Exploration of the Parallels between Modern Physics and Eastern Mysticism.* Berkeley: Shambhala, 1975. Dt.: *Das Tao der Physik.* München: Droemer, 1997.

379 King: *Postsecularism;* S. 124–125.

380 King: *Postsecularism;* S. 131.

381 Fritjof Capra: *The Web of Life. A New Scientific Understanding of Living Systems.* New York: Anchor, 1996; S. 107. Dt.: *Lebensnetz.* München: Droemer, 1999. Siehe auch Capra: *The Tao of Physics, and The Turning Point. Science, Society and the Rising Culture.* New York: Simon and Schuster, 1982.

382 Dazu James A. Herrick: *The Making of the New Spirituality. The Eclipse of the Western Religious Tradition.* Downers Grove: InterVarsity Press, 2003; S. 26.

383 Amit Goswami: *The Self-Aware Universe: How Consciousness Creates the Material World.* New York: Jeremy P. Tharcher, 1995; S. 11. Dt.: *Das bewusste Universum.* Bielefeld: Lüchow, 2013.

384 Frank Stootman: „The Spirituality of Quantum Mechanics". In Peter Jones (Hg.): *On Global Wizardry. Techniques of Pagan Spirituality and a Christian Response.* Escondido: Main Entry Editions, 2010; S. 160.

385 Stootman: „Spirituality of Quantum Mechanics"; S. 161. Ein Beispiel für das Zusammenspiel von Wissenschaft und Spiritualität siehe Herrick: *The Making of the New Spirituality;* Kapitel 5: „Science and Shifting Paradigms. Salvation in a New Cosmos".

386 Stootman: „Spirituality of Quantum Mechanics"; S. 167.

387 Carter Phipps: *Evolutionaries. Unlocking the Spiritual and Cultural Potential of Science's Greatest Idea.* New York: Harper Perennial, 2012; S. 7. Siehe auch Ervin Laszlo: „Quantum Consciousness. Our Evolution, Our Salvation". Huffington Post, 25.05.2011. http://www.huffingtonpost.com/ervin-laszlo/quantumconsciousness-our_b_524054.html

388 Phipps: „Evolutionaries"; S. 7.

389 Ein weiterer Aspekt dieser neuen Wissenschaft ist das wachsende Interesse an „sich empor entwickelnder Evolution" in der Zusammenführung von Mensch und Maschine, um etwas „Transhumanes" herzustellen. Es wird

behauptet, wir könnten nur so sicherstellen, dass wir dem Aussterben entgehen. Technologie wird die Unsterblichkeit hervorbringende Magie von morgen sein. Transhumanismus ist unausweichlich *einsheitlich,* insofern er „eine einheitlich zusammenwirkende Organisation lebendiger Prozesse, die das Universum als Ganzes umfasst und handhabt", benötigt. Das klingt verdächtig nach dem Anspruch des Menschen auf Göttlichkeit. Siehe James Herrick in John West (Hg.): *The Magician's Twin: C. S. Lewis on Science, Scientism, and Society. Seattle:* Discovery Institute, 2012; S. 251.

390 Tarnas: *The Passion of the Western Mind;* zitiert auf der hinteren Umschlagseite.

391 William Blake: „London." In *Songs of Experience,* 1794.

392 Tarnas: *The Passion of the Western Mind;* S. 440.

393 Tarnas: *The Passion of the Western Mind;* S. 411.

394 Tarnas: *The Passion of the Western Mind;* S. 403.

395 Mitchell Silver: *A Plausible God. Secular Reflections on Liberal Jewish Theology.* New York: Fordham University Press, 2006; S. 7. Eine ähnliche Erörterung findet sich in Richard Dawkins: *Der Gotteswahn.* Berlin: Ullstein, 2007.

396 http://www.youtube.com/watch?v=g0B-cUSX57Q

397 Silver: *A Plausible God.*

398 Silver: *A Plausible God;* S. 47.

399 Silver: *A Plausible God;* S. 105.

400 John P. Dourley: *The Psyche as Sacrament. A Comparative Study of C. G. Jung and Paul Tillich.* Toronto: Inner City Books, 2006; S. 65.

401 Wayne Teasdale: *The Mystic Heart.* Novato: New World Library, 1999; S. 4. Hervorhebung durch den Herausgeber.

402 Kurt Johnson, David Robert Ord: *The Coming Interspiritual Age.* Vancouver: Namaste, 2012.

403 Johnson, Ord: *The Coming Interspiritual Age;* S. 7.

404 Diese Sichtweise dringt auch in den Evangelikalismus ein, wie im nächsten Kapitel deutlich wird – doch ein Punkt muss bereits hier erwähnt werden. Sowohl der heidnische Philosoph Ken Wilber als auch der römisch-katholische Spiritualitätsexperte Richard Rohr empfehlen begeistert *The Coming Interspiritual Age* von Johnson und Ord. Rohr befürwortet sowohl Wilbers Bücher als auch seine heidnische „Nicht-Dualität" und lehrte „nicht duale Spiritualität" bei den DMin-Studenten am *Fuller Theological Seminary* in Pasadena.

405 Andrew Cohen: „Editorial. Redefining spirituality for an evolving world". What is Enlightenment 34, September–Dezember 2006; S. 16.

406 Andrew Cohen: „The Significance of Non Duality. There is Only One, Not Two". Vortrag, EnlightenNext winter retreat, Tucson, 27.12.–06.01; ohne Jahr.

407 Jean Houston: „The Mything of the World: The Social Artist as Transcultural and Transpersonal Agent of Change". ITC, 2004.

408 Houston: „The Mything of the World".

409 Virginia Lee: „Jean Houston. The Mystery of Human Consciousness. Exploring the Mystery of Human Consciousness. An Interview with Jean Houston." Common Ground, 21.07.2011.

410 Jean Houston: „A Stride of Soul: Shift Network on Global Oneness Day". The Shift Network, 2012. http://light-of-consciousness.org/homepage-articles/stewards-of-time.html

411 Jean Houston: „A Stride of Soul".

412 Alan Davidson: „Jean Houston. ‚Fractals and the Rise of the Shadow.' Jean Houston Ph.D. Interview". Through Your Body, 2006. http://www.throughyourbody.com/members/newsletters/january2006/jeanhouston.html

413 https://twitter.com/jbarro/status/492139917288693761

414 Joy Pullmann: „What's Happening to Gordon College is Just the Beginning". The Federalist, 18.07.2014. http://thefederalist.com/2014/07/18/whats-happening-to-gordon-college-is-just-the-beginning/

415 Al Mohler: „A Moral Revolution at Warp Speed — Now, It's Wedding Cakes". AlbertMohler.com, 11.12.2013. http://www.albertmohler. com/2013/12/11/a-moral-revolution-at-warp-speed-now-its-wedding-cakes/

416 Tony Perkins: „Help Us Stand Firm — Against the Lawlessness of the Obama Administration". FRC, 21.07.2014. http://christian-citizenship.com/?m=201407

417 Melanie Phillips: *The World Upside Down. The Global Battle over God, Truth and Power.* London: Encounter, 2011; S. 316.

418 In Anlehnung an den Liedtitel „Why should the devil have all the good music?"(Warum sollte der Teufel alle gute Musik haben?)

Kapitel 9: *Rettung durch Schamanen*

419 Jenny Hontz: „Yoga's Rock Stars". Los Angeles Times, 21.08.2006. http://articles.latimes.com/2006/aug/21/health/he-yogistars21

420 Steven G. Vegh: „Local yoga instructor infuses her classes with Christian worship". The Virginian-Pilot, 30.05.2006. http://hamptonroads.com/node/108171

421 Siehe christianyoga.us

422 Elizabeth Gilbert: *Eat, Pray, Love. One Woman's Search for Everything across Italy, India and Indonesia.* New York: Penguin, 2006. Dt.: *Eat, Pray, Love oder*

Eine Frau auf der Suche nach allem quer durch Italien, Indien und Indonesien. Frankfurt a. M.: FISCHER, 2023.

423 „Modi means business with yoga focus". The Straits Times Asia Report, 16.11.2014. http://www.straitstimes.com/the-big-story/asia-report/india/story/modi-means-business-yoga-focus-20141116#sthash.GLQxgres.dpuf

424 Jenny Hontz: „Yoga's rock stars".

425 Anne-Marie O'Connor: „Inner-Peace Movement". Los Angeles Times, 25.03.2004. http://articles.latimes.com/2004/mar/25/news/wk-cover25

426 Siehe Pam Frost: „The Gospel According to Yoga". Vortrag, TruthXchange Symposium, Raleigh, 31.10.–01.11.2014.

427 C. G. Jung: *Psychological Types. Or the Psychology of Individuation.* Princeton: Princeton University Press, 1921; S. 149–150. Dt.: *Psychologische Typen.* Düsseldorf: Walter, 1995.

428 Mark Gaffney: *Gnostic Secrets of the Naassenes. The Initiatory Teachings of the Last Supper.* Rochester: Inner Traditions, 2004; S. 161.

429 Joel Stein: „Just Say Om". Time Magazine, 27.07.2003.

430 Siehe Edmund P. Clowney: *Christian Meditation.* Vancouver: Regent College Publishing, Neudruck 1979.

431 Swami Vivekananda: *Raja Yoga.* New York: Brentano, 1929; S. 51; 59.

432 Swami Sivananda Saraswati: „What Is Mind?" in *Bliss Divine.* Rishikesh: Divine Life Society, 2009.

433 Barry Long: *Meditation. A Foundation Course.* Los Angeles: Barry Long Books, 1996; S. 13.

434 Richard Wolin: *The Seduction of Unreason.* Princeton: Princeton University Press, 2006; S. 8–9.

435 Thomas Berry war selbst ein Jungianer. In *The Great Work: Our Way into the Future.* New York: Bell Tower, 1999; S. 69 verweist er auf die jungschen Archetypen.

436 A. d. V.: Das französische Idiom bedeutet etwa: Man kann versuchen, das Unvermeidliche zu vermeiden, aber irgendwann tritt es trotzdem ein.

437 Timothy J. Leary: „Ancient Lessons of the Psyche. The Collective Unconscious and Shamanic Journeying". Love Peace and Harmony, 26.07.2013. http://lovepeaceandharmony.org/profiles/blogs/ancient-lessons-of-the-psyche-the-collective-unconscious-and-sham . Siehe auch C. J. Groesbeck: „C. G. Jung and the Shaman's Vision". Journal of Analytical Psychology 34/3, Juli 1989; S. 255.

438 C. Michael Smith: *Jung and Shamanism in Dialogue. Retrieving the Soul / Retrieving the Sacred.* New York: Paulist, 1997.

439 Smith: *Jung and Shamanism;* S. 6.

440 Smith: *Jung and Shamanism;* S. 3.

441 Jung formuliert eine Definition des Numinosen: „eine dynamische Wirkung oder Auswirkung, die nicht durch einen beliebigen Willensakt verursacht wird … Das Numinose – was immer seine Ursache auch sei – ist eine willensunabhängige Erfahrung des Betreffenden … Das Numinose ist entweder eine Eigenschaft, die einem sichtbaren Objekt zugehört, oder der Einfluss einer unsichtbaren Präsenz, die eine merkwürdige Veränderung des Bewusstseins bewirkt." Siehe C. G. Jung: *Collected Works 11;* Abschnitt 6.

442 John P. Dourley: *The Illness That We Are. A Jungian Critique of Christianity.* Toronto: Inner City Books, 1984; S. 50.

443 Richard Tarnas: *The Passion of the Western Mind. Understanding the Ideas that Have Shaped Our World Views.* New York: Harmony, 1991; S. 425.

444 Ebd.

445 Stanislav Grof: *Psychology of the Future. Lessons from Modern Consciousness Research.* Albany: State University of New York Press, 2000. Dt.: *Die Psychologie der Zukunft.* Wettswil: Ed. Astroterra, 2002.

446 Lourdes ist ein Ort in Südfrankreich, an dem angeblich Wunderheilungen durch Erscheinungen der Jungfrau Maria geschehen.

447 Eine ausführlichere Aufstellung über Techniken bietet Grof: *Psychology of the Future;* S. 5.

448 Grof: *Psychology of the Future;* S. 4.

449 Grof: *Psychology of the Future;* S. 7.

450 Grof: *Psychology of the Future;* S. 5.

451 Grof: *Psychology of the Future;* S. xiii.

452 Grof: *Psychology of the Future;* S. 20. Er nennt das „Identifikation mit dem *Universellen Geist* und mit der suprakosmischen und metakosmischen Leere".

453 Michael York: *Pagan Theology. Paganism as a World Religion.* New York: New York University Press, 2003; S. 40.

454 Yusufu Turaki: „Foundations of African Traditional Religion and Worldview." In Peter Jones (Hg.): *On Global Wizardry: Techniques of Pagan Spirituality and a Christian Response.* Escondido: Main Entry Editions, 2010; S. 115–130. Es verblüfft, dass die hier beschriebenen Techniken verschiedener Kulturen und Länder eine frappierende Ähnlichkeit zueinander aufweisen.

455 Turaki: „Foundations of African Traditional Religion"; S. 118–119.

456 Turaki: „Foundations of African Traditional Religion"; S. 119–122.

457 Louis Sahagun: „Guru's Followers Mark Legacy of a Star's Teaching". The Los Angeles Times, 06.08.2006. http://articles.latimes.com/2006/aug/06/local/me-swami6

458 Berry: *The Great Work;* S. 106.

459 Berry: *The Great Work;* S. 2.

460 Berry: *The Great Work;* S. 168.

461 Berry: *The Great Work;* S. 73.

462 Berry: *The Great Work;* S. 88.

463 Berry: *The Great Work;* S. 22.

464 Berry: *The Great Work;* S. 18.

465 Walter Schwartz: „Thomas Berry obituary." The Guardian, 27.09.2009. Walter Schwartz beschreibt Berry als einen „einflussreichen christlichen Philosophen, der das Hauptaugenmerk des Glaubens weg von der persönlichen Erlösung auf die Bewahrung der Erde und letztlich des Universums hin richten wollte." Allerdings hat Berry jeglichen Anschein von Christsein abgelegt. Als „Geologe" verehrte er im Grunde die Erde.

466 Jean Houston: *Life Force. The Psycho-Historical Recovery of the Self.* New York: Delacorte, 1980; S. xxv; xviii; xix.

467 Richard Noll: *The Jung Cult. Origins of a Charismatic Movement.* Princeton: Princeton University Press, 1994; S. 137.

468 http://www.jeanhouston.org/Jean-Houston/

469 Jean Houston: „Social Artists". New Connexion, Mai–Juni 2005.

470 Auf dem Webinar Beyond Awakening im Jahr 2010, das ich verfolgte, sprach Jean Houston über das Thema: „A New Order Of Spirituality In Our Time" (dt.: „Eine neue Ordnung der Spiritualität in unserer Zeit"). In einem Live-Interview wurde sie nach ihrer Beziehung zu Mrs. Clinton gefragt, und Houston antwortete, dass sie weiterhin mit ihr in Beziehung stehe, „aber unterhalb des Radars", woraufhin sie kurz lachte. Sie bestätigte, dass „Hillary ein tiefes spirituelles Leben hat", wobei „spirituell" offensichtlich in Houstons Sinn gemeint war. Am 25.04.2014 dagegen stellte Hillary Clinton vor 7000 Frauen der *United Methodist Church* ihren Glauben als christlich dar. Als sie über ihren liberalen christlichen Hintergrund sprach, erklärte sie: „Ich liebe diese Kirche. Ich schätze, wie sie mich veranlasste, mich selbst zu sehen … Ich schätze, wie sie mir die Türen geöffnet hat, die Welt zu verstehen. Ich liebe die Art und Weise, wie sie mir half, meinen Glauben zu vertiefen und zu gründen." Vgl. Adam Beam: „For Hillary Clinton, Faith Means Caring for Others." Associated Press, 26.04.2014. Siehe auch Robin Abcarian: „An Archetypical Analysis of Clinton." Los Angeles Times, 12.05.2008. http://articles.latimes.com/2008/may/12/nation/na-newage12

471 Für einige dieser Einsichten bezüglich der Bedeutung von Jean Houston bin ich dem kanadischen Rev. Dr. Ed Hird zu Dank verpflichtet. Siehe „Jean Houston and the Labyrinth Movement". http://edhird.com/2010/08/26/dr-jean-houston-the-labyrinth-fad/

472 Jean Houston: *The Passion of Isis and Osiris. A Gateway to Transcendent Love.* New York: Ballantine, 1995; S. 2.

473 Ebd.

474 Weiteres hierzu in Peter Jones: „Androgyny: The Pagan Sexual Ideal." Journal of the Evangelical Theological Society, Januar 2000. Dort habe ich die orts- und zeitübergreifende Bedeutung homosexueller Schamanen in heidnischen Kulten belegt. Weiteres in Walter L. Williams: *The Spirit and the Flesh. Sexual Diversity in American Indian Cultures.* Boston: Beacon, 1986; S. 110–127.

475 Grof: *Psychology of the Future;* S. 67.

476 An diesen äußeren Rändern der „Spiritualität", wo die Vorstellung vom „Bild Gottes" nicht mehr anerkannt wird, müssen wir ebenfalls die extremen sexuellen Ausdrucksweisen wahrnehmen. Heutige Wissenschaftler sprechen davon, dass Menschen eine „zoophile Orientierung" hätten, also ein tiefes psychisches Bedürfnis nach sexuellen Kontakten mit Tieren. Siehe Gieri Bolliger, Antoine F. Goetschel: „Sexual Relations with Animals (Zoophilia). An Unrecognized Problem in Animal Welfare Legislation." In *Bestiality and Zoophilia: Sexual Relations with Animals;* S. 40. Siehe auch Hani Miletski: *Is Zoophilia a Sexual Orientation? A Study in Bestiality and Zoophilia.* 2005; S. 82; 95. Es gibt nichts, das verhindern könnte, dass diese Perversion als selbstverständliches Bürgerrecht legalisiert wird. Ein Jurastudent an der *Cornell University Law School* stellte fest, dass „die Argumente, die für das Verbot von Sex mit Tieren vorgebracht werden … immer weniger nachvollziehbar sind, und zwar hauptsächlich aufgrund ihrer irrationalen Inkonsistenz." Siehe Antonio Haynes: „‚Dog on Man'. Are Bestiality Laws Justifiable?" Cornell University Law School, 05.12.2012.

477 Grof: *Psychology of the Future;* S. 67.

478 Grof: *Psychology of the Future;* S. 68.

479 Berry: *The Great Work;* S. 159.

480 Helen A. Berger, Evan A. Leach, Leigh Shafer (Hg.): *Voices from the Pagan Census. A National Survey of Witches and Neo-Pagans in the United States.* Columbia: University of South Carolina Press, 2003; S. 40.

481 Berger et al.: *Voices;* S. 38.

482 Siehe die Webseite von *Burning Man.* Hervorhebung und Ergänzung PJ.

483 Ken Wilber, Treya Killam Wilber: *Grace and Grit.* Boston: Shambhala, 1991; S. 77–88.

484 Josh Ellenbogen, Aaron Tugendhaft (Hg.): *Idol Anxiety.* Stanford: Stanford University Press, 2001; S. 127.

485 James M. Robinson (Hg.): *Thunder, Perfect Mind,* 13:19; 16:7; 19:15ff; 20:6-7. In *The Nag Hammadi Library in English.* Überarbeitete Auflage. Leiden:

Brill, 1996. Dt.: *Die Bronte – Vollkommener Verstand* (NHC VI,2). In: *Nag Hammadi Deutsch,* H.-M. Schenke (Hg.). Berlin: De Gruyter, 2013.

486 James M. Robinson (Hg.): *Gospel of Truth,* 25:1-7. In *The Nag Hammadi Library in English.* Überarbeitete Auflage. Leiden: Brill, 1996. Dt.: *Evangelium Veritatis* (NHC I,3/XII,2). In: *Nag Hammadi Deutsch,* H.-M. Schenke (Hg.). Berlin: De Gruyter, 2013.

487 „Christus und der Antichrist sind die Dualitäten von Spiritualität und Materialismus, sowohl im Einzelnen als auch in der Menschheit als Ganzes." Bailey: *Externalisation of the Hierarchy.* New York: Lucis Trust, 1957; S. 136.

488 C. G. Jung: *Gesammelte Werke.* Hg. v. Gerhard Adler, übers. von R. F. C. Hull. Princeton: Princeton University Press, 1970, 1975; 10:852, 11:295. Zitiert in Sean M. Kelly: *Individuation and the Absolute. Hegel, Jung and the Path toward Wholeness.* New York: Paulist, 1993; S. 18.

489 Kelly: *Individuation;* S. 18.

490 Ebd.

491 June Singer: *Androgyny. Toward a New Theory of Sexuality.* New York: Doubleday, 1976; S. 147.

492 Manson Family ist die Bezeichnung für eine sektenähnliche Gruppe junger Menschen um Charles Manson, die durch zahlreiche schwere Straftaten bekannt wurde.

493 Lynn Vincent: „Profile. Underestimating evil?" World, 11.03.2000. http://www.worldmag.com/2000/03/profile_underestimating_evil

494 Noll: *The Jung Cult;* S. 268. Ein Vergleich von Jungs Theorien und dem Buddhismus findet sich in Radmila Moacanin: *The Essence of Jung's Psychology and Tibetan Buddhism. Western and Eastern Paths to the Heart.* Somerville: Wisdom Publications, 2003.

495 Nietzsche: *Thus Spoke Zarathustra.* Zitiert in Wolin: *Seduction of Unreason;* S. 50. Dt.: *Also sprach Zarathustra.* Stuttgart: Kröner, 1981; S. 125f. (Von der Selbstüberwindung); S. 320 (Vom höheren Menschen).

496 Noll: *The Jung Cult;* S. 264.

497 Friedrich Nietzsche: *Beyond Good and Evil. Prelude to a Future Philosophy.* Übers. von Helen Zimmern. 1895. Dt.: *Jenseits von Gut und Böse – Vorspiel einer Philosophie der Zukunft.* München: DTV, 1999.

498 Dourley: *The Illness That We Are;* S. 7.

499 Al Mohler: „‚I Feel Super Great about Having an Abortion.' The Culture of Death Goes Viral." AlbertMohler.com, 08.05.2014. http://www.albertmohler.com/2014/05/08/i-feel-super-great-about-having-an-abortion-the-culture-of-death-goes-viral/

500 Ebd.

501 Ebd.

502 Berry: *The Great Work;* S. 174–175.

503 Berry: *The Great Work;* S. 165.

504 Jonathan Ott: „Shamanism." Webseite des *Institute of Noetic Sciences.* Hervorhebung durch den Herausgeber.

505 C. G. Jung: „The Undiscovered Self." In *Gesammelte Werke von Carl Gustav Jung, Band 10.* Hg. v. H. Read et al., Übers. von R. F. C. Hull. Princeton University Press, 1970; S. 585–586.

506 Thomas Berry: *The Dream of the Earth.* San Francisco: Sierra Club Books, 1990; S. 211.

507 Ebd.

508 Tarnas: *The Passion of the Western Mind;* S. 411.

509 Tarnas: *The Passion of the Western Mind;* S. 403, Hervorhebung durch PJ.

510 Richard Tarnas: *Cosmos and Psyche. Intimations of a New World.* New York: Penguin, 2006.

511 C. G. Jung: *Memories, Dreams, Reflections.* Dt.: *Erinnerungen, Träume, Gedanken von C. G. Jung.* Zitiert in Tarnas: *Cosmos and Psyche;* S. 1. Seinem Biografen Ronald Hayman zufolge „begann Jung, von Archetypen als einem ‚Kraftfeld' jenseits der menschlichen Psyche zu sprechen. Er definierte sie neu als transzendente ‚Arrangeure der übernatürlichen Formen innerhalb und außerhalb der Psyche'". In *A Life of Jung.* New York: Norton and Company, 1999; S. 407. Seine Schüler der Tiefenpsychologie finden deren Letztbegründung dann in der Astrologie. Sie glauben, dass diese unendlich viele archetypische Erfahrungen in Beziehung zum natürlichen Kosmos widerspiegeln könne.

512 John N. Oswalt: *The Bible among the Myths.* Grand Rapids: Zondervan, 2009; S. 14.

Teil 3 – Nicht aufgeben

513 John Murray: *The Epistle to the Romans.* Grand Rapids: Eerdmans, 1959; S. 53.

514 Robert R. Reilly: *Making Gay Okay. How Rationalizing Homosexual Behavior Is Changing Everything.* San Francisco: Ignatius, 2014; S. 7.

515 Reilly: *Making Gay Okay;* S. 8.

516 Reilly: *Making Gay Okay;* S. 9.

517 Herbert Marcuse: *Eros and Civilization.* Boston: Beacon, 1955/1966. Dt.: *Triebstruktur und Gesellschaft.* Frankfurt a. M.: Suhrkamp, 1979. Plato hätte Jung angeprangert, denn Plato glaubte, dass „die Befreiung des Eros nicht Freiheit, sondern Vernichtung bedeutet". Zitiert in Reilly: *Making Gay Okay;* S. 26.

518 A. d. V.: nach Röm 2,15.

Kapitel 10: *Christliche Kompromisse mit der Kultur*

519 Studenten bejubelten 2014 auf dem Gelände der *University of Regina* in der kanadischen Provinz Saskatchewan die Verhaftung meines Freundes Peter LaBarbera, dem Leiter von *Americans for Truth about Homosexuality.* Sein Verbrechen? Er und ein Freund hatten Literatur verteilt, in der sie die biblische Sicht von Sexualität und Ehe darlegten. http://www.cbc.ca/news/canada/saskatchewan/u-s-anti-gay-activist-peterlabarbera-arrested-in-regina-1.2610123

520 David Kinnaman, Gabe Lyons: *UnChristian. What a New Generation Really Thinks about Christianity.* Grand Rapids: Baker, 2007.

521 Die Motive der beiden ernsthaften jungen Männer bezweifele ich nicht. Ich hoffe, dass mein Beitrag sich als konstruktiv erweist.

522 Kinnaman and Lyons: *UnChristian;* S. 139.

523 Kinnaman and Lyons: *UnChristian;* S. 100.

524 https://web.archive.org/web/20141215111545/http://www.canainitiative.org/initiators.html

525 Aus dem Gedicht „Wild Geese" von Mary Oliver. Siehe Alexander Griswold: „Wild Goose Goes Gay. Drag Queen Edition". Institute on Religion and Democracy, 15.07.2014.

526 Siehe Chelsen Vicari: „Why Liberal Evangelicals are Lying to Millennials". The Blaze, 05.10.2013. http://www.theblaze.com/contributions/why-liberal-evangelicals-are-lying-to-millennials/

527 Als ein Beispiel dafür beschreibt TIME „das Reformation Project, die Bemühungen des 24-jährigen homosexuellen Aktivisten Matthew Vines aus Wichita (KS), dass sich in jeder evangelikalen Gemeinde des Landes LGBT-Befürworter zu Wort melden. Um dieses Ziel zu erreichen, bildet er Reformer in Gruppen von 40 bis 50 Teilnehmern in regionalen Leiterschaftsschulungen aus. … Meeks von der *EastLake Community Church* plant für April eine Zusammenkunft mit dem vorsichtig formulierten Titel ‚Sexuality, Inclusion and the Future of the Church' mit dem britischen Geistlichen Steve Chalke, dessen Organisation letzten Sommer aus der britischen Evangelischen Allianz ausgeschlossen wurde, weil sie die LGBT-Gemeinschaft unterstützt." Elizabeth Dias: „A Change of Heart. Inside the Evangelical Fight Over Gay Marriage." TIME, 26.01.2015; S. 46; 48.

528 Dias: „A Change of Heart"; S. 44–48.

529 Dias: „A Change of Heart"; S. 47.

530 A. d. V.: „D-Day" wird oft als Abkürzung für „Decision Day" verwendet, den „Tag der Entscheidung". An diesem Tag begann in der Normandie die große Militäraktion, die entscheidend für den weiteren Verlauf des Zweiten Weltkriegs war.

531 Dias: „A Change of Heart“; S. 46.

532 Rachel Held Evans: „Why Millennials Are Leaving the Church“. CNN Belief Blog, 27.07.2013. http://religion.blogs.cnn.com/2013/07/27/why-millennials-are-leaving-the-church/

533 https://web.archive.org/web/20140715002349/ ; http://www.canainitiative.org/ initiatives.html

534 http://www.patheos.com/blogs/christianpiatt/2013/10/what-is-the-cana-initiative-an-interview-with-mclaren-spellers-and-pagitt/ Hervorhebung durch PJ.

535 Bass bloggt für die *Huffington Post* und ist mit dem *Sojourners Magazine* sowie der Red-Letter Christians Movement verbunden. Siehe http://sojo.net/biography/diana-butler-bass.

536 Dianna Butler Bass: *Christianity After Religion. The End of the Church and the Birth of a New Spiritual Awakening.* New York: HarperOne, 2012.

537 Empfehlung in Bass: *Christianity After Religion.*

538 Bass: *Christianity After Religion.*

539 Bass: *Christianity After Religion;* S. 30.

540 Bass: *Christianity After Religion;* S. 7. Bass behauptete, dass „die 1970er-Jahre der Anfang des Endes der älteren Formen des Christentums waren“.

541 Bass: *Christianity After Religion;* S. 35; 96.

542 James Forbes: „The Next Great Awakening“. Tikkum, September–Oktober 2010. Zitiert in Bass: *Christianity After Religion.*

543 Bass: *Christianity After Religion;* S. 5. Auf Seite 223 beschreibt Bass die Sechzigerjahre als „ein geistliches Treibhaus, einen Garten des Erwachens“.

544 Bass: Ebd.

545 Bass: *Christianity After Religion;* S. 224.

546 William McLoughlin: *Revivals, Awakenings and Reform.* Chicago: University of Chicago Press, 1978; S. 1–2. Zitiert mit Genehmigung in Bass: *Christianity After Religion:* „Was, wenn Erweckung nicht ausschließlich eine christliche Angelegenheit ist, sondern eher darin besteht, dass eine gewisse Form des Christentums eine bedeutende Rolle dabei spielt, den Rahmen einer neuen Art von Religion jenseits herkömmlicher religiöser Grenzen zu umreißen?“ Bass: *Christianity After Religion;* S. 5.

547 Diana Butler Bass: „Contemplative Worship“. The Christian Century, 19.09.2006; S. 25–29.

548 John P. Dourley: *The Illness That We Are. A Jungian Critique of Christianity.* Toronto: Inner City Books, 1984; S. 40.

549 Auf mehreren Gebieten entfalte ich den Gegensatz zwischen einer gnostischen Sicht von Jesus und dem Jesus, wie er in den kanonischen Evangelien beschrieben ist, in meinem Buch *Stolen Identity: The Conspiracy to Re-invent Jesus.* Colorado Springs: Cook Communications, 2006.

550 Bass: *Christianity After Religion;* S. 186.

551 Bass: *Christianity After Religion;* S. 189. Auf Seite 190 schreibt sie: „Wir gehören zu Gott, weil Gott in allen und jedem von uns ist."

552 Harvey Cox ist ebenfalls von der Gnosis inspiriert. Für ihn zeigen die gnostischen Texte, dass in den ersten Jahrhunderten nach Christus verschiedene Versionen des Christentums und nicht nur eine blühten und dass sie „eine alternative Spiritualität darlegen, die für viele Menschen im 21. Jahrhundert anziehend ist". *The Future of Faith.* New York: HarperCollins, 2009; S. 16.

553 Bass: *Christianity After Religion;* S. 265.

554 Bass: *Christianity After Religion;* S. 18. Sie erwähnt auch den bedeutsamen Einfluss von Brian McLaren auf ihr Denken.

555 Phyllis Tickle: *The Great Emergence. How Christianity Is Changing and Why.* Grand Rapids: Baker, 2008; S. 28.

556 Tickle: *The Great Emergence;* S. 70. Jungs wahres Selbst ist ein wie Gott selbstbestimmender Verbinder von Gut und Böse.

557 Tickle: *The Great Emergence;* S. 67.

558 Ich selbst habe sie dies bei einem öffentlichen Treffen sagen hören.

559 https://web.archive.org/web/20090309125852 http://www.thevisionproject.org/Essays/mclaren_brian.html

560 Ebd.

561 Siehe „Brian McLaren Calls Hell and the Cross ‚False Advertising for God' – 08. und 12.01.2006". Lighthouse Trails Research Project, ohne Datum. Damit keine Unklarheit aufkommt: McLaren unterstützte ein Buch von Alan Jones, einem Priester der *Episcopal Church,* der Jesu „stellvertretenden Sühnetod … [eine] abscheuliche Lehre" nannte. Alan Jones: *Reimagining Christianity. Reconnect Your Spirit without Disconnecting Your Mind.* Hoboken: Wiley, 2004; S. 168.

562 So z. B. in seinem Kurs „Action and Contemplation." SP761, 8 Einheiten, Fuller DMin Program, 2010.

563 Richard Rohr: „Creation as the Body of God." The Huffington Post, 04.03.2011.

564 Rohr: „Creation as the Body of God."

565 Siehe die Pressenotiz zu diesem Buch auf http://www.mmdnewswire.com/canchristians-be-saved-by-virginia-t-stephenson-buck-rhodes-27055.html

566 Kester Brewin: *Signs of Emergence: A Vision for Church that Is Organic/Networked/Decentralized/Bottom-up/Communal/Flexible/Always Evolving.* Grand Rapids: Baker, 2007; S. 53.

567 Brewin: *Signs of Emergence;* S. 104.

568 Brewin: *Signs of Emergence;* S. 128.

Kapitel 11: *Ein ganzheitlicher oder ein heiliger Kosmos?*

569 Darüber hinaus kommt es 182-mal in den Apokryphen der römisch-katholischen Bibel vor.

570 David Tacey: *The Spirituality Revolution. The Emergence of Contemporary Spirituality.* London: Routledge, 2004; S. 128.

571 Huston Smith: *Beyond the Postmodern. The Place of Meaning in a Global Civilization.* Wheaton: Quest Books, 2003; S. 222. „Quest" ist der Verlagszweig der Theosophical Society.

572 Mark Foreman: *Wholly Jesus. His Surprising Approach to Wholeness and Why It Matters Today.* Boise: Ampelon, 2008; S. 39.

573 Jung sagte ebenfalls, dass „es dem Christus-Sinnbild an Ganzheit im modernen psychologischen Sinne mangelt, denn es schließt die dunkle Seite der Dinge nicht ein, sondern in Form eines teuflischen Gegenspielers ausdrücklich aus". Zitiert in Jeffrey Satinover: „The Gnostic Core of Jungian Psychology. Radiating Effects on the Moral Order." In James M. DuBois (Hg.): *Moral Issues in Psychology. Personalist Contributions to Selected Problems.* Lanham: University Press of America Inc. 1997; S. 159.

574 Ethelbert Stauffer: „Hágios"; in *Theological Dictionary of the New Testament.* Eerdmans, 1964; S. 88.

575 Stauffer: „Hagios"; S. 89.

576 Stauffer: „Hagios"; S. 91.

577 Jeffrey Satinover: *Homosexuality and the Politics of Truth.* Grand Rapids: Baker, 1996; S. 240.

578 Roger Kimball: *The Perversions of M. Foucault.* New York: Simon and Schuster, 1993. Zitiert in James Miller: „The Passion of Michel Foucault. A Review." The New Criterion, März 1993. http://www.newcriterion.com/articles.cfm/The-perversions-of-M--Foucault-4714 Zitiert hier aus: James Miller: *Die Leidenschaft des Michel Foucault,* Köln: Kiepenheuer & Witsch, S. 40; 43.

579 Es ist interessant festzustellen, dass die Worte *kabod* (Herrlichkeit) und *qedesch* (Heiligkeit) oft zusammen vorkommen, weil Herrlichkeit ein Zeichen der Unterscheidbarkeit ist. Von daher gibt es, wie Paulus sagt, verschiedene Arten von Herrlichkeit: „Dann gibt es himmlische und irdische

Körper. Die Himmelskörper haben eine andere Schönheit als die Körper auf der Erde. Der Glanz der Sonne ist anders als der des Mondes und der von den Sternen. Auch die Sterne selbst unterscheiden sich in ihrer Helligkeit" (1Kor 15,40-41; NeÜ).

580 Marc Byrd and Steve Hindalong: „God of Wonders". CD, 2000, CCLI #3118757; genaue Übersetzung. Deutsche Übertragung von Arne Kopfermann: „Herr der ganzen Schöpfung (Deine Größe erfüllt das ganze All)."

581 Eine weiterführende Entfaltung des Wesens Gottes aus diesem Blickwinkel findet sich in meinem Buch *The God of Sex. How Spirituality Defines Your Sexuality.* Escondido: Main Entry Editions, 2013; S. 113–123.

582 Eine ausführliche Entfaltung des Trennens in Gottes Schöpfungshandeln und dessen Heiligkeit findet sich in Jones: *The God of Sex;* S. 127–130.

583 Nach dem Rabbiner Jacob Milgrom war „die Schöpfung … das Ergebnis davon, dass Gott Abgrenzungen vornahm (1Mo 1,4.6.7.14.18). Israel soll dieses Handeln Gottes fortführen: Die Priester mussten Heiligkeit lehren (3Mo 10,10-11), and das Volk sollte entsprechend handeln (Hes 22,26)." *Leviticus 1–16.* New York: Doubleday, 1991; S. 689.

584 Charles Fritsch: *The Book of Genesis. The Layman's Bible Commentary.* Richmond: John Knox Press, 1959; S. 26.

585 A. d. V.: https://youtu.be/pSEdQGGjB8Y ; siehe auch: https://youtu.be/QfcSiNftBTk

586 Gerhard von Rad: Genesis. Philadelphia: Westminster, 1961; S. 59.

587 Vgl. Ps 89,36 (NeÜ): „Einmal schwor ich bei meiner Heiligkeit: ‚Ich werde David niemals belügen.'"

588 Ps 33,21 (NeÜ): „Ja, an ihm freuen wir uns, denn auf den heiligen Gott ist Verlass."

589 2Mo 22,30; 3Mo 20,7.26; 21,8; 5Mo 7,6; 28,9.

590 Vgl. Jesu sinnentsprechenden Satz: „Ihr nun sollt vollkommen sein, wie euer himmlischer Vater vollkommen ist" (Mt 5,48).

591 Paulus sagt über die Heidenchristen, dass sie Gott „angenehm [sind], geheiligt durch den Heiligen Geist" (Röm 15,16).

592 Übersetzung des Ausspruchs „L'enfer, c'est les autres" aus Jean-Paul Sartres *Drama Huis Clos.* Dt.: *Geschlossene Gesellschaft oder Bei geschlossenen Türen.*

593 *Héteros* für den „anderen" steht außerdem in Philipper 2,4 (NeÜ): „Denkt nicht nur an euer eigenes Wohl, sondern auch an das der anderen!"

594 Siehe Jones: *God of Sex;* S. 198–202.

595 Robert R. Reilly: *Making Gay Okay. How Rationalizing Homosexual Behavior Is Changing Everything.* San Francisco: Ignatius, 2014; S. 39; 41.

596 Siehe dazu den Versuch von Matthew Vines: *God and the Gay Christian.* New York: Convergent Books, 2014; und die Erwiderungen von Michael Brown: *Can You Be Gay and Christian? Responding With Love and Truth to Questions about Homosexuality.* Lake Mary: Frontline, 2014; sowie Al Mohler: „God, the Gospel, and the Gay Challenge – A Response to Matthew Vines“. AlbertMohler.com, 22.04.2014.

597 Sarah Ruden: *Paul Among the People. The Apostle Reinterpreted and Reimagined in His Own Time.* New York: Image Books, 2010; S. 138.

598 Reilly: *Making Gay Okay;* S. 45.

599 Reilly: *Making Gay Okay;* S. 48.

600 Vgl. 2. Petrus 3,10-11: „Der Tag des Herrn wird aber so unerwartet kommen wie ein Dieb. Dann wird der Himmel unter schrecklichem Lärm vergehen und die Elemente in Hitze aufgelöst. Die Erde mit allen Menschenwerken darauf ist dann verbrannt. Wenn sich das alles nun so auflösen wird, was für ein Anliegen müsste es euch dann sein, ein Leben in Heiligkeit und Ehrfurcht vor Gott zu führen …“ (NeÜ).

601 David Horowitz: *The Black Book of the American Left.* New York: Encounter, 2013; S. 398.

Kapitel 12: *Das Denken sprengen*

602 Eine gestützte Auslegung dieses Verses habe ich ausgearbeitet in *One or Two. Seeing a World of Difference.* Escondido: Main Entry Editions, 2010.

603 A. d. V.: das Sein betreffend.

604 John P. Dourley: *The Illness That We Are: A Jungian Critique of Christianity.* Toronto: Inner City Books, 1984; S. 158.

605 „Was man geradezu eine systematische Blindheit nennen könnte, ist einfach die Auswirkung der vorgefassten Meinung, dass Gott außerhalb des Menschen ist.“ Zitiert in Dourley: *The Illness That We Are;* S. 23.

606 Heinrich Himmler: „Rede am 04.10.1943.“ https://de.wikipedia.org/wiki/Posener_Reden ; abgerufen 04.01.2024.

607 Brian Farmer: „The Holocaust. Denying the Deniers“. The New American, 25.03.2014; S. 35. http://www.thenewamerican.com/culture/history/item/17910-the-holocaust-denying-the-deniers

608 δοκιμάζειν steht für „prüfen“ in Römer 12,2; ἀδόκιμον für „verworfen“ in Römer 1,28.

609 Manche Leser mögen sich meine Vorträge bei den truthXchange Think Tanks zunutze machen wollen, z. B. „Twoism and the Doctrine of God.“ http://truthxchange.com/section/media/audio/think-tank-2012-the-beauty-of-two/page/2/

610 C. G. Jung: „Psychological Commentary on The Tibetan Book of the Great Liberation". In *Gesammelte Werke, Band 11 Psychology and Religion;* S. 770–771.

611 Dourley: *The Illness That We Are;* S. 25.

612 Zu einem nützlichen Verstehen der systematischen Struktur von Gottes Offenbarung in der Bibel verhelfen R. C. Sproul: *Foundations: An Overview of Systematic Theology.* Orlando: Ligonier Ministries, ohne Datum; Sproul: *Holy, Holy, Holy. Proclaiming the Perfections of God.* Orlando: Reformation Trust, 2010; Michael Horton: *The Christian Faith. A Systematic Theology for Pilgrims on the Way.* Grand Rapids: Zondervan, 2011; John Frame: *Systematic Theology. An Introduction to Christian Belief.* Phillipsburg: P&R, 2013; Sinclair Ferguson: *The Christian Life. A Doctrinal Introduction.* Orlando: Ligonier Ministries, 2013; Joe Boot: *The Mission of God. A Manifesto of Hope.* St. Catherines: Freedom Press International, 2014.

613 John Shelby Spong: *Rescuing the Bible from Fundamentalism. A Bishop Rethinks the Meaning of Scripture.* San Francisco: HarperCollins, 2009; S. 232.

614 William M. Struthers: *Wired for Intimacy: How Pornography Hijacks the Male Brain.* Downers Grove: InterVarsity Press, 2009; S. 177.

615 Peter Jones: *The God of Sex. How Spirituality Defines Your Sexuality.* Escondido: Main Entry Editions, 2013; S. 167.

616 Robert Sokolowski: *The God of Faith and Reason: Foundations of Christian Theology.* Washington: Catholic University of America Press, 1995; S. 5.

617 Sokolowski: *The God of Faith and Reason;* S. x.

618 Das Album ist nicht mehr zugänglich. Eine Übersicht findet sich hier: https://musicbrainz.org/release/ce4e7302-49f5-4d76-8300-c2579a348691

619 Caroline Jones: *The Heart is Smart;* S. 5; 47.

620 Sokolowski; *The God of Faith and Reason;* S. x.

621 Siehe Dourley: *The Illness That We Are;* S. 95.

Kapitel 13: *Die Macht des Evangeliums: Ein ausgelieferter Retter*

622 Das ist eindeutig ein Problem im Islam, der eine falsche *Zweiheit* vertritt, in der Gott eine unpersönliche Einheit ist und mit anderen, insbesondere seinen Geschöpfen, nicht in Beziehung treten kann.

623 John P. Dourley: *The Illness That We Are. A Jungian Critique of Christianity.* Toronto: Inner City Books, 1984; S. 18; 50.

624 Johannes Calvin: *Institutio Christianae Religionis; 2.2.18. Unterricht in der christlichen Religion.* Neukirchen: Neukirchener Verlag, 2008; S. 145

625 Dourley: *The Illness That We Are;* S. 53.

626 Nach einem Anschlag auf die Sayidat-al-Nejat-Kathedrale in Bagdad am 31.10.2010 ermordeten Mitglieder der Terrororganisation Al-Qaida im Irak (AQI; jetzt IS) zwei Priester und 44 Gemeindeglieder. Sie bezeichneten Christen als „legitime Ziele“ und drohten, dass das „mörderische Schwert nicht zurückgenommen wird“. Siehe Patrick Goodenough: „Iraq's Vulnerable Christians Further Imperiled by Jihadist Advance“. CNSnews.com, 13.06.2014. http://www.cnsnews.com/news/article/patrick-goodenough/iraq-s-vulnerable-christians-further-imperiled-jihadist-advance

627 Jordan D. Paper: *The Deities Are Many. A Polytheistic Theology.* Albany: State University of New York Press, 2005; S. 10.

628 Stanislav Grof: *Psychology of the Future. Lessons from Modern Consciousness Research.* Albany: State University of New York Press, 2000; S. 67.

629 Richard Tarnas: *Cosmos and Psyche. Intimations of a New World.* New York: Penguin, 2006.

630 So durch drei verschiedene Verfasser im Neuen Testament: Markus 1,14; Römer 1,1; 1. Petrus 4,17.

631 https://www.ekd.de/Glaubensbekenntnis-von-Nizaa-Konstantinopel-10796.htm

632 Hans Steubing (Hg.): *Bekenntnisse der Kirche. Bekenntnistexte aus zwanzig Jahrhunderten.* Wuppertal: Brockhaus, 1985; S. 27.

633 Siehe Gregory Beale: *The Morality of God in The Old Testament.* Phillipsburg: P&R, 2013.

634 Murray: *Romans;* S. 44.

635 Beim Zitieren dieser Verse habe ich mir die Freiheit genommen, das „für uns“ betonend an den Anfang zu stellen, und darum die Struktur der Sätze verändert, nicht aber deren Inhalte.

636 Im griechischen Text ist das klar, denn der bestimmte Artikel bezieht sich eindeutig sowohl auf „Gott“ als auch auf „Retter“.

637 Für Paulus geht das „Hingeben“ weiter; vgl.: „Ihr Männer, liebt eure Frauen!, wie auch der Christus die Gemeinde geliebt und sich selbst für sie hingegeben hat *[parédoken]*“ (Eph 5,25).

638 Die Einigkeit von Vater und Sohn zeigt sich beispielsweise darin, dass Jesus nicht nur dahingegeben wurde, sondern sich selbst dahingab: „Wandelt in Liebe, wie auch der Christus uns geliebt und sich selbst für uns hingegeben hat *[parédoken]* als Opfergabe und Schlachtopfer, Gott zu einem duftenden Wohlgeruch!“ (Eph 5,2).

639 A. d. V.: Die griechische Übersetzung des AT (Septuaginta, LXX) übersetzt hier: „Und der Herr übergab ihn *[parédoken]* für unsere Sünden.“ Stuttgart: DBG, 2009.

640 Jackie Hill Perry: „Love Letter to a Lesbian". Desiring God, 16.05.2013. http://www.desiringgod.org/blog/posts/love-letter-to-a-lesbian

641 Siehe Kapitel 11 „Ein ganzheitlicher oder ein heiliger Kosmos?"

642 Vgl. „Wandelt in Liebe, wie auch der Christus uns geliebt und sich selbst für uns hingegeben hat *[parédoken]* ..." (Eph 5,2).

643 Mark Foreman: *Wholly Jesus: His Surprising Approach to Wholeness and Why It Matters Today.* Boise: Ampelon, 2008; S. 164.

NAMENS- UND SACHREGISTER

BIBELSTELLENREGISTER

Altes Testament

Neues Testament

Rosaria Butterfield
Fünf Lügen unserer Zeit

Gb., 400 S., 13,5 × 20,5 cm
Best.-Nr. 271915
ISBN 978-3-86353-915-3

Bestsellerautorin Rosaria Butterfield widerspricht fünf kulturellen Lügen, an die sie einst selbst glaubte. Unsere Kultur verändert sich ständig. Gerade die Ansichten über Sexualität und Spiritualität wechseln rasant. Rosaria Butterfield behauptet, dass das Wort Gottes eine Antwort auf solche schwankenden Meinungen hat, und entlarvt anhand der Heiligen Schrift fünf Lügen, die sich in unserer Kultur verbreitet haben.

Die Autorin erzählt persönliche Geschichten im Tagebuchstil, die mit Kulturwissenschaften, Literaturkritik und Theologie verwoben sind. Dieses kulturell hochrelevante Buch hilft, ein klareres Verständnis dafür zu gewinnen, wie Gottes Wort auf diese kritischen kulturellen Fragen anwendbar ist, mit denen die Kirche heute konfrontiert ist.

Die fünf behandelten Lügen lauten:

1. Lüge: Homosexualität ist normal.
2. Lüge: „Spirituelle“ sind freundlicher als bibeltreue Christen.
3. Lüge: Feminismus ist gut für die Welt und die Kirche.
4. Lüge: Transgenderismus ist normal, zumindest für manche Menschen.
5. Lüge: Sittsamkeit ist eine überholte Zumutung, die der männlichen Vorherrschaft dient und Frauen benachteiligt.

Rebecca McLaughlin
Das neue Credo
Fünf säkulare Glaubenssätze im Test

Pb., 192 S., 13,5 × 20,5 cm
Best.-Nr. 271822
ISBN 978-3-86353-822-4

Die Autorin geht Botschaften unserer heutigen Zeit nach und zeigt, dass diese ein säkulares Glaubensbekenntnis sind. Sie hilft Christen zu unterscheiden, welche Überzeugungen zu bejahen und welche abzulehnen sind. Sie lädt uns zum Gespräch mit unseren Nachbarn ein, um auf die Liebe Gottes hinzuweisen, die das wahre Fundament für Vielfalt und Gerechtigkeit ist.

Die fünf Glaubenssätze:

1. „Black Lives Matter“
2. „Liebe ist Liebe“
3. „Die Schwulenbewegung ist die neue Bürgerrechtsbewegung“
4. „Frauenrechte sind Menschenrechte“
5. „Transfrauen sind Frauen“

Norman L. Geisler, Patrick Zukeran
Wie kann ich meinen Glauben verteidigen?
Von Jesus Apologetik lernen

Pb., 240 S., 13,5 × 20,5 cm
Best.-Nr. 271680
ISBN 978-3-86353-680-0

Jesus war der ultimative Verteidiger der Wahrheit und des Glaubens. Lernen Sie direkt von ihm, wie Sie Ihre Überzeugungen wirksam verteidigen können. Es gibt viele Bücher zum Thema Apologetik, aber wie hat Jesus selbst den Glauben verteidigt? Dieses Buch zeigt, wie unser Erlöser Menschen überzeugte.

Zaghafte Christen – oder streitlustige Skeptiker – können in den Gleichnissen, Predigten und Prophezeiungen Jesu entscheidende Argumente für seine Göttlichkeit finden. Die Autoren bieten überzeugende Hilfen, wie Christus Neugierige in die Entscheidung stellte. Durch einen neuen Blick auf die Botschaft und die Wunder der Bibel wird Christi fürsorgliche Herangehensweise im Umgang mit Zweiflern neu lebendig. Ein Buch, das vielen helfen wird, überzeugend von Jesus zu reden.